LE ROI DE FER

Fresque historique en six volumes où revit le XIVe siècle, entre le procès des templiers et les débuts de la guerre de Cent Ans, *Les Rois Maudits* sont un roman dont tous les personnages ont existé. Appuyé sur une vaste documentation, l'ouvrage révèle dans la précision de la vie quotidienne, les drames politiques et passionnels qui ont opposé rois, reines, papes, ministres, hauts barons, pendant l'époque troublée, et jusqu'ici peu connue, des derniers Capétiens directs.

Le Roi de Fer, premier volume du cycle, a pour figure centrale le roi Philippe le Bel, monarque impitoyable mais qu'animait la volonté de l'unité nationale.

Le public a réservé un accueil exceptionnel à cette œuvre, constamment réimprimée depuis quinze ans, et traduite dans le monde entier. *Les Rois Maudits* sont considérés comme un des modèles contemporains du roman historique.

MAURICE DRUON

de l'Académie française

LES ROIS MAUDITS

I

Le Roi de fer

ROMAN HISTORIQUE

Nouvelle Édition

LE LIVRE DE POCHE

SOMMAIRE

Troisième Partie

LA MAIN DE DIEU

> « *L'histoire est un roman qui a été.* »

Ed. et J. de Goncourt

JE TIENS A RENOUVELER MA VIVE RE-
CONNAISSANCE A MES COLLABORATEURS
PIERRE DE LACRETELLE, GEORGES
KESSEL, CHRISTIANE GRÉMILLON,
MADELEINE MARIGNAC, GILBERT SI-
GAUX, JOSÉ-ANDRÉ LACOUR, POUR
L'ASSISTANCE PRÉCIEUSE QU'ILS M'ONT
DONNÉE PENDANT L'ÉLABORATION DE
CE VOLUME ; JE VEUX ÉGALEMENT RE-
MERCIER LES SERVICES DE LA BIBLIO-
THÈQUE NATIONALE ET DES ARCHIVES
NATIONALES POUR L'AIDE INDISPEN-
SABLE APPORTÉE A NOS RECHERCHES.

M. D.

PREFACE

à la nouvelle édition

CERTAINS de mes lecteurs, s'ils viennent à rouvrir *Les Rois maudits* dans la présente édition, y pourront trouver, à comparaison du texte initial, d'assez sensibles changements. Non dans l'intrigue, les caractères ni le contenu historique ; mais dans le tour des dialogues, la façon du récit et, pour tout dire, le style.

Il peut paraître inutile de reviser, phrase à phrase, et même de récrire pour maints passages, un ouvrage qui connaît depuis dix ans la faveur du public. Or c'est précisément la constance de cette faveur, et le respect qu'on doit au choix du grand nombre, qui m'ont décidé à cette refonte.

Romans de rédaction rapide, et qui se voulaient de lecture aisée, *Les Rois maudits*, du fait d'un goût partagé de l'auteur et du public pour les résurrections du passé, se sont trouvés prendre une place privilégiée parmi mes travaux.

Le romancier, quand il aborde l'Histoire, y cherche surtout des hommes et leur vérité. J'avoue que lors de la composition des *Rois maudits*, et pressé quelque peu par l'amicale impatience que me manifestaient et l'éditeur et les lecteurs, j'ai accordé moins de soin à la forme qu'à la recherche documentaire, la vraisemblance des personnages, et la poursuite d'une sorte de méthode du roman historique qui permît l'exercice de l'imagination sans s'écarter du réel.

L'édifice, si je le considère aujourd'hui, me paraît avoir été bien bâti et selon de convenables proportions. Mais les joints et le crépi en étaient hâtifs ; je les ai refaits.

La critique nous est profitable, quand elle nous aide à travailler dans le sens de l'amélioration ; j'ai tenu compte des critiques d'ensemble ou de détail qui m'ont été exprimées.

Si *Les Rois maudits* ont quelque chance de résister au temps, je pense qu'ils dureront mieux de cette manière, et, à tout le moins, n'offriront pas aux générations cadettes trop d'exemples de mauvais langage.

Est-ce à dire que me voici entièrement satisfait ? Un artiste ne l'est jamais.

Je me rappelle avoir entendu Paul Valéry parler, dans ses leçons de Poétique, de ce difficile moment de l'achèvement où l'artiste, si longuement qu'il ait repris, retouché, remanié son œuvre, la trouve bien éloignée encore du rêve qu'il en avait, mais l'abandonne pourtant, à regret, parce qu'il sent qu'il ne peut faire mieux.

Valéry, penseur sage, n'écrivait pas de romans.

Octobre 1965.

PROLOGUE

Au *début du* xivᵉ *siècle, Philippe IV, roi d'une beauté légendaire, régnait sur la France en maître absolu. Il avait vaincu l'orgueil guerrier des grands barons, vaincu les Flamands révoltés, vaincu l'Anglais en Aquitaine, vaincu même la Papauté qu'il avait installée de force en Avignon. Les Parlements étaient à ses ordres et les conciles à sa solde.*

Trois fils majeurs assuraient sa descendance. Sa fille était mariée au roi Edouard II d'Angleterre. Il comptait six autres rois parmi ses vassaux, et le réseau de ses alliances s'étendait jusqu'à la Russie.

Aucune richesse n'échappait à sa main. Il avait tour à tour taxé les biens de l'Eglise, spolié les Juifs, frappé les compagnies de banquiers lombards. Pour faire face aux besoins du Trésor, il pratiquait l'altération des monnaies. Du jour au lendemain, l'or pesait moins lourd et valait plus cher. Les impôts étaient écrasants ; la police foisonnait. Les crises économiques engendraient ruines et pénuries qui, elles-mêmes, engendraient des émeutes étouffées dans le sang. Les révoltes s'ache-

vaient aux fourches des gibets. *Tout devait s'incliner, plier ou rompre devant l'autorité royale.*

Mais l'idée nationale logeait dans la tête de ce
prince calme et cruel pour qui la raison d'Etat
dominait toutes les autres. Sous son règne, la
France était grande et les Français malheureux.

Un seul pouvoir avait osé lui tenir tête : l'Ordre souverain des chevaliers du Temple. Cette
colossale organisation, à la fois militaire, religieu-
se et financière, devait aux croisades, dont elle
était issue, sa gloire et sa richesse.

L'indépendance des Templiers inquiétait Philippe le Bel, en même temps que leurs biens immenses excitaient sa convoitise. Il monta contre eux
le plus vaste procès dont l'Histoire ait gardé le
souvenir, puisque ce procès pesa sur près de
quinze mille inculpés. Toutes les infamies y furent perpétrées, et il dura sept ans.

C'est au terme de cette septième année que
commence notre récit.

PREMIÈRE PARTIE

LA MALÉDICTION

I

LA REINE SANS AMOUR

Un tronc entier, couché sur un lit de braises incandescentes, flambait dans la cheminée. Les vitraux verdâtres, cloisonnés de plomb, filtraient un jour de mars avare en lumière.

Assise dans un haut siège de chêne au dossier surmonté des trois lions d'Angleterre, la reine Isabelle, le menton sur la paume, contemplait vaguement les lueurs du foyer.

Elle avait vingt-deux ans. Ses cheveux d'or, tordus en longues tresses relevées, formaient comme deux anses d'amphore.

Elle écoutait une de ses dames françaises lui lire un poème du duc Guillaume d'Aquitaine.

> — *D'amour ne dois plus dire bien*
> *Car je n'en ai ni peu ni rien,*
> *Car plus n'en ai qui me convient...*

La voix chantante de la dame de parage se perdait dans cette salle trop grande pour que des femmes y puissent vivre heureuses.

> — *Il m'a toujours été ainsi.*
> *De ce que j'aime n'ai pas joui,*
> *Ne le ferai ni ne le fis...*

La reine sans amour soupira.

« Que voilà donc touchantes paroles, dit-elle, et qu'on croirait tout juste faites pour moi. Ah ! le temps n'est plus où les grands seigneurs comme ce duc Guillaume étaient aussi exercés à la poésie qu'à la guerre. Quand m'avez-vous dit qu'il vivait ? Deux cents années ? On jurerait de ce lai qu'il est écrit d'hier [1]. » *

Et pour elle-même elle répéta :

> — *D'amour ne dois plus dire bien*
> *Car je n'en ai ni peu ni rien...*

Elle demeura un moment songeuse.

« Poursuivrai-je, Madame ? demanda la lectrice, le doigt posé sur la page enluminée.

— Non, ma mie, répondit la reine. Je me suis assez fait pleurer l'âme pour aujourd'hui. »

Elle se redressa et, changeant de ton :

« Mon cousin Mgr d'Artois m'a fait annoncer sa venue. Veillez à ce qu'on le conduise ici aussitôt qu'il se présentera.

---

* Les numéros dans le texte renvoient aux « Notes historiques » en fin de volume, où le lecteur trouvera également le « Répertoire biographique » des personnages.

— Il arrive de France ? Alors vous allez être contente, Madame.

— Je souhaite l'être... si les nouvelles qu'il me porte sont bonnes. »

Une autre dame de parage entra vivement, le visage animé d'un grand air de joie. Elle s'appelait de sir Roger Mortimer, l'un des premiers barons d'Angleterre.

« Madame, Madame ! s'écria-t-elle, il a parlé.

— Vraiment, Madame ? répondit la reine. Et qu'a-t-il dit ?

— Il a frappé la table, Madame, et il a dit : « Veux ! »

Une expression d'orgueil passa sur le beau visage d'Isabelle.

« Conduisez-le devers moi », dit-elle.

Lady Mortimer sortit, toujours courant, et revint un instant après, portant un enfant de quinze mois, rond, rose et gras, qu'elle déposa aux pieds de la reine. Il était vêtu d'une robe grenat, brodée d'or, et fort lourde pour un si petit être.

« Alors, messire mon fils, vous avez dit : « Je veux », dit Isabelle en se penchant pour lui caresser la joue. J'aime que cela ait été votre premier mot : c'est parole de roi. »

L'enfant lui souriait, en dodelinant la tête.

« Et pourquoi l'a-t-il dit ? reprit la reine.

— Parce que je lui refusais un morceau de galette », répondit Lady Mortimer.

Isabelle eut un sourire vite effacé.

« Puisqu'il commence à parler, dit-elle, je demande qu'on ne l'encourage point à bégayer et prononcer des niaiseries, comme on fait d'ordinaire avec les enfants. Peu importe qu'il dise

« papa » ou « maman », je préfère qu'il connaisse les mots de « roi » et de « reine ».

Elle avait dans la voix une grande autorité naturelle.

« Vous savez, ma mie, continua-t-elle, quelles raisons m'ont fait vous choisir pour gouverner mon fils. Vous êtes petite-nièce de messire Joinville le grand, qui fut à la croisade auprès de mon aïeul Mgr saint Louis. Vous saurez enseigner à cet enfant qu'il est de France autant que d'Angleterre. »

Lady Mortimer s'inclina. A ce moment, la première dame française revint, annonçant Mgr le comte Robert d'Artois.

La reine s'adossa, bien droite, à son siège et croisa les mains sur la poitrine, dans une attitude d'idole. Le souci d'être toujours royale ne parvenait pas à la vieillir.

Un pas de deux cents livres ébranla le plancher.

L'homme qui entra avait six pieds de haut, des cuisses comme des troncs de chêne, des poings comme des masses d'armes. Ses bottes rouges, de cuir cordouan, étaient souillées d'une boue mal brossée ; le manteau qui lui pendait aux épaules était assez vaste pour couvrir un lit. Il suffisait qu'il eût une dague au côté pour avoir la mine de s'en aller en guerre. Dès qu'il apparaissait, tout semblait autour de lui devenir faible, fragile, friable. Il avait le menton rond, le nez court, la mâchoire large, l'estomac fort. Il lui fallait plus d'air à respirer qu'au commun des hommes. Ce géant avait vingt-sept ans, mais son âge disparaissait sous le muscle, et on lui aurait donné tout aussi bien dix années de plus.

Il ôta ses gants en s'avançant vers la reine, mit un genou en terre avec une souplesse surprenante chez un tel colosse, et se releva avant qu'on ait eu le temps de l'y inviter.

« Alors, messire mon cousin, dit Isabelle, avez-vous fait bonne traversée de mer ?

— Exécrable, Madame, horrifique, répondit Robert d'Artois. Une tempête à rendre les tripes et l'âme. J'ai cru ma dernière heure venue, au point que je me suis mis à confesser mes péchés à Dieu. Par chance il y en avait si grand nombre que le temps d'en dire la moitié, nous étions arrivés. J'en garde assez pour le retour. »

Il éclata de rire, ce qui fit trembler les vitraux.

« Mais par la mordieu, continua-t-il, je suis mieux fait pour courir les terres que pour chevaucher l'eau salée. Et si ce n'était l'amour de vous, Madame ma cousine, et pour les choses d'urgence que j'ai à vous dire...

— Vous permettrez que j'achève, mon cousin », dit Isabelle l'interrompant.

Elle montra l'enfant.

« Mon fils commence à parler aujourd'hui. »

Puis à Lady Mortimer :

« J'entends qu'il soit accoutumé aux noms de sa parenté, et qu'il sache, dès que se pourra, que son grand-père Philippe est le beau roi de France. Commencez à dire devant lui le *Pater* et l'*Ave*, et aussi la prière à Mgr saint Louis. Ce sont choses qu'il faut lui installer dans le cœur avant même qu'il les comprenne par la raison. »

Elle n'était pas mécontente de montrer à l'un de ses parents, lui-même descendant d'un frère de saint Louis, la manière dont elle veillait à l'éducation de son fils.

« C'est bel enseignement que vous allez donner à ce jeune homme, dit Robert d'Artois.

— On n'apprend jamais assez tôt à régner », répondit Isabelle.

L'enfant s'essayait à marcher, du pas précautionneux et titubant qu'ont les bébés.

« Se peut-il que nous ayons nous-mêmes été ainsi ! dit d'Artois.

— A vous regarder, mon cousin, dit la reine en souriant, on l'imagine mal. »

Un instant, contemplant Robert d'Artois, elle songea au sentiment que pouvait connaître la femme, petite et menue, qui avait engendré cette forteresse humaine ; puis elle reporta les yeux sur son fils.

L'enfant avançait, les mains tendues vers le foyer, comme s'il eût voulu saisir une flamme dans son poing minuscule.

Robert d'Artois lui barra le chemin en avançant la jambe. Nullement effrayé, le petit prince saisit cette botte rouge dont ses bras arrivaient à peine à faire le tour, et s'y assit à califourchon. Le géant se mit à balancer le pied, élevant et abaissant l'enfant qui, ravi de ce jeu imprévu, riait.

« Ah ! messire Edouard, dit d'Artois, oserai-je plus tard, quand vous serez puissant seigneur, vous rappeler que je vous ai fait ainsi chevaucher ma botte ?

— Vous le pourrez, mon cousin, vous le pourrez toujours, si toujours vous vous montrez notre loyal ami... Qu'on nous laisse maintenant, dit Isabelle.

— Alors, veuillez reprendre terre, messire », dit d'Artois en posant le pied.

Les dames françaises se retirèrent dans la pièce attenante, emmenant l'enfant qui, si le destin suivait un cours naturel, deviendrait un jour le roi d'Angleterre.

D'Artois attendit un instant.

« Eh bien ! Madame, dit-il, pour parfaire les leçons que vous donnez à votre fils, vous pourrez lui enseigner que Marguerite de Bourgogne, petite-fille de saint Louis, reine de Navarre et future reine de France, est en bon chemin d'être appelée par son peuple Marguerite la Putain.

— En vérité ? dit Isabelle. Ce que nous pensions était donc vrai ?

— Oui, ma cousine. Et point seulement pour Marguerite. Pour vos deux autres belles-sœurs pareillement.

— Jeanne et Blanche ?...

— Blanche, j'en suis assuré. Jeanne... »

Robert d'Artois, de son immense main, fit un geste d'incertitude.

« Elle est plus matoise que les autres, dit-il ; mais j'ai toutes raisons de la croire aussi fieffée garce. »

Il bougea de trois pas, et se campa pour lancer :

« Vos trois frères sont cocus, Madame, cocus comme des manants ! »

La reine s'était levée, les joues un peu colorées.

« Si ce que vous m'annoncez est sûr, je ne le tolérerai pas. Je ne tolérerai pas semblable honte, et que ma famille soit objet de risée.

— Les barons de France, croyez-le, ne le supporteront pas non plus.

— Avez-vous les noms, les preuves ? »

D'Artois respira un grand coup.

« Quand vous vîntes en France, l'été passé, avec messire votre époux, pour ces fêtes qui furent données où j'eus l'honneur d'être armé chevalier en même temps que vos frères... car vous savez qu'on ne marchande pas les honneurs qui ne coûtent rien... à ce moment-là, je vous ai confié mes soupçons et vous m'avez dit les vôtres. Vous m'avez demandé de veiller et de vous renseigner. Je suis votre allié ; j'ai fait l'un et je viens accomplir l'autre.

— Alors ? Qu'avez-vous appris ? demanda Isabelle impatiente.

— D'abord, que certains joyaux disparaissaient de la cassette de votre douce belle-sœur Marguerite. Or, quand une femme se défait secrètement de ses bijoux, c'est ou bien pour combler un galant, ou bien pour s'acheter un complice. Sa gueuserie est claire, ne trouvez-vous pas ?

— Elle peut prétendre en avoir fait l'aumône à l'Eglise.

— Pas toujours. Pas si certain fermail, par exemple, a été échangé chez un certain marchand lombard contre un certain poignard de Damas...

— Et vous avez découvert à quelle ceinture était pendu ce poignard ?

— Hélas ! non, répondit d'Artois. J'ai cherché, mais j'ai perdu la trace. Nos belles sont habiles. Je n'ai jamais couru cerfs dans mes forêts de Conches qui s'entendissent mieux à brouiller leur voie et à prendre les faux-fuyants. »

Isabelle eut une mine déçue. Robert d'Artois prévint ce qu'elle allait dire en étendant les bras.

« Attendez, attendez, s'écria-t-il. Je suis bon veneur et manque rarement mon animal d'attaque...

L'honnête, la pure, la chaste Marguerite s'est fait
aménager en petit logis la vieille tour de l'hôtel
de Nesle, afin, selon son dire, de s'y retirer pour
oraison. Mais il paraît bien qu'elle y fait oraison tout particulièrement les nuits où votre frère
Louis de Navarre est absent. Et la lumière y brille
assez tard. Sa cousine Blanche, parfois sa cousine Jeanne, l'y viennent rejoindre. Rouées, les
donzelles ! Si l'on venait à questionner l'une, elle
aurait beau jeu de dire : « Comment ? De quoi
« m'accusez-vous ? Mais j'étais avec l'autre. »
Une femme fautive, cela se défend mal. Trois
catins acoquinées, c'est un château fort. Seulement, voilà ; ces mêmes nuits où Louis est absent,
ces mêmes nuits où la tour de Nesle est éclairée,
il se fait sur la berge, au pied de la Tour, en cet endroit ordinairement désert à pareille heure, un
peu trop de mouvement. On a vu sortir des
hommes qui n'étaient pas habillés en moines, et
qui, s'ils venaient de chanter le salut, seraient
passés par une autre porte. La cour se tait, mais
le peuple commence à jaser, parce que les valets
bavardent avant les maîtres... »

Tout en parlant, il s'agitait, gesticulait, marchait, faisait vibrer le sol et battait l'air à grands
coups de manteau. L'étalage de son excès de force
était, chez Robert d'Artois, un moyen de persua-
sion. Il cherchait à convaincre avec ses muscles
autant qu'avec ses mots ; il enfermait l'interlocuteur dans un tourbillon ; et la grossièreté de
son langage, si bien en rapport avec toute son apparence, semblait la preuve d'une rude bonne
foi. Pourtant, à y regarder de plus près, on pouvait se demander si tout ce mouvement n'était
pas parade de bateleur et jeu de comédien. Une

haine attentive, tenace, luisait dans ses yeux gris. La jeune reine s'appliquait à bien garder sa clarté de jugement.

« En avez-vous parlé au roi mon père ? dit-elle.

— Ma bonne cousine, vous connaissez le roi Philippe mieux que je ne le connais. Il croit tant à la vertu des femmes qu'il faudrait lui montrer vos belles-sœurs vautrées avec leurs galants pour qu'il consentît à m'entendre. Et je ne suis pas si bien en cour, depuis que j'ai perdu mon procès...

— Je sais, mon cousin, qu'on vous a fait tort ; s'il ne tenait qu'à moi, ce tort vous serait réparé. »

Robert d'Artois se précipita sur la main de la reine pour y poser les lèvres.

« Mais précisément en raison de ce procès, reprit doucement Isabelle, ne pourrait-on pas croire que vous agissez à présent par vengeance ? »

Le géant se redressa vivement.

« Mais bien sûr, Madame, j'agis par vengeance ! »

Il était d'une franchise désarmante. On pensait lui tendre un piège, le prendre en défaut, et il s'ouvrait à vous, tout largement, comme une fenêtre.

« On m'a volé l'héritage de mon comté d'Artois, s'écria-t-il, pour le donner à ma tante Mahaut de Bourgogne... la chienne, la gueuse, qu'elle crève ! Que la lèpre lui mange la bouche, que la poitrine lui tombe en charogne ! Et pourquoi a-t-on fait cela ? Parce qu'à force de ruser, d'intriguer et de fourrer la paume en belles livres sonnantes aux conseillers de votre père, elle est parvenue à marier vos trois frères à ses deux catins de filles et son autre catin de cousine. »

Il se mit à contrefaire un discours imaginaire de sa tante Mahaut, comtesse de Bourgogne et d'Artois, au roi Philippe le Bel.

« — Mon cher seigneur, mon parent, mon com-
« père, si nous unissions ma chère petite Jeanne
« à votre fils Louis ?... Non, cela ne vous con-
« vient plus. Vous préférez lui réserver Margot.
« Alors, donnez donc Jeanne à Philippe, et puis
« ma douce Blanchette à votre beau Charles. Le
« plaisir que ce sera qu'ils s'aiment tous ensem-
« ble ! Et puis, si l'on m'accorde l'Artois qu'avait
« mon défunt père, alors ma Comté-Franche de
« Bourgogne ira à l'une de ses oiselles, à Jeanne,
« si vous le voulez ; ainsi votre second fils devient
« comte palatin de Bourgogne et vous pouvez le
« pousser vers la couronne d'Allemagne. Mon ne-
« veu Robert ? Qu'on donne un os à ce chien ! Le
« château de Conches, la terre de Beaumont, cela
« suffira bien à ce rustre. » Et je souffle malice dans l'oreille de Nogaret, et j'envoie mille merveilles à Marigny... et j'en marie une, et j'en marie deux, et j'en marie trois. Et pas plus tôt fait, mes petites garces se mettent à comploter, à s'envoyer messages, à se fournir d'amants, et s'emploient à bien hausser de cornes la couronne de France... Ah ! si elles étaient irréprochables, Madame, je rongerais mon frein. Mais à se conduire si basse-
ment après m'avoir autant nui, les filles de Bour-
gogne sauront ce qu'il en coûte, et je me ven-
gerai sur elles de ce que la mère m'a fait [2]. »

Isabelle demeurait songeuse sous cet ouragan de paroles. D'Artois se rapprocha d'elle et, baissant la voix :

« Elles vous haïssent.

— Il est vrai que, pour ma part, je ne les ai guère aimées, dès le début, et sans savoir pourquoi, répondit Isabelle.

— Vous ne les aimez point parce qu'elles sont fausses, ne pensent qu'au plaisir et n'ont point le sens de leur devoir. Mais elles, elles vous haïssent parce qu'elles vous jalousent.

— Mon sort n'a pourtant rien de bien enviable, dit Isabelle en soupirant, et leur place me semble plus douce que la mienne.

— Vous êtes une reine, Madame ; vous l'êtes dans l'âme et dans le sang ; vos belles-sœurs peuvent bien porter couronne, elles ne le seront jamais. C'est pour cela qu'elles vous traiteront toujours en ennemie. »

Isabelle leva vers son cousin ses beaux yeux bleus, et d'Artois, cette fois, sentit qu'il avait touché juste. Isabelle était définitivement de son côté.

« Avez-vous les noms de... des hommes auxquels mes belles-sœurs... »

Elle n'avait pas le langage cru de son cousin, et se refusait à prononcer certains mots.

« Je ne peux rien faire sans cela, poursuivit-elle. Obtenez-les, et je vous promets bien, alors, de me rendre aussitôt à Paris sous un quelconque prétexte, pour y faire cesser ce désordre. En quoi puis-je vous aider ? Avez-vous prévenu mon oncle Valois ?

— Je m'en suis bien gardé, répondit d'Artois. Mgr de Valois est mon plus fidèle protecteur et mon meilleur ami ; mais il ne sait rien taire. Il irait clabauder partout ce que nous voulons cacher ; il donnerait l'éveil trop tôt, et quand nous

voudrions pincer les ribaudes, nous les trouve-
rions sages comme des nonnes...

— Que proposez-vous ?

— Deux actions, dit d'Artois. La première, c'est
de faire nommer auprès de Madame Marguerite
une nouvelle dame de parage qui soit tout à
notre discrétion et qui nous puisse renseigner fidèlement. J'ai pensé à Mme de Comminges qui vient
d'être veuve et à qui l'on doit des égards. Pour
cela, votre oncle Valois va pouvoir nous servir.
Faites-lui tenir une lettre lui exprimant votre souhait. Il a grande influence sur votre frère Louis,
et fera promptement entrer Mme de Comminges
à l'hôtel de Nesle. Nous aurons ainsi une créature à nous dans la place ; et, comme nous di-
sons entre gens de guerre, un espion dans les
murs vaut mieux qu'une armée dehors.

— Je ferai cette lettre et vous l'emporterez, dit
Isabelle. Ensuite ?

— Il faudrait dans le même temps endormir
la défiance de vos belles-sœurs à votre endroit,
et leur faire douce mine en leur envoyant d'ai-
mables cadeaux, poursuivit d'Artois. Des présents
qui puissent convenir aussi bien à des hommes
qu'à des femmes, et que vous leur feriez parvenir secrètement, sans en avertir ni père ni époux,
comme un petit mystère d'amitié entre vous. Marguerite pille sa cassette pour un bel inconnu ; ce
serait vraiment malchance si, la munissant d'un
présent dont elle n'aura point de compte à rendre, nous ne retrouvions notre objet agrafé sur
le gaillard que nous cherchons. Fournissons-les
d'occasions d'imprudence. »

Isabelle réfléchit une seconde, puis elle frappa
des mains. La première dame française parut.

« Ma mie, dit la reine, veuillez querir cette aumônière que le marchand Albizzi m'a mandée ce matin. »

Pendant la brève attente, Robert d'Artois sortit enfin de ses machinations et de ses complots, et prit le temps de regarder la salle où il se trouvait, les fresques religieuses peintes sur les murs, l'immense plafond boisé en forme de carène. Tout était assez neuf, triste et froid. Le mobilier était beau, mais peu abondant.

« Ce n'est guère riant, le lieu où vous vivez, ma cousine, dit-il. On se croirait plutôt dans une cathédrale que dans un château.

— Plaise encore à Dieu, répondit Isabelle à mi-voix, que ceci ne me devienne pas une prison. Comme la France me manque, souvent ! »

La dame française revint, apportant une grande bourse de soie, brodée au fil d'or et d'argent de figures en relief, et ornée au rabat de trois pierres cabochons grosses comme des noix.

« Merveille ! s'écria d'Artois. Tout juste ce qu'il nous faut. Un peu lourd pour être parure de dame, un peu léger pour moi, à qui une giberne sied mieux qu'une bougette[3] ; voilà bien l'objet qu'un jouvenceau de cour rêve de s'accrocher à la ceinture pour se faire valoir...

— Vous allez commander au marchand Albizzi, deux autres aumônières semblables, dit Isabelle à sa suivante, et le presser de me les envoyer. »

Puis, quand la dame de parage fut sortie, elle ajouta :

« Ainsi pourrez-vous, mon cousin, les rapporter en France.

— Et nul ne saura qu'elles auront passé par mes mains. »

On entendit du bruit à l'extérieur, des cris et des rires. Robert d'Artois s'approcha d'une fenêtre. Dans la cour, une équipe de maçons était en train de hisser une lourde clef de voûte. Des hommes tiraient sur des cordes à poulies ; d'autres, juchés sur un échafaudage, s'apprêtaient à saisir le bloc de pierre, et tout ce travail semblait s'exécuter dans une extrême bonne humeur.

« Eh bien ! dit Robert d'Artois, il paraît que le roi Edouard aime toujours la maçonnerie. »

Il venait de reconnaître, parmi les ouvriers, Edouard II, le mari d'Isabelle, assez bel homme d'une trentaine d'années, aux cheveux ondulés, aux larges épaules, aux hanches souples. Ses vêtements de velours étaient souillés de plâtre.

« Il y a plus de quinze ans qu'on a commencé de rebâtir Westmoutiers ! » dit Isabelle avec colère.

Comme toute la cour, elle prononçait Westmoutiers pour Westminster, à la française.

« Depuis six ans que je suis mariée, reprit-elle, je vis dans les truelles et le mortier. On ne cesse de défaire ce qu'on a fait le mois d'avant. Ce n'est pas la maçonnerie qu'il aime, ce sont les maçons ! Croyez-vous seulement qu'ils lui disent « Sire » ? Ils l'appellent Edouard, ils le moquent, et lui s'en trouve ravi. Tenez, regardez-le ! »

Dans la cour, Edouard II donnait des ordres tout en s'appuyant à un jeune ouvrier qu'il tenait par le cou. Il régnait autour de lui une familiarité suspecte.

« Je croyais, reprit Isabelle, avoir connu le pire avec le chevalier de Gaveston. Ce Béarnais insolent et vantard gouvernait si bien mon époux qu'il s'était mis à gouverner le royaume. Edouard lui donnait tous les joyaux de ma cassette de mariage. C'est décidément une coutume dans nos familles que de voir, de façon ou d'autre, les bijoux des femmes finir en parure d'hommes ! »

Ayant auprès d'elle un parent, un ami, Isabelle s'abandonnait à avouer ses peines et ses humiliations. En vérité, les mœurs du roi Edouard II étaient connues de toute l'Europe.

« Les barons et moi, l'autre année, sommes parvenus à abattre Gaveston ; il a eu la tête tranchée et je me réjouissais que son corps fût à pourrir chez les dominicains, à Oxford. Eh bien ! j'en arrive, mon cousin, à regretter le chevalier de Gaveston, car, depuis, comme pour se venger de moi, Edouard attire au palais tout ce qu'il y a de plus bas et de plus infâme dans les hommes de son peuple. On le voit courir les bouges du port de Londres, s'asseoir avec les truands, rivaliser à la lutte avec les débardeurs, et à la course avec les palefreniers. Les beaux tournois, en vérité, qu'il nous donne là ! Pendant ce temps, commande qui veut son royaume, pourvu qu'on organise ses plaisirs et qu'on les partage. Pour l'heure, ce sont les barons Despenser qui ont sa faveur, le père gouvernant le fils, qui sert de femme à mon époux. Quant à moi, Edouard ne m'approche plus, et s'il lui arrive de s'aventurer dans ma couche, j'en éprouve une telle honte que j'en reste toute froide. »

Elle avait baissé le front.

« Une reine est la plus misérable des sujettes du royaume, si son mari ne l'aime point, ajouta-t-elle. Il suffit qu'elle ait assuré la descendance ; sa vie ensuite ne compte plus. Quelle femme de baron, quelle femme de bourgeois ou de vilain

supporterait ce que je dois tolérer... parce que
je suis reine ! La dernière lavandière du royaume
a plus de droits que moi : elle peut venir me
demander appui.

— Ma cousine, ma belle cousine, moi, je veux
vous servir d'appui ! » dit d'Artois avec chaleur.

Elle leva tristement les épaules, comme pour
dire : « Que pouvez-vous pour moi ? » Ils étaient
face à face. Il avança les mains, la prit par les
coudes, aussi doucement qu'il put, en murmu-
rant :

« Isabelle... »

Elle posa les mains sur les bras du géant. Ils se
regardèrent et furent saisis d'un trouble qu'ils
n'avaient pas prévu. D'Artois semblait soudain
étrangement ému, et gêné d'une force qu'il craignait d'utiliser avec maladresse. Il souhaita brusquement dévorer son temps, son corps, sa vie,
à cette reine fragile. Il la désirait, d'un désir
immédiat et robuste, qu'il ne savait comment
exprimer. Ses goûts ne le portaient pas, ordinairement, vers les femmes de qualité, et il excel-
lait peu aux grâces de galanterie.

« Ce qu'un roi dédaigne, faute d'en reconnaître
la perfection, dit-il, bien d'autres hommes en re-
mercieraient le ciel à deux genoux. A votre âge si
fraîche, si belle, se peut-il que vous soyez privée des joies de nature ? Se peut-il que ces lèvres
ne soient jamais baisées ? Que ces bras... ce doux
corps... Ah ! prenez un homme, Isabelle, et que
cet homme soit moi. »

Il y allait assez rudement pour dire ce qu'il
espérait, et son éloquence ressemblait peu à celle
des poèmes du duc Guillaume d'Aquitaine. Mais
Isabelle ne détachait pas son regard du sien. Il

la dominait, l'écrasait de toute sa stature. Il sentait la forêt, le cuir, le cheval et l'armure. Il n'avait ni la voix ni l'apparence d'un séducteur, et, pourtant, elle était séduite. Il était un homme, vraiment, un mâle rude et violent, au souffle profond. Isabelle sentait toute volonté la fuir, et n'avait plus qu'une envie : appuyer sa tête à cette poitrine de buffle et s'abandonner... étancher cette grande soif... Elle tremblait un peu. Elle se dégagea d'un coup.

« Non, Robert, s'écria-t-elle, je ne vais point faire ce que je reproche tant à mes belles-sœurs. Je ne le veux pas, je ne le dois pas. Mais quand je songe à ce que je m'impose et me refuse, alors que ces carognes, elles, ont telle chance d'être à des maris qui bien les aiment... Ah ! non ! Il faut qu'elles soient châtiées, fort châtiées ! »

Sa pensée s'acharnait sur les coupables, faute de s'autoriser à être coupable elle-même. Elle revint s'asseoir dans la grande cathèdre de chêne. Robert d'Artois la rejoignit.

« Non, Robert, répéta-t-elle en étendant les bras. Ne profitez point de ma défaillance ; vous me fâcheriez. »

L'extrême beauté inspire le respect autant que la majesté ; le géant obéit.

Mais l'instant écoulé ne s'effacerait plus de leur mémoire.

« Je puis donc être aimée », se disait Isabelle, et elle en éprouvait comme de la reconnaissance pour l'homme qui venait de lui donner cette certitude.

« Etait-ce là tout ce que vous aviez à m'apprendre, mon cousin, et ne m'apportez-vous pas d'autres nouvelles ? » dit-elle en faisant effort pour se reprendre.

Robert d'Artois, qui se demandait s'il n'aurait pas dû poursuivre son avantage, mit un temps à répondre.

« Si, Madame, dit-il, j'ai aussi un message de votre oncle Valois. »

Le lien nouveau qui s'était noué entre eux donnait à leurs paroles une autre résonance, et ils ne pouvaient être complètement attentifs à ce qu'ils disaient.

« Les dignitaires du Temple vont être jugés bientôt, continua d'Artois, et l'on craint fort que votre parrain, le grand-maître Jacques de Molay, ne soit mis à mort. Mgr de Valois vous demande d'écrire au roi pour l'inviter à la clémence. »

Isabelle ne répondit pas. Elle avait repris sa pose coutumière, le menton dans la paume.

« Comme vous lui ressemblez, ainsi ! dit d'Artois.

— A qui ?

— Au roi Philippe, votre père... »

Elle leva les yeux et demeura songeuse.

« Ce que décide le roi mon père est bien décidé, répondit-elle enfin. Je puis agir pour ce qui tient à l'honneur de la famille, mais non pour ce qui touche au gouvernement du royaume.

— Jacques de Molay est un vieil homme. Il fut noble et il fut grand. S'il a commis des fautes, il les a assez expiées. Rappelez-vous qu'il vous a tenue sur les fonts du baptême... Croyez-moi, c'est grand méfait qu'on va encore commettre là, et qu'on doit une fois de plus à Nogaret et à Marigny ! En frappant le Temple, c'est toute la chevalerie et les hauts barons que ces hommes sortis de rien ont voulu frapper. »

La reine demeurait perplexe ; l'affaire visiblement la dépassait.

« Je n'en puis pas juger, dit-elle, je n'en puis pas juger.

— Vous savez que j'ai grande dette envers votre oncle ; il me saurait gré si j'obtenais cette lettre de vous. Et puis la pitié ne messied jamais à une reine ; c'est sentiment de femme, et vous n'en pourrez être que louée. D'aucuns vous reprochent d'avoir le cœur dur ; vous leur donnerez là bonne réplique. Faites-le pour vous, Isabelle, et faites-le pour moi. »

Elle lui sourit.

« Vous êtes bien habile, mon cousin Robert, sous vos airs de loup-garou. Allez, je vous ferai cette lettre que vous désirez, et vous pourrez l'emporter aussi. Quand repartirez-vous ?

— Quand vous me l'ordonnerez, ma cousine.

— Les aumônières, je pense, seront livrées demain. C'est bientôt. »

Il y avait du regret dans la voix de la reine. Ils se regardèrent à nouveau et, à nouveau, Isabelle se troubla.

« J'attendrai un messager de vous pour savoir s'il faut me mettre en route pour la France. Adieu, mon cousin. Nous nous reverrons au souper. »

D'Artois prit congé, et la pièce, après qu'il fut sorti, parut à la reine étrangement calme, comme une vallée de montagne après le passage d'une tornade. Isabelle ferma les yeux et resta un grand moment immobile.

Les hommes appelés à jouer un rôle décisif dans

l'histoire des nations ignorent le plus souvent quels destins collectifs s'incarnent en eux. Les deux personnages qui venaient d'avoir cette longue entrevue, un après-midi de mars 1314, au château de Westminster, ne pouvaient pas imaginer qu'ils seraient, par l'enchaînement de leurs actes, les premiers artisans d'une guerre qui durerait, entre la France et l'Angleterre, plus de cent ans.

II

LES PRISONNIERS DU TEMPLE

La muraille était couverte de salpêtre. Une clarté fumeuse, jaunâtre, commençait à descendre dans la salle voûtée, creusée en sous-sol.

Le prisonnier qui sommeillait, les bras repliés sous la barbe, frissonna et se dressa brusquement, hagard, le cœur battant. Il vit la brume du matin qui coulait par le soupirail. Il écouta. Distinctes, bien qu'étouffées par l'épaisseur des murs, il percevait les cloches annonçant les premières messes, cloches parisiennes de Saint-Martin, de Saint-Merry, de Saint-Germain-l'Auxerrois, de Saint-Eustache et de Notre-Dame ; cloches campagnardes des villages de La Courtille, de Clignancourt et du Mont-Martre.

Le prisonnier n'entendit aucun bruit qui pût l'inquiéter. C'était l'angoisse seule qui l'avait fait sursauter, cette angoisse qu'il retrouvait à chaque réveil, comme dans chaque sommeil il retrouvait un cauchemar.

Il prit, sur le sol, une écuelle de bois et y but une longue gorgée d'eau pour calmer cette fièvre qui ne le quittait pas depuis des jours et des jours. Ayant bu, il laissa l'eau reposer et se pencha sur elle comme sur un miroir. L'image qu'il parvint à saisir, imprécise et sombre, était celle d'un centenaire. Il demeura ainsi quelques instants, cherchant ce qui pouvait rester de son ancienne apparence dans ce visage flottant, cette barbe d'ancêtre, ces lèvres avalées par la bouche édentée, ce long nez amaigri, qui tremblaient au fond de l'écuelle.

Puis il se leva, lentement, et fit deux pas jusqu'à ce qu'il sentît se tendre la chaîne qui le liait à la muraille. Alors il se mit brusquement à hurler :

« Jacques de Molay ! Jacques de Molay ! Je suis Jacques de Molay ! »

Rien ne lui répondit ; rien, il le savait, ne devait lui répondre. Mais il avait besoin de crier son propre nom, pour empêcher son esprit de se dissoudre, pour se rappeler qu'il avait commandé des armées, gouverné des provinces, qu'il avait détenu une puissance égale à celle des souverains, et que, tant qu'il garderait un souffle de vie, il continuerait d'être, même dans ce cachot, le grand-maître de l'Ordre des chevaliers du Temple.

Par un surcroît de cruauté, ou de dérision, il s'était vu assigner pour prison une salle basse de la grande tour de l'hôtel du Temple, la maison-mère de l'Ordre.

« Et c'est moi qui ai fait rénover cette tour ! »

murmura le grand-maître avec colère, en frappant du poing la muraille.

Son geste lui arracha un cri. Il avait oublié son pouce écrasé par les tortures. Mais quelle était la place de son corps qui ne fût pas une plaie, ou le siège d'une douleur ? Le sang circulait mal dans ses membres, et il souffrait d'abominables crampes depuis qu'on l'avait soumis au supplice des brodequins... Les jambes enfermées dans les planches de chêne, que les « tourmenteurs » resserraient en enfonçant des coins à coups de maillet, il entendait la voix froide, insistante de Guillaume de Nogaret, le garde des Sceaux du royaume, qui l'engageait à avouer. A avouer quoi ?... Il s'était évanoui.

Sur ses chairs lacérées, déchirées, la crasse, l'humidité, le manque de nourriture avaient fait leur œuvre.

Mais de toutes les tortures endurées, la plus horrible, certainement, avait été celle de « l'étirement ». Un poids de cent quatre-vingts livres attaché au pied droit, on l'avait hissé, par une corde à poulie, jusqu'au plafond. Et toujours la voix sinistre de Guillaume de Nogaret : « Mais avouez donc, messire... » Et comme il s'obstinait à nier, on avait tiré, toujours plus fort, toujours plus vite, du sol aux voûtes. Sentant ses membres se disjoindre, ses articulations s'arracher, son ventre, sa poitrine éclater, il avait fini par crier qu'il avouait, oui, tout, n'importe quel crime, tous les crimes du monde. Oui, les Templiers se livraient entre eux à la sodomie ; oui, pour entrer dans l'Ordre, ils devaient cracher sur la Croix ; oui, ils adoraient une idole à tête de chat ; oui, ils s'adonnaient à la magie, à la sorcellerie, au culte

du Diable ; oui, ils détournaient les fonds qui
leur étaient confiés ; oui, ils avaient fomenté un
complot contre le pape et le roi... Et quoi d'autre
encore ?

Jacques de Molay se demandait comment il
avait pu survivre à tout cela. Sans doute parce
que les tourments, savamment dosés, n'avaient
jamais été poussés jusqu'au point qu'il en dût
mourir, et aussi parce qu'un vieux chevalier, entraîné aux armes et à la guerre, avait plus de
résistance qu'il ne l'eût cru lui-même.

Il s'agenouilla, les yeux tournés vers le rayon de
clarté du soupirail.

« Seigneur mon Dieu, prononça-t-il, pourquoi
m'avez-vous mis moins de force dans l'âme que
dans la carcasse ? Etais-je bien digne de commander l'Ordre ? Vous ne m'avez pas évité
de tomber dans la lâcheté ; épargnez-moi, Seigneur Dieu, de tomber dans la folie. Je ne saurai guère tenir davantage, je ne saurai guère. »

Enchaîné depuis sept années, il ne sortait que
pour être traîné devant les commissions d'enquête,
et subir toutes les menaces des légistes, toutes les
pressions des théologiens. On pouvait bien, à pareil régime, craindre de devenir fou. Souvent le
grand-maître perdait la notion du temps. Pour se
distraire, il avait essayé d'apprivoiser un couple
de rats qui venaient chaque nuit ronger les restes de son pain. Il passait de la colère aux larmes,
des crises de dévotion aux désirs de violence, de
l'hébétude à la fureur.

« Ils en crèveront, ils en crèveront », se répétait-il.

Qui crèverait ? Clément, Guillaume, Philippe...
Le pape, le garde des Sceaux, le roi. Ils mour-

raient, Molay ne savait comment, mais sûrement dans des souffrances abominables, pour expier leurs crimes. Et il remâchait sans cesse leurs trois noms abhorrés.

Toujours à genoux, et la barbe vers le soupirail, le grand-maître murmura :

« Merci, Seigneur mon Dieu, de m'avoir laissé la haine. C'est la seule force qui me soutienne encore. »

Il se releva avec peine et regagna le banc de pierre, cimenté à la muraille, et qui lui servait à la fois de siège et de lit.

Qui aurait pu jamais imaginer qu'il en arriverait là ? Sa pensée le reportait constamment vers sa jeunesse, vers l'adolescent qu'il avait été, cinquante ans plus tôt, et qui descendait les pentes de son Jura natal pour courir la grande aventure.

Comme tous les cadets de noblesse à cette époque, il avait rêvé d'endosser le long manteau blanc à croix noire qui constituait l'uniforme du Temple. Le seul nom de Templier évoquait alors l'Orient et l'épopée, les navires aux voiles gonflées cinglant sur des mers toujours bleues, les charges au galop dans des pays de sable, les trésors d'Arabie, les captifs rançonnés, les villes enlevées et pillées, les châteaux forts gigantesques. On racontait même que les Templiers avaient des ports secrets d'où ils s'embarquaient pour des continents inconnus [4]...

Et Jacques de Molay avait vécu son rêve ; il avait navigué, il avait combattu, et habité de grandes forteresses blondes ; il avait marché fièrement, dans des rues qui sentaient les épices et l'encens, vêtu du superbe manteau dont les plis tombaient jusqu'à ses éperons d'or.

Il s'était élevé dans la hiérarchie de l'Ordre plus haut qu'il n'eût jamais osé l'espérer, franchissant toutes les dignités pour être enfin porté, par le choix de ses frères, à la fonction suprême de grand-maître de France et d'Outre-Mer, et au commandement de quinze mille chevaliers.

Et tout cela aboutissait à cette cave, cette pourriture, ce dénuement. Peu de destins montraient une si prodigieuse fortune suivie d'un si grand abaissement...

Jacques de Molay, à l'aide d'un maillon de sa chaîne, traçait dans le salpêtre du mur de vagues traits qui figuraient les lettres de « Jérusalem », lorsqu'il entendit des pas lourds et des bruits d'armes dans l'étroit escalier qui descendait à son cachot.

L'angoisse à nouveau l'étreignit, mais cette fois motivée.

La porte grinça en s'ouvrant ; Molay aperçut, derrière le geôlier, quatre archers en tunique de cuir et la pique à la main. Leur haleine s'épanouissait, blanche, autour de leurs visages.

« Nous venons vous chercher, messire », dit l'un d'eux.

Molay se leva sans prononcer un mot. Le geôlier s'approcha et, à grands coups de marteau et de burin, fit sauter le rivet qui reliait la chaîne aux bracelets de fer dans lesquels étaient enfermées les chevilles du prisonnier.

Celui-ci serra sur ses épaules décharnées son manteau de gloire, qui n'était plus maintenant qu'une guenille grisâtre ; la croix, sur l'épaule, s'en allait en lambeaux.

Dans ce vieillard épuisé, chancelant, qui gravissait, les pieds alourdis par les fers, les marches de la tour, il restait encore quelque chose du chef de guerre qui, de Chypre, commandait à tous les chrétiens d'Orient.

« Seigneur mon Dieu, donnez-moi la force... murmurait-il intérieurement ; donnez-moi un peu de force. » Et pour trouver cette force, il se répétait les noms de ses trois ennemis : Clément, Guillaume, Philippe...

La brume emplissait la vaste cour du Temple, encapuchonnait les tourelles du mur d'enceinte, se glissait entre les créneaux, ouatait la flèche de l'église de l'Ordre.

Une centaine de soldats se tenaient l'arme au pied, entourant un grand chariot ouvert et carré.

Par-delà les murailles, en entendait la rumeur de Paris, et parfois le hennissement d'un cheval s'élevait avec une tristesse déchirante.

Au milieu de la cour, messire Alain de Pareilles, capitaine des archers du roi, l'homme qui assistait à toutes les exécutions, qui accompagnait tous les condamnés vers les jugements et les supplices, marchait à pas lents, le visage fermé par un grand air d'ennui. Ses cheveux couleur d'acier retombaient en mèches courtes sur son front carré. Il portait la cotte de mailles, une épée au côté, et tenait son casque au creux du bras.

Il se retourna en entendant sortir le grand-maître, et celui-ci, l'apercevant, se sentit pâlir, si pâlir lui était encore possible.

D'ordinaire, pour les interrogatoires, on ne déployait pas si grand appareil ; il n'y avait ni ce chariot ni tous ces hommes d'armes. Quelques sergents royaux venaient querir les accusés pour les passer en barque de l'autre côté de la Seine, le plus souvent à la nuit tombante.

« Alors, c'est chose jugée ? demanda Molay au capitaine des archers.

— Ce l'est, messire, répondit celui-ci.

— Et savez-vous, mon fils, dit Molay après une hésitation, ce que contient le jugement ?

— Je l'ignore, messire ; j'ai ordre de vous conduire à Notre-Dame pour en entendre lecture. »

Il y eut un silence, puis Jacques de Molay dit encore :

« Quel jour nous trouvons-nous ?

— Le lundi après la Saint-Grégoire. »

Ce qui correspondait au 18 mars, le 18 mars 1314 [5].

« Est-ce à la mort que l'on me mène ? » se demanda Molay.

La porte de la tour s'ouvrit à nouveau et, escortés de gardes, trois autres dignitaires apparurent : le visiteur général, le précepteur de Normandie, le commandeur d'Aquitaine.

Les cheveux blancs, eux aussi, la barbe broussailleuse, le corps flottant dans leurs manteaux en haillons, ils restèrent immobiles un moment, les paupières battantes, et pareils à de grands oiseaux de nuit que la lumière empêche de voir.

Ce fut le précepteur de Normandie, Geoffroy de Charnay, qui, le premier, s'empêtrant dans ses fers, se précipita vers le grand-maître et l'étreignit. Une longue amitié unissait les deux hommes ; Jacques de Molay avait fait toute la carrière de Charnay, de dix ans son cadet et dans lequel il voyait son successeur.

Charnay avait le front entaillé d'une profonde cicatrice, et le nez dévié, restes d'un combat ancien où un coup d'épée avait entamé son heaume.

Cet homme rude, au visage modelé par la guerre, vint enfoncer son front dans l'épaule du grand-maître, pour cacher ses larmes.

« Courage, mon frère, courage, dit Molay en le serrant dans ses bras. Courage, mes frères », répéta-t-il en donnant ensuite l'accolade aux deux autres dignitaires.

Un geôlier s'approcha.

« Vous avez le droit d'être défergés, messires », dit-il.

Le grand-maître écarta les mains d'un geste amer et las.

« Je n'ai pas le denier », répondit-il.

Car, pour qu'on leur ôtât leurs fers, à chaque sortie, les Templiers devaient donner un denier, sur le sou qui leur était journellement alloué et avec lequel ils étaient censés payer leur ignoble nourriture, la paille de leur geôle et le lavage de leur chemise. Supplémentaire cruauté, et bien dans la manière procédurière de Nogaret !... Ils étaient inculpés, non condamnés ; ils avaient droit à une indemnité d'entretien, mais calculée de telle sorte qu'ils jeûnaient quatre jours sur huit, dormaient sur la pierre et pourrissaient dans la crasse.

Geoffroy de Charnay prit dans une vieille bourse de cuir pendue à sa ceinture les deux deniers qui lui restaient et les jeta sur le sol, un pour ses fers, un pour ceux du grand-maître.

« Mon frère ! dit Jacques de Molay avec un geste de refus.

— Pour le service qu'il me ferait, à présent..., répondit Charnay. Acceptez, mon frère ; je n'y ai même pas de mérite.

— Si l'on nous déferge, c'est peut-être bon si-

gne, dit le visiteur général. Peut-être le pape a-t-il
décidé notre grâce. »

Les dents qui lui restaient, inégalement brisées,
rendaient sa parole chuintante, et il avait les
mains gonflées et tremblantes.

Le grand-maître haussa les épaules et montra
les cent archers alignés.

« Préparons-nous à mourir, mon frère, répondit-
il.

— Voyez, voyez ce qu'ils m'ont fait, gémit le
commandeur d'Aquitaine en relevant sa manche.

— Nous avons tous été tourmentés », dit le
grand-maître.

Il détourna les yeux, comme chaque fois qu'on
lui rappelait les tortures. Il avait cédé, il avait
signé de faux aveux et ne se le pardonnait pas.

Il parcourut du regard l'immense enceinte qui
avait été le siège et le symbole de la puissance
du Temple.

« Pour la dernière fois... » pensa-t-il.

Pour la dernière fois, il contemplait cet ensemble formidable, avec son donjon, son église, ses
palais, ses maisons, ses cours et ses vergers, véritable ville forte en plein Paris [6].

C'était là que les Templiers depuis deux siècles
avaient vécu, prié, dormi, jugé, compté, décidé de
leurs expéditions lointaines ; c'était là que le Trésor du royaume de France, confié à leur garde et
à leur gérance, avait été longtemps déposé ; et
là aussi, après les désastreuses expéditions de
saint Louis, après la perte de la Palestine et de
Chypre, qu'ils étaient rentrés, traînant à leur
suite leurs écuyers, leurs mulets chargés d'or,
leur cavalerie de chevaux arabes, leurs esclaves
noirs...

Jacques de Molay revoyait ce retour de vaincus qui conservait encore une allure d'épopée.

« Nous étions devenus inutiles, et nous ne le savions pas, pensait le grand-maître. Nous parlions toujours de nouvelles croisades et de reconquêtes... Nous avions peut-être gardé trop de morgue et de privilèges, sans plus les justifier. »

De milice permanente de la Chrétienté, ils étaient devenus les banquiers tout-puissants de l'Eglise et des rois. A entretenir beaucoup de débiteurs, on se crée beaucoup d'ennemis.

Ah ! Certes, la manœuvre royale avait été bien conduite ! On pouvait dater l'origine du drame, en vérité, du jour où Philippe le Bel avait demandé à faire partie de l'Ordre dans l'intention évidente d'en devenir le grand-maître. Le chapitre avait répondu par un refus distant et sans appel.

« Ai-je eu tort ? se demandait Jacques de Molay pour la centième fois. N'ai-je pas été trop jaloux de mon autorité ? Mais non ; je ne pouvais agir autrement. Notre règle était formelle et nous interdisait d'admettre aucun prince souverain dans nos commanderies. »

Le roi Philippe n'avait jamais oublié cet échec. Il avait commencé par ruser, continuant d'accabler Jacques de Molay de faveurs et d'amitiés. Le grand-maître n'était-il pas le parrain d'un de ses enfants ? Le grand-maître n'était-il pas le soutien du royaume ?

Mais bientôt une ordonnance transférait le Trésor royal de la tour du Temple à la tour du Louvre. En même temps une sourde, une venimeuse campagne de dénigrement était montée contre les Templiers. On disait et faisait dire, dans les lieux publics et les marchés, qu'ils spéculaient sur les grains, qu'ils étaient responsables des famines, qu'ils songeaient davantage à grossir leurs biens qu'à reprendre aux païens le Tombeau du Christ. Comme ils avaient le rude langage des militaires, on les accusait d'être blasphémateurs. On avait fait locution d'usage du terme « jurer comme un Templier. » De blasphémateur à hérétique, la distance est brève. On affirmait qu'ils avaient des mœurs hors nature et que leurs esclaves noirs étaient des sorciers...

« Bien sûr, tous nos frères ne se conduisaient pas en saints et, à beaucoup, l'inaction ne valait guère. »

On disait surtout qu'au cours des cérémonies de réception, on obligeait les néophytes à renier le Christ, à cracher sur la Croix, et qu'on les soumettait à des pratiques obscènes.

Sous le prétexte de mettre fin à ces rumeurs, Philippe avait offert au grand-maître, pour l'honneur de l'Ordre, d'ouvrir une enquête.

« Et j'ai accepté..., pensait Molay. J'ai été abominablement abusé, j'ai été trompé. »

Car, un jour d'octobre 1307... Ah ! comme Molay se souvenait de ce jour-là... « C'était un vendredi 13... La veille encore il m'embrassait et m'appelait son frère, en me donnant la première place aux obsèques de sa belle-sœur l'impératrice de Constantinople... »

Donc, le vendredi 13 octobre 1307, le roi Philippe, par un gigantesque coup de filet policier préparé de longue main, faisait arrêter à l'aube tous les Templiers de France, au nom de l'Inquisition, sous l'inculpation d'hérésie. Et le garde des Sceaux Nogaret venait lui-même se saisir de Jac-

ques de Molay et des cent quarante chevaliers de
la maison-mère...

Un ordre fut lancé qui fit sursauter le grand-
maître. Les archers serraient les rangs. Messire Alain de Pareilles avait coiffé son casque ; un
soldat tenait son cheval et lui présentait l'étrier.

« Allons », dit le grand-maître.

Les prisonniers furent poussés vers le chariot.
Molay y monta le premier. Le commandeur d'Aquitaine, l'homme qui avait repoussé les Turcs à
Saint-Jean-d'Acre, semblait frappé d'hébétude. Il
fallut le hisser. Le visiteur général remuait les
lèvres, sans arrêt. Lorsque Geoffroy de Charnay
grimpa à son tour dans la voiture, un chien invisible se mit à hurler, quelque part du côté des
écuries.

Puis, tiré par quatre chevaux de file, le lourd
chariot s'ébranla. Le grand portail s'ouvrit et une
immense clameur s'éleva. Plusieurs centaines de
personnes, tous les habitants du quartier du Temple et des quartiers voisins, s'écrasaient contre les
murs. Les archers de tête durent s'ouvrir chemin
à coups de manches de pique.

« Place aux gens du roi ! » criaient les archers.

Droit sur son cheval, l'air impassible et toujours ennuyé, Alain de Pareilles dominait le tumulte.

Mais quand les Templiers parurent, la clameur
tomba d'un coup. Devant ces quatre vieux hommes décharnés, que le cahot des roues pleines
jetait les uns contre les autres, les Parisiens eurent un moment de stupeur muette, de compassion spontanée.

Puis il y eut des cris : « A mort ! A mort, les
hérétiques ! » lancés par des sergents royaux mê-

lés à la foule. Alors, les gens qui sont toujours prêts à crier avec le pouvoir et à faire les orageux quand ils ne risquent rien commencèrent un beau concert de gueule :

« A mort !

— Voleurs !

— Idolâtres !

— Voyez-les ! Ils ne sont plus si fiers, aujourd'hui, ces païens ! A mort ! »

Insultes, moqueries, menaces s'élevaient le long du cortège. Mais cette fureur restait maigre. La plus grande partie de la foule continuait à se taire, et son silence, pour prudent qu'il fût, n'en était pas moins significatif.

Car, en sept ans, le sentiment populaire s'était modifié. On savait comment avait été conduit le procès. On avait vu des Templiers, à la porte des églises, montrer aux passants les os qui leur étaient tombés du pied après les tortures. On avait vu, dans plusieurs villes de France, mourir les chevaliers par dizaines sur les bûchers. On savait que certaines commissions ecclésiastiques s'étaient refusées à prononcer les condamnations, et qu'il avait fallu y nommer de nouveaux prélats, comme le frère du premier ministre Marigny, pour accomplir cette besogne. On disait que le pape Clément V lui-même n'avait cédé que contre son gré, parce qu'il était dans la dépendance du roi, et qu'il avait craint de subir le même sort que son prédécesseur, le pape Boniface, giflé sur son trône. Et puis, en ces sept ans, le blé ne s'était pas fait plus abondant, le pain avait encore enchéri, et il fallait bien admettre que ce n'était plus la faute des Templiers...

Vingt-cinq archers, l'arc en bandoulière et la

pique sur l'épaule, marchaient devant le chariot, vingt-cinq allaient sur chaque flanc, et autant fermaient le cortège.

« Ah ! si seulement il nous restait un peu de force au corps ! » pensait le grand-maître. A vingt ans, il eût sauté sur un soldat, lui eût arraché sa pique et eût tenté de s'échapper, ou bien se fût battu sur place jusqu'à la mort.

Derrière lui, le frère visiteur marmonnait entre ses dents cassées :

« Ils ne nous condamneront pas. Je ne peux pas croire qu'ils nous condamnent. Nous ne sommes plus dangereux. »

Et le commandeur d'Aquitaine, émergeant de son hébétude, disait :

« C'est bonne chose de sortir ; c'est bonne chose de respirer l'air frais. N'est-ce pas, mon frère ? »

Le précepteur de Normandie toucha le bras du grand-maître.

« Messire mon frère, dit-il à voix basse, je vois des gens pleurer dans cette foule et d'autres faire le signe de la croix. Nous ne sommes point seuls dans notre calvaire.

— Ces gens-là peuvent nous plaindre, mais ils ne peuvent rien pour nous sauver, répondit Jacques de Molay. Ce sont d'autres visages que je cherche. »

Le précepteur comprit l'espérance ultime, insensée, à laquelle le grand-maître se raccrochait. Instinctivement, il se mit lui aussi à scruter la multitude.

Car, parmi les quinze mille chevaliers du Temple, un nombre appréciable avaient échappé aux arrestations de 1307. Les uns s'étaient réfugiés dans les couvents, d'autres s'étaient défroqués et vivaient clandestins, dans les campagnes ou les villes ; d'autres encore avaient gagné l'Espagne où le roi d'Aragon, refusant d'obéir aux injonctions du roi de France et du pape, avait laissé aux Templiers leurs commanderies et fondé avec eux un nouvel Ordre. Il y avait ceux également que certains tribunaux relativement cléments avaient confiés à la garde des Hospitaliers. Beaucoup de ces anciens chevaliers, demeurés en liaison, avaient constitué une sorte de réseau secret.

Et Jacques de Molay se disait que peut-être...

Peut-être un complot s'était-il monté... Peut-être qu'en un point du parcours, au coin de la rue des Blancs-Manteaux, ou de la rue de la Bretonnerie, ou du cloître Saint-Merry, un groupe d'hommes allait surgir et, sortant des armes de dessous leur cotte, fondre sur les archers, tandis que d'autres conjurés, postés aux fenêtres, lanceraient des projectiles. Avec une charrette, poussée en travers de la chaussée, on pouvait bloquer la voie et compléter la panique...

« Et pourquoi nos anciens frères feraient-ils cela ? pensa Molay. Pour délivrer leur grand-maître qui les a trahis, qui a renié l'Ordre, qui a cédé aux tortures... »

Pourtant, il s'obstinait à observer la foule, le plus loin qu'il pouvait, et il n'apercevait que des pères de famille qui avaient hissé leurs petits enfants sur leurs épaules, des enfants qui, plus tard, quand on prononcerait devant eux le nom de Templiers, ne se souviendraient que de quatre vieillards barbus et grelottants, encadrés de gens d'armes comme des malfaiteurs publics.

Le visiteur général continuait de parler tout seul, en chuintant, et le héros de Saint-Jean-d'Acre de répéter qu'il faisait bon se promener matin.

Le grand-maître sentit se former en lui une de ces colères à demi démentes qui le saisissaient si souvent dans sa prison et le faisaient hurler en frappant les murs. Il allait sûrement accomplir quelque chose de violent et de terrible... il ne savait quoi... mais il avait besoin de l'accomplir.

Il acceptait sa mort, presque comme une délivrance ; mais il n'acceptait pas de mourir injustement, ni de mourir déshonoré. La longue habitude de la guerre remuait une dernière fois son vieux sang. Il voulait mourir en se battant.

Il chercha la main de Geoffroy de Charnay, son ami, son compagnon, le dernier homme fort qu'il eût à côté de lui, et il étreignit cette main.

Le précepteur de Normandie vit, sur les tempes creusées du grand-maître, les artères qui se gonflaient comme des couleuvres bleues.

Le cortège atteignait le pont Notre-Dame.

III

LES BRUS DU ROI

UNE savoureuse odeur de farine, de beurre chaud
et de miel flottait autour de l'éventaire.

« Chaudes, chaudes les oublies ! Tout le monde
n'en aura pas. Allez, bourgeois, mangez ! Chaudes
les oublies ! » criait le marchand qui s'agitait derrière un fourneau en plein air.

Il faisait tout à la fois, étalait la pâte, retirait
du feu les crêpes cuites, rendait la monnaie, sur-
veillait les gamins pour les empêcher de chapar-
der.

« Chaudes les oublies ! »

Il était si affairé qu'il ne remarqua pas le client
dont la main blanche laissa glisser une piécette
de cuivre, en paiement d'une crêpe dorée, crous-
tillante et roulée en cornet. Il vit seulement la
même main reposer l'oublie dans laquelle on
n'avait mordu qu'une bouchée.

« En voilà bien un dégoûté, dit le marchand en

tisonnant son feu. On leur en baillera : pur froment et beurre de Vaugirard... »

A ce moment, il se releva et resta bouche bée,
son dernier mot arrêté dans la gorge, en apercevant le client auquel il s'adressait. Cet homme de
très haute taille, aux yeux immenses et pâles, qui
portait chaperon blanc et tunique demi-longue...

Avant que le marchand ait pu amorcer une cour-
bette ou balbutier une excuse, l'homme au chaperon blanc s'était déjà éloigné, et l'autre, bras
ballants tandis que sa nouvelle fournée d'oublies
était en train de brûler, le regardait s'enfoncer
dans la foule.

Les rues marchandes de la Cité, au dire des
voyageurs qui avaient parcouru l'Afrique et
l'Orient, ressemblaient assez aux souks d'une ville
arabe. Même grouillement incessant, mêmes échoppes minuscules tassées les unes contre les autres,
mêmes senteurs de graisse cuite, d'épices et de
cuir, même marche lente des chalands gênant le
passage des ânes et des portefaix. Chaque rue,
chaque venelle avait sa spécialité, son métier par-
ticulier ; ici les tisserands dont on apercevait les
métiers dans les arrière-boutiques, là les savetiers
tapant sur leurs pieds de fer, et plus loin les sel-
liers tirant sur l'alène, et ensuite les menuisiers
tournant les pieds d'escabelles.

Il y avait la rue aux Oiseaux, la rue aux Herbes
et aux Légumes, la rue des Forgerons toute réson-
nante du bruit des enclumes. Les orfèvres, installés le long du quai qui portait leur nom, travail-
laient devant leurs petits réchauds.

On apercevait de minces bandes de ciel entre
les maisons de bois et de torchis, aux pignons
rapprochés. Le sol était couvert d'une fange assez

malodorante où les gens traînaient, selon leur condition, leurs pieds nus, leurs patins de bois ou leurs souliers de cuir.

L'homme aux hautes épaules et au chaperon blanc continuait d'avancer lentement dans la cohue, les mains derrière le dos, insoucieux semblait-il de se faire bousculer. Beaucoup de passants, d'ailleurs, s'effaçaient devant lui et le saluaient. Il leur répondait d'un bref signe de tête. Il avait une carrure d'athlète ; ses cheveux blond roux, soyeux, terminés en rouleaux, lui tombaient presque jusqu'au col, encadrant un visage régulier et d'une rare beauté de traits.

Trois sergents royaux, en habit bleu, et portant au creux du bras un bâton sommé d'une fleur de lis, suivaient ce promeneur à quelque distance mais sans jamais le perdre des yeux, s'arrêtant lorsqu'il s'arrêtait, se remettant en marche en même temps que lui [7].

Soudain, un jeune homme en justaucorps serré, entraîné par trois grands lévriers qu'il menait en laisse, déboucha d'une ruelle et vint se jeter contre le flâneur, manquant de le renverser. Les chiens se mêlèrent, hurlèrent.

« Mais prenez donc garde où vous cheminez ! s'écria le jeune homme avec un fort accent italien. Pour un peu, vous tombiez sur mes chiens. Il m'aurait plu qu'ils vous mordissent. »

Dix-huit ans au plus, bien pris dans sa petite taille, les yeux noirs et le menton fin, il forçait la voix pour faire l'homme.

Tout en dépêtrant la laisse, il continuait :

« *Non si puo vedere un cretino peggiore* *... »

---

* On ne peut voir pire crétin...

Mais déjà les trois sergents l'encadraient ; l'un d'eux le prit par le bras et lui dit un mot à l'oreille. Aussitôt le jeune homme ôta son bonnet et s'inclina avec un grand geste de respect.

Un rassemblement discret s'était formé.

« Voilà de beaux chiens de courre ; à qui sont-ils ? demanda le promeneur en dévisageant le garçon de ses yeux immenses et froids.

— A mon oncle, le banquier Tolomei... pour vous servir », répondit le jeune homme en s'inclinant une seconde fois.

Sans rien ajouter, l'homme au chaperon blanc poursuivit son chemin. Quand il se fut un peu éloigné, ainsi que les sergents, les gens s'esclaffèrent autour du jeune Italien. Celui-ci n'avait pas bougé de place et semblait avoir quelque peine à digérer sa méprise ; les chiens eux-mêmes se tenaient cois.

« Eh bien ! Il n'est plus tout faraud ! disait-on en riant.

— Regardez-le ! Il a manqué jeter le roi par terre, et de surcroît il l'a injurié.

— Tu peux t'apprêter à coucher cette nuit en prison, mon garçon, avec trente coups de fouet. »

L'Italien fit front aux badauds.

« Eh quoi ! Je ne l'avais jamais vu ; comment le pouvais-je reconnaître ? Et puis apprenez, bonnes gens, que je suis d'un pays où il n'y a pas de roi pour qui l'on doive se coller contre les murs. Dans ma ville de Sienne, chaque citoyen peut être roi à son tour. Et qui veut prendre en gire Guccio Baglioni n'a qu'à le dire ! »

Il avait lancé son nom comme un défi. L'orgueil

susceptible des Toscans assombrissait son regard.
Il portait au côté une dague ciselée. Personne
n'insista ; le jeune homme claqua des doigts pour
relancer ses chiens et continua sa route, moins
assuré qu'il ne voulait le paraître, en se demandant si sa sottise n'aurait pas de fâcheuses consé-
quences.

Car c'était bien le roi Philippe le Bel qu'il venait
de bousculer. Ce souverain que nul n'égalait en
puissance aimait ainsi marcher à travers sa ville,
comme un simple bourgeois, se renseignant sur
les prix, goûtant les fruits, tâtant les étoffes, écou-
tant les propos. Il prenait le pouls de son peuple.
Des étrangers, parfois, s'adressaient à lui pour
trouver leur chemin. Un soldat, un jour, l'avait
arrêté, lui réclamant un arriéré de paye. Aussi
avare de paroles que d'argent, il lui arrivait rarement, au cours de sa promenade, de prononcer
plus de trois phrases, ou de dépenser plus de
trois sols.

Le roi passait par le marché à la viande, lorsque
le bourdon de Notre-Dame se mit à sonner, en
même temps qu'une grande rumeur s'élevait.

« Les voilà ! Les voilà ! » cria-t-on dans la rue.

La rumeur se rapprochait ; des passants se mirent à courir dans sa direction.

Un gros boucher sortit de derrière son étal, le
tranchet à la main, en hurlant :

« A mort les hérétiques ! »

Sa femme l'accrocha par la manche.

« Hérétiques ? Pas plus que toi, dit-elle. Reste
donc ici à servir la pratique, tu seras plus utile,
grand fainéant. »

Ils se prirent de bec. Aussitôt un attroupement
se fit autour d'eux.

« Ils ont avoué devant les juges ! continuait le boucher.

— Les juges ? répliqua quelqu'un. On n'en connaît que d'une sorte. Ils jugent à la commande de ceux qui les payent. »

Chacun voulut alors faire entendre son avis.

« Les Templiers sont de saints hommes. Ils ont toujours bien fait l'aumône.

— Il fallait leur prendre leur argent, mais point les torturer.

— C'était le roi leur plus fort débiteur. Plus de Templiers, plus de dette.

— Le roi a bien fait.

— Le roi ou les Templiers, dit un apprenti, c'est du pareil au même. Faut laisser les loups se manger entre eux ; pendant ce temps-là, ils ne nous dévorent pas. »

Une femme, à ce moment, se retourna, pâlit, et fit signe aux autres de se taire. Philippe le Bel était derrière eux et les observait de son regard glacial. Les sergents s'étaient insensiblement rapprochés, prêts à intervenir. En un instant l'attroupement se dispersa, et ceux qui le composaient partirent au pas de course en criant bien fort :

« Vive le roi ! A mort les hérétiques ! »

On aurait pu croire que le roi n'avait pas entendu. Rien dans son visage n'avait bougé, rien n'y avait paru. S'il prenait plaisir à surprendre les gens, c'était un plaisir secret.

La clameur grossissait toujours. Le cortège des Templiers passait à l'extrémité de la rue, et le roi put voir un instant, par l'échappée entre les maisons, le chariot et ses quatre occupants. Le grand-maître se tenait droit ; il avait l'air d'un martyr, mais non d'un vaincu.

Laissant la foule se précipiter au spectacle, Philippe le Bel, d'un pas égal, par les rues brusquement vidées, revint vers son palais.

Le peuple pouvait bien maugréer un peu, et le *grande* grand-maître redresser son vieux corps torturé. Dans une heure tout serait terminé, et la sentence dans l'ensemble bien accueillie. Dans une heure, l'œuvre de sept années serait accomplie, parache- *perfected* vée. Le Tribunal épiscopal avait statué ; les archers étaient nombreux ; les sergents gardaient les rues. Dans une heure, l'affaire des Templiers serait effacée des soucis publics, et le pouvoir royal en sortirait grandi et renforcé.

« Même ma fille Isabelle sera satisfaite. J'aurai fait droit à sa prière, et de la sorte contenté tout le monde. Mais il était temps d'en finir », se disait le roi Philippe.

Il rentra dans sa demeure par la Galerie mercière.

Tant de fois remanié, au cours des siècles, sur *revised* ses vieilles fondations romaines, le Palais venait d'être entièrement rénové par Philippe, et sensiblement agrandi.

L'époque était à la construction, et les princes rivalisaient sur ce point. Ce qui se faisait à Westminster était, à Paris, déjà terminé.

Des édifices anciens, Philippe n'avait gardé intacte que la Sainte Chapelle bâtie par son grand-père saint Louis. Le nouvel ensemble de la Cité, avec ses grandes tours blanches se reflétant dans la Seine, était imposant, massif, ostentatoire.

Fort regardant à la petite dépense, le roi Philippe ne lésinait pas dès lors qu'il s'agissait d'af- *skimp* firmer la puissance de l'Etat. Mais comme il ne

négligeait aucun profit, il avait concédé aux mer-
ciers, moyennant redevance annuelle, le privilège
de tenir boutique dans la grande galerie du Palais, qu'on appelait de ce fait la Galerie mercière,
avant de l'appeler la Galerie marchande [8].

Cet immense vestibule, haut et vaste comme
une cathédrale à deux nefs, faisait l'admiration
des voyageurs. Sur les chapiteaux des piliers se
dressaient quarante statues figurant les quarante
rois qui, depuis Pharamond et Mérovée, s'étaient
succédé à la tête du royaume franc. Face à l'effigie de Philippe le Bel avait été placée celle d'Enguerrand de Marigny, coadjuteur et recteur du
royaume, qui avait inspiré et dirigé les travaux.

Ouverte à tout venant, la Galerie constituait un
lieu de promenade, de négoce et de rencontres
galantes. On y pouvait faire ses emplettes et en
même temps y <u>côtoyer</u> les princes. La mode se dé-
cidait là. Une foule incessamment déambulait entre les éventaires, au-dessous des grandes statues
royales. Broderies, dentelles, soieries, velours et
camelins, passementeries, articles de parure et
de petite joaillerie s'entassaient, chatoyaient, mi-
roitaient sur les comptoirs de chêne dont le soir
on relevait l'abattant, ou chargeaient des tables à
tréteaux, ou pendaient à des perches. Dames de
la cour, bourgeoises, servantes allaient d'un étalage à l'autre. On palpait, on discutait, on rêvait,
on flânait. L'endroit bruissait de discussions, de
marchandages, de conversations, de rires, domi-
nés par le boniment des vendeurs racolant la pratique. Nombreuses étaient les voix aux accents
étrangers, surtout des accents d'Italie et de Flandre.

Un gaillard efflanqué proposait des mouchoirs

brodés, disposés sur une bâche de chanvre, à même le sol.

« Ah ! n'est-ce point pitié, belles dames, criait-il, que de se moucher dans ses doigts ou dans sa manche, quand vous avez pour ce faire des toiles si finement adornées, que vous pouvez nouer avec grâce autour de votre bras ou de votre aumônière ! »

Un autre amuseur, à quelques pas, jonglait avec des bandes de dentelles de Malines et les lançait si haut que leurs arabesques blanches montaient jusqu'aux éperons de pierre de Louis le Gros.

« On brade, on donne ! Six deniers l'aune. Laquelle de vous n'a six deniers pour se faire les tétons aguicheurs ? »

Philippe le Bel traversa la Galerie dans toute la longueur. La plupart des hommes, sur son passage, s'inclinaient ; les femmes amorçaient une révérence. Sans qu'il le montrât, le roi aimait l'animation de la Galerie mercière et les marques de déférence qu'il y recueillait.

Le bourdon de Notre-Dame continuait à tinter ; mais le son n'en parvenait ici qu'atténué, assourdi.

A l'extrémité de la Galerie, non loin des degrés du grand escalier, se tenait un groupe de trois personnes, deux très jeunes femmes, un jeune homme, dont la beauté, la mise et aussi l'assurance attiraient l'attention discrète des passants.

Les jeunes femmes étaient deux des belles-filles du roi, celles qu'on appelait « les sœurs de Bourgogne ». Elles se ressemblaient peu. L'aînée, Jeanne, mariée au second fils de Philippe le Bel, le comte de Poitiers, avait à peine vingt et un ans. Elle était grande, élancée, avec des cheveux blond cendré, un maintien un peu composé, et un long œil oblique de lévrier. Elle se vêtait avec une simplicité qui était presque une recherche. Ce jour-là, elle portait une robe de velours gris clair, aux manches collantes, sur laquelle était passé un surcot bordé d'hermine qui s'arrêtait aux hanches.

Sa sœur Blanche, épouse de Charles de France, le cadet des princes royaux, était plus petite, plus ronde, plus rose, plus spontanée. Agée de dix-huit ans, elle gardait aux joues les fossettes de l'enfance. Elle avait une blondeur chaude, des yeux marron clair, très brillants, et de petites dents transparentes. S'habiller était pour elle plus qu'un jeu, une passion. Elle s'y livrait avec une extravagance qui ne relevait pas forcément du meilleur goût. Elle s'ornait le front, le col, les manches, la ceinture du plus de bijoux qu'elle pouvait. Sa robe était brodée de perles et de fils d'or. Mais elle avait tant de grâce et semblait si contente d'elle-même qu'on lui pardonnait volontiers cette profusion naïve.

Le jeune homme qui se trouvait auprès des deux princesses était vêtu comme il convenait à un officier de maison souveraine.

Il était question dans ce petit groupe d'une affaire de cinq jours dont on discutait à mi-voix avec une agitation contenue.

« Est-il raisonnable de se mettre en telle peine pour cinq jours ? » disait la comtesse de Poitiers.

Le roi surgit de derrière une colonne qui avait masqué son approche.

« Bonjour, mes filles », dit-il.

Les jeunes gens se turent brusquement. Le beau garçon salua très bas et s'écarta d'un pas, gardant les yeux à terre. Les deux jeunes femmes,

après qu'elles eurent fléchi le genou, demeurè-
rent muettes, rougissantes, un peu embarrassées.
Ils avaient l'air tous trois pris en faute.

« Eh bien ! mes filles, demanda le roi, ne dirait-
on pas que je suis de trop dans votre babil ? Que
contiez-vous donc ? »

Il n'était nullement surpris de cet accueil, car
il avait accoutumé de voir les gens, et même ses
familiers ou ses plus proches parents, intimidés
par sa présence. Une sorte de mur de glace le
séparait d'autrui. Il ne s'en étonnait plus, mais
s'en affligeait. Il croyait faire tout le nécessaire
pour se rendre avenant et aimable.

Ce fut la jeune Blanche qui reprit le plus rapidement assurance.

« Il faut nous pardonner, Sire, dit-elle, mais
nos paroles ne sont guère aisées à vous répéter !

— Pourquoi cela ?

— C'est que... nous disions du mal de vous.

— En vérité ? » dit Philippe le Bel, ne sachant
comment il devait entendre la plaisanterie.

Il arrêta son regard sur le jeune homme, qui
demeurait en retrait, et, le désignant du menton :

« Qui est ce damoiseau ? demanda-t-il.

— Messire Philippe d'Aunay, écuyer de notre
oncle Valois », répondit la comtesse de Poitiers.

Le jeune homme salua de nouveau.

« N'avez-vous pas un frère ? dit le roi s'adressant à l'écuyer.

— Oui, Sire, un frère qui est à Mgr de Poitiers,
répondit le jeune d'Aunay, rougissant et la voix
mal assurée.

— C'est cela ; je vous confonds toujours », dit
le souverain.

Puis revenant à Blanche :

« Alors, quel mal disiez-vous de moi, ma fille ?

— Jeanne et moi étions d'accord pour vous en vouloir beaucoup, Sire mon père, car voici cinq nuits de suite que nos maris ne nous sont point de service, tant vous les retenez tard aux séances du Conseil, ou les envoyez loin pour les affaires du royaume.

— Mes filles, mes filles, ce ne sont point paroles à prononcer tout haut ! » dit le roi.

Il était pudique de nature, et on le disait observer une stricte chasteté depuis neuf ans qu'il était veuf.

Mais il semblait qu'il ne pût sévir contre Blanche. La vivacité de celle-ci, sa gaieté, son audace à tout dire, le désarmaient. Il était à la fois amusé et choqué. Il sourit, ce qui ne lui arrivait pas une fois le mois.

« Et la troisième, que dit-elle ? » ajouta-t-il.

Par la troisième, il entendait Marguerite de Bourgogne, cousine de Jeanne et de Blanche, et mariée à l'héritier du trône, Louis, roi de Navarre.

« Marguerite ? s'écria Blanche. Elle s'enferme, elle fait son œil noir, et elle dit que vous êtes aussi méchant que vous êtes beau. »

Cette fois encore, le roi resta un peu indécis, comme s'il s'interrogeait sur la manière de prendre ce dernier trait. Mais le regard de Blanche était si limpide, si candide ! Elle était la seule personne qui osât lui parler d'un tel ton et qui ne tremblât pas en sa présence.

« Eh bien ! rassurez Marguerite, et rassurez-vous, Blanche. Mes fils Louis et Charles pourront vous tenir compagnie ce soir. Aujourd'hui est une bonne journée pour le royaume, dit Philippe le Bel. Il n'y aura pas conseil ce soir. Quant à votre époux, Jeanne, qui est allé à Dole et à Salins veiller aux affaires de votre comté, je ne pense pas qu'il demeure encore absent plus d'une semaine.

— Alors je m'apprête à fêter son retour », dit Jeanne en courbant son beau cou.

C'était pour le roi Philippe une très longue conversation que celle qu'il venait de tenir. Il tourna les talons brusquement, sans dire adieu, et gagna le grand escalier qui menait à ses appartements.

« Dieu soit loué ! dit Blanche, la main sur la poitrine, en le regardant disparaître. Nous l'avons échappé belle.

— J'ai cru défaillir de peur », dit Jeanne.

Philippe d'Aunay était rouge jusqu'aux cheveux, non plus de confusion à présent, mais de colère.

« Grand merci, dit-il sèchement à Blanche. Ce sont choses agréables à entendre que celles que vous avez dites.

— Et que vouliez-vous que je fisse ? s'écria Blanche. Avez-vous trouvé mieux, vous ? Vous êtes resté court et tout bredouillant. Il nous arrive sus sans qu'on l'ait vu. Il a l'oreille la plus fine du royaume. Si jamais il a surpris nos propos, c'était bien la seule façon de lui donner le change. Et plutôt que de récriminer encore, Philippe, vous feriez mieux de me féliciter.

— Ne recommencez point, dit Jeanne. Marchons, rapprochons-nous des boutiques ; quittons cet air de complot. »

Ils avancèrent, répondant aux saluts dont on les honorait.

« Messire, reprit Jeanne à mi-voix, je vous ferai

remarquer que c'est vous, par votre sotte jalousie, qui êtes cause de cette alarme. Si vous ne vous étiez pas mis à si fort vous plaindre au propos de Marguerite, nous n'eussions point couru le risque que le roi en entendît trop. »

Philippe d'Aunay gardait la mine sombre.

« En vérité, dit Blanche, votre frère est plus agréable que vous.

— C'est sans doute qu'il est mieux traité, et j'en suis heureux pour lui, répondit le jeune homme. En effet, je suis un bien grand sot de me laisser humilier par une femme qui me traite en valet, m'appelle dans son lit quand l'envie lui en prend, m'éloigne quand l'envie lui passe, me laisse des jours sans me donner signe de vie, et qui feint de ne pas me reconnaître quand elle me croise. Quel jeu joue-t-elle, à la parfin ? »

Philippe d'Aunay, écuyer de Mgr de Valois, était depuis quatre ans l'amant de Marguerite de Bourgogne, l'aînée des belles-filles de Philippe le Bel. S'il osait en parler de la sorte devant Blanche de Bourgogne, épouse de Charles de France, c'était parce que Blanche se trouvait être la maîtresse de son frère, Gautier d'Aunay, écuyer du comte de Poitiers. Et s'il pouvait s'en ouvrir devant Jeanne de Bourgogne, comtesse de Poitiers, c'était parce que celle-ci, bien qu'elle ne fût encore la maîtresse de personne, favorisait pourtant, moitié par faiblesse, moitié par amusement, l'intrigue des deux autres brus royales, combinait les rendez-vous, facilitait les rencontres.

Ainsi, en cet avant-printemps 1314, le jour même où l'on allait juger les Templiers et où cette grave affaire était le principal souci de la couronne, deux fils de France, l'aîné, Louis, et le puîné, Charles, portaient les cornes par la grâce de deux écuyers appartenant l'un à la maison de leur oncle, l'autre à la maison de leur frère, et ceci sous la garde de leur belle-sœur Jeanne, épouse constante mais entremetteuse bénévole, qui prenait un trouble plaisir à vivre les amours d'autrui.

« En tout cas, ce soir, point de tour de Nesle, dit Blanche.

— Pour moi, cela ne fera guère de différence avec les jours précédents, répondit Philippe d'Aunay. Mais j'enrage à penser que cette nuit, entre les bras de Louis de Navarre, Marguerite aura sans doute les mêmes mots...

— Ah ! mon ami, c'est aller trop loin, dit Jeanne, avec beaucoup de hauteur. Tout à l'heure vous accusiez Marguerite, sans raison, d'avoir d'autres amants. Maintenant vous voudriez empêcher qu'elle ait un époux. Les faveurs qu'elle vous consent vous font trop oublier qui vous êtes. Je pense que demain je vais conseiller à notre oncle de vous envoyer quelques mois dans son comté de Valois, où sont vos terres, pour vous mettre l'esprit en repos. »

Du coup, le beau Philippe d'Aunay se trouva calmé.

« Oh ! Madame, murmura-t-il. Je crois que j'en mourrais. »

Il était bien plus séduisant ainsi que dans la colère. On l'eût effrayé à plaisir, rien que pour voir s'abaisser ses longs cils soyeux et trembler légèrement son menton blanc. Il était soudain si malheureux, si pitoyable, que les deux jeunes femmes, oubliant leurs alertes, ne purent s'empêcher de sourire.

« Vous direz à votre frère Gautier que ce soir je soupirerai bien après lui », dit Blanche de la plus douce façon du monde.

On ne pouvait savoir si elle parlait sincèrement.

« Ne faudrait-il pas... dit d'Aunay un peu hésitant, prévenir Marguerite de ce que nous venons d'apprendre dans le cas où pour ce soir elle aurait prévu...

— Que Blanche en décide ; moi, je ne me charge plus de rien, dit Jeanne. J'ai eu trop peur. Je ne veux plus être mêlée à vos affaires. Un jour cela finira mal, et vraiment c'est me compromettre à plaisir, pour rien.

— Il est vrai, dit Blanche, que tu ne profites guère des aubaines. De nos trois maris, c'est le tien qui s'absente le plus souvent. Si Marguerite et moi avions cette chance...

— Mais je n'en ai pas le goût, répliqua Jeanne.

— Ou pas le courage, dit Blanche.

— Il est vrai que, même si je le voulais, je n'ai pas ton habileté à dissimuler, ma sœur, et je suis sûre que je me trahirais tout de suite. »

Ayant dit cela, Jeanne resta songeuse un instant. Non, certes, elle n'avait pas envie de tromper Philippe de Poitiers ; mais elle était lasse de passer pour prude...

« Madame, lui dit Philippe, ne pourriez-vous me charger... d'un message pour votre cousine ? »

Jeanne considéra le jeune homme, de biais, avec une indulgence attendrie.

« Vous ne pouvez donc plus vivre sans la belle Marguerite ? répondit-elle. Allons, je vais être bonne. Je vais acheter pour Marguerite quelque pièce de parure que vous irez lui porter de ma part. Mais c'est la dernière fois. »

Ils s'approchèrent d'un éventaire. Tandis que les deux jeunes femmes se consultaient, Blanche allant tout droit aux objets les plus chers, Philippe d'Aunay repensait à la brusque apparition du roi.

« Chaque fois qu'il me voit, il me demande mon nom. Cela fait bien la sixième fois. Et toujours il fait allusion à mon frère. »

Il eut une sourde appréhension et se demanda pourquoi il éprouvait toujours un si vif malaise devant le souverain. A cause de son regard sans doute, à cause de ces yeux trop grands, immobiles, et de leur étrange couleur incertaine, entre le gris et le bleu pâle, pareille à celle de la glace des étangs les matins d'hiver, des yeux qu'on ne cessait de revoir pendant des heures après les avoir rencontrés.

Aucun des trois jeunes gens n'avait remarqué un seigneur d'immense stature, portant des bottes rouges, et qui, arrêté à mi-marches, sur le grand escalier, les observait depuis un moment.

« Messire Philippe, je n'ai point assez d'argent sur moi ; voulez-vous payer ? »

C'était Jeanne qui venait de parler, tirant Philippe d'Aunay de ses réflexions. L'écuyer s'exécuta avec empressement. Jeanne avait choisi pour Marguerite une ceinture de velours sur laquelle étaient cousus des motifs d'argent filigrané.

« Oh ! je voudrais la même », dit Blanche.

Mais elle non plus n'avait pas d'argent, et Philippe régla également son achat.

Il en était toujours ainsi lorsqu'il les accompagnait. Elles l'assuraient de le rembourser, mais elles oubliaient aussitôt, et il était trop gentilhomme pour le leur rappeler.

« Prends garde, mon fils, lui avait dit un jour messire Gautier d'Aunay le père ; les femmes les plus riches sont celles qui coûtent le plus cher. »

Il en faisait la constatation à ses dépens. Mais il s'en moquait. Les d'Aunay pouvaient se dispenser de compter ; leurs domaines de Vémars et d'Aunay-lès-Bondy, entre Pontoise et Luzarches, leur assuraient d'importants revenus.

A présent, Philippe d'Aunay tenait son prétexte à courir vers l'hôtel de Nesle, où demeuraient le roi et la reine de Navarre, de l'autre côté de l'eau. En passant par le pont Saint-Michel, il n'en avait que pour quelques minutes.

Il salua les deux princesses et se dirigea vers les portes de la Galerie mercière.

Le seigneur aux bottes rouges le suivit du regard, un regard de chasseur. Ce seigneur était Robert d'Artois, revenu depuis quelques jours d'Angleterre. Il parut réfléchir ; puis il descendit l'escalier et, à son tour, gagna la rue.

Dehors, le bourdon de Notre-Dame s'était tu, et il régnait sur l'île de la Cité un silence inhabituel, impressionnant. Que se passait-il à Notre-Dame ?

IV

NOTRE-DAME ÉTAIT BLANCHE

Les archers s'étaient formés en cordon pour maintenir la foule en deçà de l'étroit parvis. A toutes les fenêtres, des têtes curieuses se pressaient.

La brume s'était levée et un pâle soleil éclairait les pierres blanches de Notre-Dame de Paris. Car la cathédrale n'était achevée que depuis soixante-dix ans, et l'on travaillait sans cesse à l'embellir. Elle avait encore l'éclat du neuf, et la lumière faisait ressortir l'arc des ogives, la dentelle de la rosace centrale, accentuait le fourmillement des statues au-dessus des porches.

On avait repoussé contre les maisons les marchands de poulets qui, chaque matin, vendaient devant l'église. Le criaillement d'une volaille étouffant dans son cageot déchirait le silence, cet anormal silence qui venait de surprendre le comte d'Artois à la sortie de la Galerie mercière.

Le capitaine Alain de Pareilles se tenait immobile devant ses soldats.

En haut des marches qui montaient du parvis, les quatre dignitaires du Temple étaient debout, dos à la foule et face au Tribunal ecclésiastique installé entre les vantaux ouverts du grand portail. Evêques, chanoines, clercs siégeaient alignés sur deux rangs.

La curiosité de la foule se portait principalement sur les trois cardinaux spécialement envoyés par le pape pour bien signifier que la sentence serait sans appel ni recours devant le Saint-Siège, ainsi que sur Mgr Jean de Marigny, le jeune archevêque de Sens, frère du recteur du royaume, et qui, avec le grand inquisiteur de France, avait conduit toute l'affaire.

Les robes brunes ou blanches d'une trentaine de moines apparaissaient derrière les membres du Tribunal. Seul laïc de cette assemblée, le prévôt de Paris, Jean Ployebouche, personnage d'une cinquantaine d'années, courtaud, au visage contracté, paraissait peu satisfait de se trouver là. Il représentait le pouvoir royal et était chargé du maintien de l'ordre. Ses yeux allaient de la foule au capitaine des archers, et du capitaine à l'archevêque de Sens.

Le faible soleil jouait sur les mitres, les crosses, la pourpre des robes cardinalices, l'amarante des capes épiscopales, l'hermine des camails, l'or des croix pectorales, l'acier des cottes de mailles, des casques et des armes. Ces scintillements, ces couleurs, cet éclat rendaient plus violent le contraste avec les accusés pour lesquels tout ce grand appareil avait été commandé, les quatre vieux Templiers guenilleux, serrés les uns contre les autres, et dont le groupe semblait sculpté dans la cendre.

Mgr Arnaud d'Auch, cardinal d'Albano, premier légat, lisait debout les attendus du jugement. Il le faisait avec lenteur et emphase, savourant sa propre voix, satisfait de lui-même et de se donner en spectacle devant un auditoire populaire. Par instants, il jouait à l'homme horrifié par l'énormité des crimes qu'il avait à énoncer ; puis il reprenait une majesté onctueuse pour relater un nouveau grief, un nouveau forfait.

« ... Entendu les frères Géraud du Passage et Jean de Cugny qui affirment après maints autres qu'on leur fit force, à leur réception dans l'Ordre, de cracher sur la Croix, pour ce, leur dit-on, que c'était un morceau de bois et que le vrai Dieu était au ciel... Entendu le frère Guy Dauphin à qui il fut enjoint, si l'un de ses frères supérieurs était tourmenté par la chair et se voulait satisfaire sur lui, de consentir à tout ce qui lui serait demandé... Entendu le grand-maître Jacques de Molay qui, sous la question, a reconnu et avoué... »

La foule devait tendre l'oreille pour saisir les mots déformés par un débit emphatique. Le légat en faisait trop et il était trop long. Le peuple commençait à s'impatienter.

A la relation des accusations, des faux témoignages, des aveux extorqués, Jacques de Molay murmurait pour lui-même :

« Mensonge... mensonge... mensonge... »

La colère qui l'avait saisi pendant le trajet ne faisait que croître. Le sang battait de plus en plus fort à ses tempes décharnées.

Rien ne s'était produit qui vînt arrêter le déroulement du cauchemar. Aucun groupe d'anciens Templiers n'avait surgi de la foule.

« ... Entendu le frère Hugues de Payraud qui reconnaît avoir fait obligation aux novices de renier le Christ par trois fois... »

Le visiteur général tourna vers Jacques de Molay un visage douloureux, et prononça :

« Mon frère, mon frère, est-ce jamais moi qui ai dit cela ? »

Les quatre dignitaires étaient seuls, abandonnés du Ciel et des hommes, pris comme dans une tenaille géante entre les troupes et le Tribunal, entre la force royale et la force de l'Eglise. Chaque parole du cardinal-légat resserrait l'étau.

Comment les commissions d'enquête, bien qu'on le leur eût expliqué cent fois, n'avaient-elles pas voulu admettre, voulu comprendre que cette épreuve du reniement n'était imposée aux novices que pour assurer leur attitude s'ils étaient pris par les musulmans et sommés d'abjurer ?

Le grand-maître avait une envie furieuse de sauter à la gorge du prélat, de le gifler, l'étrangler. Et ce n'était pas seulement le légat qu'il eût voulu étriper, mais aussi le jeune Marigny, ce bellâtre mitré qui prenait des poses alanguies. Et surtout il eût voulu atteindre ses trois vrais ennemis, ceux qui n'étaient pas là : le roi, le garde des Sceaux, le pape.

La rage de l'impuissance lui faisait danser un voile rouge devant les yeux. Il fallait qu'il arrivât quelque chose... Un vertige si fort le saisit qu'il craignit de s'abattre sur la pierre. Il ne voyait pas qu'une fureur égale avait gagné son compa-

gnon Geoffroy de Charnay, et que la cicatrice du
précepteur de Normandie était devenue toute
blanche au milieu d'un front cramoisi.

Le légat prit un temps dans sa déclamation,
abaissa le grand parchemin, inclina légèrement
la tête à droite et à gauche vers ses assesseurs,
rapprocha le parchemin de son visage, y souffla
comme pour en chasser une poussière.

« ... Considérant que les accusés ont avoué et
reconnu, les condamnons... au mur et au silence
pour le reste de leurs jours, afin qu'ils obtien-
nent la rémission de leurs fautes par les larmes
du repentir. *In nomine Patris...* »

Le légat fit un lent signe de croix et s'assit,
plein de superbe, en roulant le parchemin, qu'il
tendit ensuite à un clerc.

La foule demeura d'abord sans réaction. Après
une telle énumération de crimes, la peine de mort
était si évidemment attendue que la condamnation au mur — c'est-à-dire la prison à perpétuité,
le cachot, les chaînes, le pain et l'eau — paraissait une mesure de clémence.

Philippe le Bel avait bien ajusté son coup.
L'opinion populaire allait admettre sans difficulté, presque platement, ce point final à une
tragédie qui l'avait agitée pendant sept ans. Le
premier légat et le jeune archevêque de Sens
échangèrent un imperceptible sourire de conni-
vence.

« Mes frères, mes frères, bredouilla le visiteur
général, ai-je bien entendu ? On ne nous tue
point ! On nous fait grâce ! »

Il avait les yeux pleins de larmes, et sa bouche
aux dents cassées s'ouvrait comme s'il allait rire.

Ce fut cette affreuse joie qui déclencha tout.

Soudain on entendit une voix proférer du haut des marches :

« Je proteste ! »

Et cette voix était si puissante que l'on ne crut pas d'abord qu'elle appartenait au grand-maître.

« Je proteste contre une sentence inique, et j'affirme que les crimes dont on nous charge sont crimes inventés ! »

Une sorte d'immense soupir s'éleva de la foule. Le Tribunal s'agita. Les cardinaux se regardèrent, stupéfaits. Personne ne s'attendait à cela. Jean de Marigny s'était levé d'un bond. C'en était fini des poses alanguies ; il était blême et tremblant de colère.

« Vous mentez ! cria-t-il au grand-maître. Vous avez avoué devant la commission. »

Les archers, d'instinct, s'étaient resserrés, attendant un ordre.

« Je ne suis coupable, répondit Jacques de Molay, que d'avoir cédé à vos cajoleries, menaces et tourments. J'affirme, devant Dieu qui nous entend, que l'Ordre est innocent et saint. »

Et Dieu semblait l'entendre en effet. Car la voix du grand-maître, lancée vers l'intérieur de la cathédrale et répercutée par les voûtes, revenait en écho, comme si une autre voix plus profonde, au fond de la nef, avait repris chaque parole.

« Vous avez avoué la sodomie ! dit Jean de Marigny.

— Dans la torture ! » répliqua Molay.

« ... dans la torture... », relança la voix qui paraissait se former dans le Tabernacle.

« Vous avez confessé l'hérésie !

— Dans la torture ! »

« ... dans la torture... », répéta le Tabernacle.

« Je retire tout ! » dit le grand-maître.

« ... tout... », répondit en grondant la cathédrale entière.

Un nouvel interlocuteur entra dans cet étrange dialogue. Geoffroy de Charnay, à son tour, s'en prenait à l'archevêque de Sens.

« On a abusé de notre affaiblissement, disait-il. Nous sommes victimes de vos complots et de vos fausses promesses. C'est votre haine et votre vindicte qui nous perdent ! Mais je l'affirme aussi devant Dieu : nous sommes innocents, et ceux qui disent autrement en ont menti par la bouche. »

Alors les moines qui se tenaient derrière le Tribunal se mirent à crier :

« Hérétiques ! Au feu ! Au feu, les hérétiques ! »

Mais leurs invectives n'eurent pas le résultat escompté. Avec ce mouvement d'indignation généreuse qui le porte souvent au secours du courage malheureux, le peuple en majorité prenait parti pour les Templiers.

On montrait le poing aux juges. Des bagarres éclataient à tous les coins de la place. On hurlait aux fenêtres. L'affaire menaçait de tourner à l'émeute.

Sur un commandement d'Alain de Pareilles, la moitié des archers s'étaient formés en chaîne, se tenant par les bras pour résister à la poussée de la foule, tandis que les autres, piques abaissées, faisaient face.

Les sergents royaux, de leurs bâtons à fleur de lis, frappaient à l'aveuglette dans la presse. Les cageots des marchands de poulets avaient été renversés, et les cris de la volaille piétinée se mêlaient à ceux du public.

Le Tribunal était debout. Jean de Marigny se concertait avec le prévôt de Paris.

« N'importe quoi, Monseigneur, décidez n'importe quoi, disait le prévôt ; mais il ne faut point les laisser là. Nous allons tous être emportés. Vous ne connaissez point les Parisiens lorsqu'ils s'agitent. »

Jean de Marigny leva sa crosse épiscopale pour signifier qu'il allait parler. Mais personne ne voulait plus l'entendre. On l'accablait d'insultes.

« Tourmenteur ! Faux évêque ! Dieu te punira !

— Parlez, Monseigneur, parlez », lui disait le prévôt.

Il craignait pour sa situation et pour sa peau ; il se souvenait des émeutes de 1306 où l'on avait pillé les hôtels des bourgeois.

« Deux des condamnés sont déclarés relaps ! dit l'archevêque forçant vainement la voix. Ils sont retombés dans leurs hérésies. Ils ont rejeté la justice de l'Eglise ; l'Eglise les rejette et les remet à la justice du roi. »

Ses paroles se perdirent dans le vacarme. Puis tout le Tribunal, comme un troupeau de pintades affolées, rentra dans Notre-Dame dont le portail fut aussitôt fermé.

Sur un geste du prévôt à Alain de Pareilles, un groupe d'archers se précipita vers les marches ; le chariot fut amené et les condamnés poussés dedans à coups de manches de pique. Ils se laissèrent faire avec une grande docilité. Le grand-maître et le précepteur de Normandie se sentaient à la fois épuisés et détendus. Ils étaient enfin en paix avec eux-mêmes. Les deux autres ne comprenaient plus rien.

Les archers ouvrirent le chemin au chariot, tandis que le prévôt Ployebouche donnait des instructions à ses sergents pour qu'on nettoyât la place au plus vite. Il virait sur lui-même, complètement débordé.

« Ramenez les prisonniers au Temple ! cria-t-il à Alain de Pareilles. Pour moi, je cours en aviser le roi. »

V

MARGUERITE DE BOURGOGNE,
REINE DE NAVARRE

PENDANT ce temps, Philippe d'Aunay était arrivé
à l'hôtel de Nesle. On l'avait prié d'attendre dans
l'antichambre dès appartements de la reine de
Navarre. Les minutes n'en finissaient plus. Philippe se demandait si Marguerite était retenue
par des importuns ou si, simplement, elle prenait plaisir à le laisser languir. Elle avait des tours
de cette manière. Et peut-être au bout d'une
heure à piétiner, s'asseoir, se relever, s'enten-
drait-il dire qu'elle n'était pas visible. Il enra-
geait.

Voilà quelque quatre années, dans les débuts
de leur liaison, elle n'eût pas agi de la sorte. Ou
peut-être si. Il ne se souvenait plus. Tout à l'émerveillement d'une aventure commençante où la
vanité avait autant de part que l'amour, il eût

alors fait volontiers le pied de grue cinq heures de rang pour seulement apercevoir sa maîtresse, lui effleurer les doigts ou recevoir d'elle, d'un mot chuchoté, la promesse d'un autre rendez-vous.

Les temps avaient changé. Les difficultés qui font la saveur d'un amour naissant deviennent intolérables à un amour de quatre ans ; et souvent la passion meurt de ce qui l'a fait naître. La perpétuelle incertitude des rencontres, les entrevues décommandées, les obligations de la cour, à quoi s'ajoutaient les étrangetés du caractère de Marguerite, avaient poussé Philippe à un sentiment exaspéré qui ne s'exprimait plus guère que par la revendication et la colère.

Marguerite paraissait mieux prendre les choses. Elle savourait le double plaisir de tromper son mari et d'irriter son amant. Elle était de ces femmes qui ne trouvent de renouvellement dans le désir qu'au spectacle des souffrances qu'elles infligent, jusqu'à ce que ce spectacle même leur devienne lassant.

Il ne se passait pas de jour que Philippe ne se dît qu'un grand amour n'avait pas d'accomplissement dans l'adultère, et qu'il ne se jurât de rompre un lien devenu si blessant.

Mais il était faible, il était lâche, il était pris. Pareil au joueur qui s'enferre en courant après sa mise, il courait après ses rêves de naguère, ses vains présents, son temps dilapidé, son bonheur enfui. Il n'avait pas le courage de se lever de la table en disant : « J'ai assez perdu. »

Et il était là, tout morfondu de dépit et de chagrin, à attendre qu'on voulût bien lui dire d'entrer.

Pour distraire son impatience, il s'assit sur un banc de pierre, dans l'embrasure d'une fenêtre, et regarda le mouvement des palefreniers qui sortaient les chevaux de selle pour aller les détendre sur le Petit-Pré-aux-Clercs, l'entrée des portefaix chargés de quartiers de viande et de ballots de légumes.

L'hôtel de Nesle se composait de deux monuments accolés, mais distincts ; d'une part l'Hôtel proprement dit, qui était de construction récente, et d'autre part la Tour, antérieure d'un bon siècle, qui appartenait au système des remparts de Philippe Auguste. Philippe le Bel avait acquis l'ensemble, six ans plus tôt, du comte Amaury de Nesle, pour le donner comme résidence au roi de Navarre, son fils aîné [9].

La Tour, dans le passé, n'avait guère servi que de corps de garde ou de resserre. C'était Marguerite qui, récemment, avait décidé d'y faire installer des pièces de séjour, afin, prétendait-elle, de s'y retirer et d'y méditer sur ses livres d'heures. Elle affirmait avoir besoin de solitude. Comme elle était réputée de caractère fantasque, Louis de Navarre ne s'en était pas étonné. En fait, elle n'avait décidé de cet aménagement que pour pouvoir recevoir plus aisément le beau d'Aunay.

Ce dernier en avait conçu une inégalable fierté. Une reine, pour lui, avait transformé une forteresse en chambre d'amour.

Puis, quand son frère aîné Gautier était devenu l'amant de Blanche, la Tour avait également servi d'asile au nouveau couple. Le prétexte était aisé ; Blanche venait rendre visite à sa cousine et belle-sœur ; et Marguerite ne demandait qu'à être tout à la fois complaisante et complice.

Mais maintenant, lorsque Philippe regardait le grand édifice sombre, au toit crénelé, aux étroites et rares ouvertures en hauteur, il ne pouvait s'empêcher de se demander si d'autres hommes n'y connaissaient pas auprès de sa maîtresse les mêmes nuits tumultueuses... Ces cinq jours qui venaient de s'écouler sans qu'il eût reçu aucune nouvelle, alors que les soirées se fussent si bien prêtées à rencontres, n'autorisaient-ils pas tous les doutes ?

Une porte s'ouvrit et une chambrière invita Philippe à la suivre. Il était décidé cette fois à ne pas s'en laisser conter. Il traversa plusieurs salles ; puis la chambrière s'effaça, et Philippe entra dans une pièce basse, encombrée de meubles, et où flottait un entêtant parfum qu'il connaissait bien, une essence de jasmin que les marchands recevaient d'Orient.

Il fallut un instant à Philippe pour s'habituer à la pénombre et à la chaleur. Un grand feu aux braises épaisses ardait dans la cheminée de pierre.

« Madame... », dit-il.

Une voix vint du fond de la pièce, une voix un peu rauque, comme endormie.

« Approchez, messire. »

Marguerite osait-elle le recevoir dans sa chambre, sans témoin ? Philippe d'Aunay fut bien vite tranquillisé et déçu ; la reine de Navarre n'était pas seule. A demi cachée par la courtine du lit, une dame de parage, le menton et les cheveux emprisonnés dans la guimpe blanche des veuves, brodait. Marguerite, pour sa part, était allongée sur le lit, dans une robe de maison doublée de fourrure d'où sortaient ses pieds nus, petits et potelés. Recevoir un homme en pareille tenue et pareille posture était en soi une audace.

Philippe s'avança et prit un tour de cour, que démentait l'expression de son visage, pour dire que la comtesse de Poitiers l'envoyait prendre nouvelles de la reine de Navarre, lui porter compliment, et lui remettre un présent.

Marguerite écouta, sans bouger ni tourner les yeux.

Elle était petite, de cheveu noir, de teint ambré. On disait qu'elle avait le plus beau corps du monde et elle n'était pas la dernière à le faire savoir.

Philippe regardait cette bouche ronde, sensuelle, ce menton court, partagé d'une fossette, cette gorge charnue qui soulevait l'échancrure de la robe, ce bras replié et haut découvert par la large emmanchure. Philippe se demanda si Marguerite était entièrement nue sous la fourrure.

« Posez ce présent sur la table, dit-elle, je vais le voir dans un instant. »

Elle s'étira, bâilla, montrant ses courtes dents blanches, sa langue effilée, son palais rose et plissé ; elle bâillait comme font les chats.

Elle n'avait pas encore une seule fois regardé le jeune homme. En revanche, il se sentait observé par la dame de parage. Il ne connaissait pas, parmi les suivantes de Marguerite, cette veuve au visage long et aux yeux trop rapprochés. Il fit effort pour contenir une irritation qui ne cessait de croître.

« Dois-je transmettre, demanda-t-il, une réponse à Madame de Poitiers ? »

Marguerite consentit enfin à regarder Philippe. Elle avait des yeux admirables, sombres et veloutés, qui caressaient les choses et les êtres.

« Dites à ma belle-sœur de Poitiers... », prononça-t-elle.

Philippe, s'étant un peu déplacé, fit un geste nerveux, du bout des doigts, pour inviter Marguerite à écarter la veuve. Mais Marguerite ne sembla pas comprendre ; elle souriait, non pas particulièrement à Philippe ; elle souriait dans le vide.

« Ou bien non, reprit-elle. Je vais lui écrire un message que vous lui remettrez. »

Puis, à la dame de parage :

« Ma bonne, il va être temps de me vêtir. Veuillez vous assurer que ma robe est apprêtée. »

La veuve passa dans la pièce voisine, mais sans fermer la porte.

Marguerite se leva, découvrant un beau genou lisse ; et passant auprès de Philippe, elle lui chuchota dans un souffle :

« Je t'aime.

— Pourquoi ne t'ai-je pas vue depuis cinq jours ? demanda-t-il de la même façon.

— Oh ! la belle chose ! s'écria-t-elle en déployant la ceinture qu'il lui avait apportée. Que Jeanne a donc de goût, et comme ce présent me ravit !

— Pourquoi ne t'ai-je pas vue ? répéta Philippe à voix basse.

— Elle va convenir à merveille pour y pendre ma nouvelle aumônière, reprit Marguerite bien fort. Messire d'Aunay, avez-vous le temps d'attendre que j'écrive ce mot de merci ? »

Elle s'assit à une table, prit une plume d'oie,

une feuille de papier, et ne traça qu'un mot[10]. Elle fit signe à Philippe de s'approcher, et il put lire sur la feuille : « Prudence. »

Puis elle cria, en direction de la pièce voisine :

« Madame de Comminges, allez chercher ma fille ; je ne l'ai point embrassée de tout le matin. »

On entendit la dame de parage sortir.

« La prudence, dit alors Philippe, est une bonne excuse pour éloigner un amant et en accueillir d'autres. Je sais bien que vous me mentez. »

Elle eut une expression à la fois de lassitude et d'énervement.

« Et moi, je vois bien que vous ne comprenez rien, répondit-elle. Je vous prie de prendre mieux garde à vos paroles, et même à vos regards. C'est toujours quand deux amants commencent à se quereller ou à se lasser qu'ils trahissent leur secret devant leur entourage. Contrôlez-vous mieux. »

Marguerite, ce disant, ne jouait pas. Depuis quelques jours elle sentait autour d'elle un vague parfum de soupçon. Louis de Navarre avait fait allusion, devant elle, à ses succès, aux passions qu'elle allumait ; plaisanteries de mari où le rire sonnait faux. Les impatiences de Philippe avaient-elles été remarquées ? Du portier et de la chambrière de la tour de Nesle, deux domestiques qui venaient de Bourgogne et qu'elle terrorisait en même temps qu'elle les couvrait d'or, Marguerite pouvait se croire sûre autant que d'elle-même. Mais nul n'est jamais à l'abri d'une imprudence de langage. Et puis il y avait cette dame de Comminges, qu'on lui avait imposée pour complaire à Mgr de Valois, et qui rôdait partout dans ses tristes atours...

« Vous avouez donc que vous êtes lassée ? dit Philippe d'Aunay.

— Oh ! vous êtes ennuyeux, vous savez, répliqua-t-elle. On vous aime et vous ne cessez de gronder.

— Eh bien ! ce soir, je n'aurai pas lieu d'être ennuyeux, répondit Philippe. Il n'y aura pas conseil ; le roi nous l'a dit lui-même. Vous pourrez ainsi rassurer votre époux tout à votre aise. »

Au visage qu'elle montra, Philippe, s'il n'avait pas été aveuglé par la colère, aurait pu comprendre que sa jalousie, de ce côté au moins, n'avait pas à s'alarmer.

« Et moi, j'irai chez les ribaudes ! ajouta-t-il.

— Fort bien, dit Marguerite. Ainsi vous me raconterez comment font ces filles. J'y prendrai plaisir. »

Son regard s'était allumé ; elle se lissait les lèvres du bout de la langue, ironiquement.

« Garce ! Garce ! Garce ! » pensa Philippe. Il ne savait comment la prendre ; tout coulait sur elle comme l'eau sur un vitrail.

Elle alla vers un coffre ouvert, et y prit une bourse que Philippe ne lui connaissait pas.

« Cela va faire merveille, dit Marguerite en glissant la ceinture dans les passants, et en allant se poser, la bourse contre la taille, devant un grand miroir d'étain.

— Qui t'a donné cette aumônière ? demanda Philippe.

— C'est... »

Elle allait répondre ingénument la vérité. Mais

elle le vit si crispé, si soupçonneux, qu'elle ne put résister à s'amuser de lui.

« C'est... quelqu'un.

— Qui ?

— Devinez.

— Le roi de Navarre ?

— Mon époux n'a pas de ces générosités !

— Alors, qui ?

— Cherchez.

— Je veux savoir, j'ai le droit de savoir, dit Philippe s'emportant. C'est un présent d'homme, et d'homme riche, et d'homme amoureux... parce qu'il a des raisons de l'être, j'imagine. »

Marguerite continuait de se regarder dans le miroir, essayant l'aumônière sur une hanche, puis sur l'autre, puis au milieu de la ceinture, tandis que, dans ce mouvement balancé, la robe fourrée lui couvrait et lui découvrait la jambe.

« C'est Mgr d'Artois, dit Philippe.

— Oh ! quel mauvais goût vous me prêtez, messire ! dit-elle. Ce grand butor, qui sent toujours le gibier...

— Le sire de Fiennes, alors, qui tourne autour de vous, comme de toutes les femmes ? » reprit Philippe.

Marguerite pencha la tête de côté, prenant une pose songeuse.

« Le sire de Fiennes ? dit-elle. Je n'avais pas remarqué qu'il me portât intérêt. Mais puisque vous me le dites... Merci de m'en aviser.

— Je finirai bien par savoir.

— Quand vous aurez cité toute la cour de France... »

Elle allait ajouter : « Vous penserez peut-être à la cour d'Angleterre » ; mais elle fut interrom-

pue par le retour de Mme de Comminges qui
poussait devant elle la princesse Jeanne. La petite
fille âgée de trois ans marchait lentement, en-
goncée dans une robe brodée de perles. Elle ne
tenait de sa mère que son front bombé, rond,
presque buté. Mais elle était blonde, avec un nez
mince, de longs cils battant sur des yeux clairs,
et elle pouvait être aussi bien de Philippe d'Aunay que du roi de Navarre. Sur ce sujet non plus,
Philippe n'avait jamais pu connaître la vérité ;
et Marguerite était trop habile pour se trahir en
une question si grave.

Chaque fois que Philippe voyait l'enfant, il se
demandait : « Est-elle de moi ? » Il se remémo-
rait des dates, cherchait des indices. Et il pensait
que plus tard il aurait à s'incliner bien bas devant une princesse qui était peut-être sa fille, et
qui peut-être aussi monterait sur les deux trônes
et de Navarre et de France, puisque Louis et Marguerite n'avaient pour l'instant d'autre descendance.

Marguerite souleva la petite Jeanne, la baisa
au front, constata qu'elle avait la mine fraîche, et
la remit à la dame de parage en disant :

« Voilà, je l'ai embrassée ; vous pouvez la re-
conduire. »

Elle lut dans les yeux de Mme de Comminges
que celle-ci n'était pas dupe. « Il faut me débarrasser de cette veuve », se dit-elle.

Une autre dame entra, demandant si le roi de
Navarre était là.

« Ce n'est point chez moi habituellement qu'on
le trouve à cette heure, répondit Marguerite.

— C'est qu'on le cherche par tout l'hôtel. Le
roi le fait mander dans l'instant.

— Et sait-on pour quel motif ?

— J'ai cru comprendre, Madame, que les Templiers ont rejeté la sentence. Le peuple s'agite autour de Notre-Dame, et partout la garde est doublée. Le roi a convoqué conseil... »

Marguerite et Philippe échangèrent un regard. La même idée leur était venue, qui n'avait rien à voir avec les affaires du royaume. Les événements obligeraient peut-être Louis de Navarre à passer une partie de la nuit au Palais.

« Il se peut que la journée ne s'achève point comme prévu », dit Philippe.

Marguerite l'observa un instant et jugea qu'elle l'avait assez fait souffrir. Il avait repris un maintien respectueux et distant ; mais son regard mendiait le bonheur. Elle en fut émue, et se sentit du désir pour lui.

« Il se peut, messire », dit-elle.

La complicité, entre eux, était rétablie.

Elle alla prendre le papier où elle avait écrit « prudence » et le jeta au feu en ajoutant :

« Ce message ne convient point. J'en ferai tenir un autre, plus tard, à la comtesse de Poitiers ; j'espère avoir de meilleures choses à lui dire. Adieu, messire. »

Le Philippe d'Aunay qui sortit de l'hôtel de Nesle n'était plus le même que celui qui y était entré. Pour une seule parole d'espoir, il avait repris confiance en sa maîtresse, en lui-même, en l'existence entière, et cette fin de matinée lui semblait radieuse.

« Elle m'aime toujours ; je suis injuste envers elle », pensait-il.

En franchissant le corps de garde, il se heurta à Robert d'Artois. On aurait pu croire que le

géant suivait le jeune écuyer à la piste. Il n'en
était rien. D'Artois, pour l'heure, avait d'autres
problèmes.

« Mgr de Navarre est-il en sa demeure ? demanda-t-il à Philippe.

— Je sais qu'on le cherche pour le Conseil du
roi, dit Philippe.

— Le veniez-vous prévenir ?

— Oui », répondit Philippe pris de court.

Et aussitôt il pensa que ce mensonge, trop aisément vérifiable, était une sottise.

« Je le cherche pour le même motif, dit d'Artois. Mgr de Valois voudrait l'entretenir aupa-
ravant. »

Ils se séparèrent. Mais cette rencontre for-
tuite donna l'éveil au géant. « Serait-ce lui ? » se
demanda-t-il tandis qu'il traversait la grande cour
pavée. Il avait aperçu Philippe une heure plus
tôt dans la Galerie mercière, en compagnie de
Jeanne et de Blanche. Il le retrouvait maintenant
à la porte de Marguerite... « Ce damoiseau leur
sert-il de messager, ou bien est-il l'amant d'une
des trois ? Si cela est, je ne tarderai pas à en
être averti. »

Car Mme de Comminges ne manquerait pas de
le renseigner. En outre, il avait un homme à lui
chargé de surveiller, la nuit, les abords de la tour
de Nesle. Les filets étaient tendus. Tant pis pour
cet oiseau au joli plumage s'il venait s'y faire
prendre !

VI

LE CONSEIL DU ROI

Le prévôt de Paris, accourant tout essoufflé chez le roi, avait trouvé celui-ci de bonne humeur. Philippe le Bel était occupé à admirer trois grands lévriers qui venaient de lui être envoyés avec la lettre suivante, où se reconnaissait sans peine une plume italienne :

« Moult aimé et redouté roi, notre Sire,

« Un mien neveu, tout pénitent de son forfait, m'est venu confesser que ces trois chiens à lièvre qu'il guidait ont heurté Votre Seigneurie dans son passage. Si indignes qu'ils soient de Lui être présentés, je ne me sens point suffisance de mérite pour les conserver davantage, maintenant qu'ils ont touché si haute et puissante personne telle qu'Elle est. Ils me sont arrivés depuis peu, par la trafique de Venise. Adoncques, je requiers en grâce Votre Seigneurie de les recevoir et les tenir, pour ce qu'il Lui plaira, en gage de très dévotieuse humilité.

« Spinello Tolomei,
Siennois. »

« L'habile homme que ce Tolomei ! » avait dit Philippe le Bel.

Lui qui refusait tout présent ne résistait pas à accepter des chiens. Il possédait les plus belles meutes du monde, et c'était flatter sa seule passion que de lui faire don de chiens de courre aussi magnifiques que ceux qu'il avait devant les yeux.

Tandis que le prévôt lui expliquait ce qui s'était passé à Notre-Dame, Philippe le Bel avait continué de s'intéresser aux trois lévriers, de leur relever les babines pour examiner leurs crocs blancs et leur gueule noire, de palper leur poitrine profonde au pelage couleur de sable. Des bêtes directement importées d'Orient, sans aucun doute.

Entre le roi et les animaux, les chiens surtout, il existait un accord immédiat, secret, silencieux. A la différence des hommes, les chiens n'avaient point peur de lui. Et déjà le plus grand des trois lévriers était venu poser la tête sur le genou de son nouveau maître.

« Bouville ! » avait appelé Philippe le Bel.

Hugues de Bouville, le premier chambellan, homme d'une cinquantaine d'années, aux cheveux curieusement partagés en mèches blanches et en mèches noires qui le faisaient ressembler à un cheval pie, était apparu.

« Bouville, qu'on assemble sur l'heure le Conseil étroit. »

Puis congédiant le prévôt, en lui laissant entendre qu'il jouait sa vie s'il se produisait le moindre trouble dans la ville, Philippe le Bel était resté à méditer en compagnie de ses chiens.

« Alors, mon Lombard, qu'allons-nous faire ? » avait-il murmuré en caressant la tête du grand lévrier, lui donnant ainsi son nouveau nom.

Car on appelait Lombards, indistinctement, tous les banquiers ou marchands originaires d'Italie. Et puisque ce chien venait de l'un d'eux, le mot s'était imposé au roi, comme allant de soi, pour le désigner.

Maintenant, le Conseil étroit était réuni, non pas dans la vaste Chambre de Justice, qui pouvait contenir plus de cent personnes et qu'on utilisait seulement pour les Grands Conseils, mais dans une petite pièce attenante, où un feu brûlait.

Autour d'une table longue, les membres de ce Conseil restreint avaient pris place, pour décider du sort des Templiers. Le roi siégeait au haut bout, le coude appuyé au bras de sa cathèdre, et le menton dans la main. A sa droite étaient assis Enguerrand de Marigny, coadjuteur et recteur du royaume, puis Guillaume de Nogaret, garde des Sceaux, Raoul de Presles, maître au Parlement de Justice, et trois autres légistes, Guillaume Dubois, Michel de Bourdenai, et Nicole Le Loquetier ; à sa gauche, son fils aîné, le roi de Navarre, qu'on avait enfin trouvé, Hugues de Bouville, le grand chambellan, et le secrétaire privé Maillard. Deux places resteraient vides : celle du comte de Poitiers qui était en Bourgogne, et celle du prince Charles, le dernier fils du roi, parti le matin pour la chasse et qui n'avait pu être joint. Il manquait encore Mgr de Valois, qu'on avait envoyé querir à son hôtel et qui devait y comploter, comme à son habitude avant chaque conseil. Le roi avait décidé qu'on commencerait sans lui.

Enguerrand de Marigny parla le premier. Ce tout-puissant ministre, et tout-puissant de par son entente profonde avec le souverain, n'était pas né noble. C'était un bourgeois normand, qui s'appelait Le Portier avant de devenir sire de Marigny ; il avait suivi une carrière prodigieuse qui lui valait autant de jalousie que de respect. Le titre de coadjuteur, créé pour lui, en avait fait l'*alter ego* du roi. Il avait quarante-neuf ans, une carrure solide, le menton large, la peau grumeleuse, et il vivait avec magnificence sur l'immense fortune qu'il s'était acquise. Il passait pour avoir la parole la plus habile du royaume et possédait une intelligence politique qui dominait de très haut son époque.

Il ne lui fallut que quelques minutes pour fournir un tableau complet de la situation ; il venait d'ouïr plusieurs rapports, dont celui de son frère l'archevêque de Sens.

« Le grand-maître et le précepteur de Normandie ont été remis, Sire, entre vos mains, par la commission de l'Eglise, dit-il. Il vous est désormais loisible de disposer d'eux totalement, sans en référer à personne, fût-ce au pape. N'est-ce pas ce que nous pouvions espérer de mieux ? »

Il s'interrompit ; la porte venait de s'ouvrir sur Mgr de Valois, frère du roi et ex-empereur de Constantinople, qui faisait une entrée en coup de vent. Ayant seulement esquissé une inclinaison de tête en direction du souverain, et sans prendre la peine de s'informer de ce qui avait été dit en son absence, le nouvel arrivant s'écria :

« Qu'entends-je, Sire mon frère ? Messire Le Portier de Marigny (il avait bien insisté sur Le Portier) trouve que tout va pour le mieux ? Eh bien ! mon frère, vos conseillers se contentent de peu. Je me demande quel jour ils trouveront que tout va mal ! »

De deux ans le cadet de Philippe le Bel, mais paraissant l'aîné, et aussi agité que son frère était calme, Charles de Valois, le nez gras, les joues couperosées par la vie des camps et les excès de table, poussait devant lui une arrogante panse, et s'habillait avec une somptuosité orientale qui, sur tout autre, eût paru ridicule. Il avait été beau.

Né au plus près du trône de France, et ne se consolant pas de ne pas l'occuper, ce prince brouillon s'était employé à courir l'univers pour trouver un autre trône où s'asseoir. Il avait, dans son adolescence, reçu, mais sans pouvoir la garder, la couronne d'Aragon. Puis il avait tenté de reconstituer à son profit le royaume d'Arles. Puis il s'était porté candidat à l'Empire d'Allemagne, mais avait échoué assez piteusement à l'élection. Veuf d'une princesse d'Anjou-Sicile, il était, par son remariage avec Catherine de Courtenay, héritière de l'Empire latin d'Orient, devenu empereur de Constantinople, mais empereur titulaire seulement, car un véritable souverain, Andronic II Paléologue, régnait alors à Byzance. Or, même ce sceptre illusoire, par suite d'un second veuvage, venait de lui échapper l'année précédente pour passer à l'un de ses gendres, le prince de Tarente.

Ses meilleurs titres de gloire étaient sa campagne éclair de Guyenne en 1297, et sa campagne de Toscane en 1301, où soutenant les Guelfes contre les Gibelins, il avait ravagé Florence et exilé le poète Dante. Ce pourquoi le pape Boniface VIII l'avait fait comte de Romagne.

Valois menait train royal, avait sa cour et son chancelier. Il détestait Enguerrand de Marigny pour vingt raisons, pour l'extraction roturière de celui-ci, pour sa dignité de coadjuteur, pour sa statue dressée parmi celles des rois dans la Galerie mercière, pour sa politique hostile aux grands féodaux, pour tout. Valois ne parvenait pas à admettre, lui petit-fils de saint Louis, que le royaume fût gouverné par un homme sorti du commun.

Ce jour-là il était vêtu de bleu et d'or, depuis le chaperon jusqu'aux souliers.

« Quatre vieillards à demi morts, reprit-il, dont on nous avait assuré que le sort était réglé... de quelle façon, hélas !... tiennent en échec l'autorité royale, et tout est pour le mieux. Le peuple crache sur le tribunal... quel tribunal ! recruté pour le besoin, convenons-en ; mais enfin, c'est une assemblée d'Eglise... et tout est pour le mieux. La foule hurle à la mort, mais contre qui ? Contre les prélats, contre le prévôt, contre les archers, contre vous, mon frère !... et tout va pour le mieux. Eh bien ! soit, réjouissons-nous ; tout est au mieux. »

Il éleva les mains, qu'il avait belles et toutes chargées de bagues, et puis s'assit, non point à la place qui lui avait été réservée, mais sur le premier siège à sa portée, au bas bout de la table, comme pour bien affirmer, par cet exil, son désaccord.

Enguerrand de Marigny était resté debout, un pli d'ironie cernant son large menton.

« Mgr de Valois doit être mal renseigné, dit-il calmement. Sur les quatre vieillards dont il parle, deux seulement ont protesté contre la sentence qui les condamnait. Quant au peuple, tous les rapports m'assurent qu'il est fort partagé d'opinion.

— Partagé ! s'écria Charles de Valois. Mais c'est scandale déjà qu'il puisse être partagé ! Qui demande au peuple son opinion ? Vous, messire de Marigny, et l'on comprend pourquoi. Voilà tout le résultat de votre belle invention d'avoir assemblé les bourgeois, les vilains et autres manants pour leur faire approuver les décisions du roi. A présent le peuple s'arroge le droit de juger. »

En toute époque et tout pays, il y eut toujours deux partis : celui de la réaction et celui du progrès. Deux tendances s'affrontaient au Conseil du roi. Charles de Valois, se considérant comme le chef naturel des grands barons, incarnait la réaction féodale. Son évangile politique tenait à quelques principes qu'il défendait avec acharnement : droit de guerre privée entre les seigneurs, droit, pour les grands feudataires, de battre monnaie sur leurs territoires, maintien de l'ordre moral et légal de la chevalerie, soumission au Saint-Siège considéré comme suprême puissance arbitrale. Toutes institutions ou coutumes héritées des siècles passés, mais que Philippe le Bel, inspiré par Marigny, avait abolies, ou qu'il travaillait à abolir.

Enguerrand de Marigny représentait le progrès. Ses grandes idées étaient la centralisation du pouvoir et de l'administration, l'unification des monnaies, l'indépendance du gouvernement vis-à-vis de l'Eglise, la paix extérieure par la fortification des villes clefs et l'établissement de garnisons permanentes, la paix intérieure par un renforcement général de l'autorité royale, l'augmentation de la production par la sécurité des échanges et du trafic marchand. On appelait les dispositions prises ou promues par lui les « novelletés ». Mais ces médailles avaient leur revers. La police, qui proliférait, coûtait cher à nourrir, et les forteresses cher à construire.

Battu en brèche par le parti féodal, Enguerrand s'était efforcé de donner au roi l'appui d'une classe qui, en se développant, prenait conscience de son importance : la bourgeoisie. Il avait en plusieurs occasions difficiles, et particulièrement à propos des conflits avec le Saint-Siège, convoqué au palais de la Cité les bourgeois de Paris en même temps que les barons et les prélats. Il avait fait de même dans les villes de province. L'Angleterre, où depuis un demi-siècle déjà fonctionnait régulièrement une Chambre des Communes, lui servait d'exemple.

Il n'était pas encore question, pour les assemblées françaises, de discuter les décisions royales, mais seulement d'en entendre les raisons et de les approuver [11].

Valois, tout brouillon qu'il fût, était le contraire d'un sot. Il ne manquait pas une occasion de tenter de discréditer Marigny. Leur opposition, sourde pendant longtemps, s'était muée, dans les mois récents, en lutte ouverte.

« Si les hauts barons, dont vous êtes le plus haut, Monseigneur, dit Marigny, s'étaient soumis de meilleur gré aux ordonnances royales, nous n'aurions pas eu besoin de nous appuyer sur le peuple.

— Bel appui en vérité ! cria Valois. Les émeutes de 1306, où le roi et vous-même avez dû, contre Paris soulevé, vous réfugier au Temple... oui, je vous le rappelle, au Temple !... ne vous ont guère servi de leçon. Je vous prédis qu'avant qu'il soit longtemps, si l'on continue de ce train, les bourgeois se passeront de roi pour gouverner, et ce seront vos assemblées qui feront les ordonnances. »

Le roi se taisait, le menton dans la main, et les yeux grands ouverts fixés droit devant lui. Il ne battait que très rarement des paupières ; ses cils restaient en place, immuablement, pendant de longues minutes ; et c'était cela qui donnait à son regard l'étrange fixité dont tant de gens s'effrayaient.

Marigny se tourna vers lui, comme s'il lui demandait d'user de son autorité pour arrêter une discussion qui s'égarait.

Philippe le Bel souleva légèrement la tête et dit :

« Mon frère, ce ne sont point des assemblées, mais des Templiers que, ce jour, nous nous occupons.

— Soit, dit Valois en tapotant la table. Occupons-nous des Templiers.

— Nogaret ! » murmura le roi.

Le garde des Sceaux se leva. Depuis le début du conseil, il était brûlé d'une colère qui n'attendait que l'instant d'éclater. Fanatique du bien public et de la raison d'Etat, l'affaire des Templiers était *son* affaire, et il y apportait une passion qui ne connaissait ni limite ni repos. C'était d'ailleurs à ce procès du Temple que Guillaume de Nogaret devait, depuis la Saint-Maurice de l'an 1307, sa haute charge dans l'Etat.

Ce jour-là, au cours d'un conseil qui se tenait à Maubuisson, l'archevêque de Narbonne, Gilles Aycelin, alors garde des Sceaux royaux, s'était refusé, tragiquement, à apposer ceux-ci sur l'ordonnance d'arrestation des Templiers. Philippe le Bel, sans un mot, avait pris les sceaux des mains de l'archevêque pour les mettre devant Nogaret, faisant de ce légiste le second personnage de l'administration royale.

Nogaret était ardent, austère, et implacable comme la faux de la mort. Osseux, noir, le visage en longueur, il tripotait sans cesse quelque partie de son vêtement ou bien rongeait l'ongle d'un de ses doigts plats.

« Sire, la chose monstrueuse, la chose horrible à penser et terrible à entendre qui vient de se produire, commença-t-il d'un ton à la fois emphatique et précipité, prouve que toute indulgence, toute clémence accordée à des suppôts du Diable, est une faiblesse qui se renverse contre vous.

— Il est vrai, dit Philippe le Bel en se tournant vers Valois, que la clémence que vous m'avez conseillée, mon frère, et que ma fille d'Angleterre m'a demandée par message, ne semble guère porter de bons fruits... Continuez, Nogaret.

— On laisse à ces chiens pourris une vie qu'ils ne méritent pas ; au lieu de bénir leurs juges, ils en profitent pour insulter aussitôt et l'Eglise et le roi. Les Templiers sont des hérétiques...

— Etaient... laissa tomber Charles de Valois.

— Vous dites, Monseigneur ? demanda Nogaret, impatient.

— Je dis *étaient*, messire, car si j'ai bonne mémoire, sur les milliers qu'ils se comptaient en France, et que vous avez bannis, ou claustrés, ou roués, ou rôtis, il ne vous en reste plus que quatre entre les mains... assez embarrassants, je vous l'accorde, puisque après sept ans de procédure ils viennent encore clamer leur innocence ! Il semble que naguère, messire de Nogaret, vous alliez plus vite en besogne, lorsque vous saviez, d'un seul soufflet, faire disparaître un pape. »

Nogaret frémit, et la peau de son visage devint plus foncée sous le poil bleu de sa barbe. Car il demeurait l'homme qui avait conduit, jusqu'au cœur du Latium, la sinistre expédition destinée à déposer le vieux Boniface VIII, et au bout de laquelle ce pape de quatre-vingt-huit ans avait été giflé sous la tiare pontificale. Nogaret s'était vu, en retour, frappé d'excommunication, et il avait fallu tout le pouvoir de Philippe le Bel sur Clément V, deuxième successeur de Boniface, pour obtenir la levée de la sentence. Cette pénible affaire n'était pas tellement ancienne ; elle ne datait que de onze ans ; et les adversaires de Nogaret ne manquaient jamais l'occasion de la lui rappeler.

« Nous savons, Monseigneur, répliqua-t-il, que vous avez toujours appuyé les Templiers. Sans doute comptiez-vous sur eux pour reconquérir, fût-ce à la grand-ruine de la France, ce trône fantôme de Constantinople sur lequel il apparaît que vous ne vous êtes guère assis. »

Il avait rendu outrage pour outrage, et son teint reprit une meilleure couleur.

« Tonnerre ! » s'écria Valois en se dressant et en renversant son siège derrière lui.

Un aboiement, parti de dessous la table, fit sursauter les assistants, sauf Philippe le Bel, et éclater de rire nerveusement Louis de Navarre. L'aboiement venait du grand lévrier que le roi avait gardé près de lui, et qui n'était pas encore habitué à ces éclats.

« Louis... taisez-vous », dit Philippe le Bel en posant sur son fils un regard glacé.

Puis il claqua des doigts en disant : « Lombard... à bas ! » et ramena contre sa cuisse la tête du chien.

Louis de Navarre, que l'on commençait à surnommer Louis Hutin, c'est-à-dire le Disputeur et le Confus, Louis la Brouille, baissa le nez pour étouffer son fou rire. Il avait vingt-cinq ans, mais pour la cervelle il n'en comptait pas quinze. Il montrait quelques traits de ressemblance physique avec son père, mais son regard était fuyant, et ses cheveux sans lustre.

« Sire, dit Charles de Valois solennellement, après que le grand chambellan lui eut relevé son siège, Sire mon frère, Dieu m'est témoin que je n'ai jamais songé qu'à vos intérêts et à votre gloire. »

Philippe le Bel tourna les yeux vers lui, et Charles de Valois se sentit moins assuré dans sa parole. Néanmoins il poursuivit :

« C'est à vous seulement, mon frère, que je pense encore lorsque je vois détruire à plaisir ce qui a fait la force du royaume. Sans le Temple, refuge de la chevalerie, comment pourrez-vous entreprendre une nouvelle croisade, s'il vous fallait la faire ? »

Ce fut Marigny qui se chargea de répondre.

« Sous le sage règne de notre roi, dit-il, nous n'avons pas eu croisade, justement parce que la chevalerie était calme, Monseigneur, et qu'il n'était point nécessaire de la conduire outre la mer dépenser ses ardeurs.

— Et la foi, messire ?

— L'or repris aux Templiers a grossi davantage le Trésor, Monseigneur, que tout ce grand commerce qui se trafiquait sous les oriflammes de la foi ; et les marchandises circulent aussi bien sans croisades.

— Messire, vous parlez comme un mécréant !

— Je parle comme un serviteur du royaume, Monseigneur ! »

Le roi frappa légèrement la table.

« Mon frère, c'est des Templiers qu'il s'agit ce jour... Je vous demande votre conseil.

— Mon conseil... mon conseil ? » répéta Valois, pris de court.

Il était toujours prêt à réformer l'univers, mais jamais à fournir un avis précis.

« Eh bien ! mon frère, que ceux qui ont si bien conduit l'affaire (il désigna Nogaret et Marigny) vous inspirent comment la terminer. Pour moi... »

Et il fit le geste de Pilate.

« Louis... votre conseil », demanda le roi.

Louis de Navarre tressaillit, et mit un moment à répondre.

« Si l'on confiait ces Templiers au pape ? dit-il enfin.

— Louis... taisez-vous », dit le roi.

Et il échangea avec Marigny un regard de commisération.

Renvoyer le grand-maître devant le pape, c'était

tout recommencer depuis le début, tout remettre en cause, le fond et la forme, effacer les dessaisissements si durement arrachés à plusieurs conciles, annuler sept années d'efforts, rouvrir la voie à toutes les contestations.

« Faut-il que ce soit ce sot, ce pauvre esprit incompétent, qui doive me succéder sur le trône, pensait Philippe le Bel. Enfin, espérons que d'ici là il aura mûri. »

Une averse de mars vint crépiter sur les vitres enchâssées de plomb.

« Bouville ? » dit le roi.

Le grand chambellan n'était que dévouement, obéissance, fidélité, souci de plaire, mais n'avait pas la pensée tournée à l'initiative. Il se demandait quelle réponse le souverain souhaitait.

« Je réfléchis, Sire, je réfléchis... répondit-il.

— Nogaret... votre conseil ?

— Que ceux qui sont retombés dans l'hérésie subissent le châtiment des hérétiques, et sans délai, répondit le garde des Sceaux.

— Le peuple ?... demanda Philippe le Bel en déplaçant son regard vers Marigny.

— Son agitation, Sire, tombera aussitôt que ceux qui en sont la cause auront cessé d'exister », dit le coadjuteur.

Charles de Valois tenta un dernier effort.

« Mon frère, dit-il, considérez que le grand-maître avait rang de prince souverain, et que toucher à sa tête, c'est attenter au respect qui protège les têtes royales... »

Le regard du roi lui coupa la parole.

Il y eut un temps de silence pesant, puis Philippe le Bel prononça :

« Jacques de Molay et Geoffroy de Charnay

seront brûlés ce soir dans l'île aux Juifs, face au jardin du Palais. La rébellion a été publique ; le châtiment sera public. Messire de Nogaret rédigera l'arrêt. J'ai dit. »

Il se leva et tous les assistants l'imitèrent.

« J'entends que tous ici vous assistiez au supplice, mes seigneurs, et que notre fils Charles y soit présent aussi. Qu'on l'en avertisse », ajouta-t-il.

Puis il appela :

« Lombard ! »

Et il sortit, le chien marchant dans ses pas.

A ce conseil auquel avaient participé deux rois, un ex-empereur, un vice-roi et plusieurs dignitaires, deux grands seigneurs à la fois de guerre et d'Eglise venaient d'être condamnés à mourir par le feu. Mais pas un instant, on n'avait eu le sentiment qu'il fût question de vies et de chairs humaines ; il ne s'était agi que de principes.

« Mon neveu, dit Charles de Valois à Louis Hutin, nous aurons assisté ce jour à la fin de la chevalerie. »

VII

LA TOUR DES AMOURS

La nuit était tombée. Un vent faible charriait des odeurs de terre mouillée, de vase, de sève en travail, et chassait de gros nuages noirs dans un ciel sans étoiles.

Une barque qui venait de quitter la rive, à hauteur de la tour du Louvre, avançait sur la Seine dont l'eau luisait comme un bouclier bien graissé.

Deux passagers étaient assis à l'arrière de la barque, le pan de leur manteau rejeté sur l'épaule.

« Un vrai temps de mécréant, ce jour d'hui, dit le batelier qui pesait lentement sur ses rames. Au matin on se réveille avec une brume qu'on n'y voyait pas à deux toises. Et puis sur tierce [12], voilà le soleil qui se montre; alors on pense : le printemps est en route. Pas plus tôt dit, c'est les giboulées qui recommencent pour toute la vesprée.

A présent, le vent vient de se lever, et qui va forcer, pour sûr... Un temps de mécréant.

— Plus vite, bonhomme, dit l'un des passagers.

— On fait du mieux qu'on peut. C'est que je suis vieux, vous savez ; cinquante-trois à la Saint-Michel, j'aurai. Je ne suis plus fort comme vous l'êtes, mes jeunes seigneurs », répondit le batelier.

Il était vêtu de loques et paraissait se complaire à prendre un ton geignard.

A distance, vers la gauche, on voyait des lumières sautiller sur l'îlot des Juifs, et, plus loin, les fenêtres allumées du Palais de la Cité. Il y avait grand mouvement de barques de ce côté-là.

« Alors, mes gentilshommes, vous n'allez donc point voir griller les Templiers ? reprit le batelier. Il paraît que le roi y sera, avec ses fils. C'est-il vrai ?

— Il paraît, fit le passager.

— Et les princesses, y seront-elles de même ?

— Je ne sais pas... sans doute », dit le passager en détournant la tête pour signifier qu'il ne tenait pas à poursuivre la conversation.

Puis, à son compagnon, il dit à voix basse :

« Ce bonhomme ne me plaît pas, il parle trop. »

Le second passager haussa les épaules avec indifférence. Puis, après un silence, il chuchota :

« Comment as-tu été prévenu ?

— Par Jeanne, comme toujours.

— Chère comtesse Jeanne, que de grâces nous lui devons. »

A chaque coup de rame, la tour de Nesle se rapprochait, haute masse noire dressée contre le ciel noir.

« Gautier, reprit le premier passager en posant la main sur le bras de son voisin, ce soir je suis heureux. Et toi ?

— Moi aussi, Philippe, je me sens bien aise. »

Ainsi parlaient les deux frères d'Aunay, se dirigeant vers le rendez-vous que Blanche et Marguerite leur avaient donné aussitôt qu'elles avaient su que leurs époux seraient absents pour la soirée. Et c'était la comtesse de Poitiers, serviable une fois de plus aux amours des autres, qui s'était chargée du message.

Philippe d'Aunay avait peine à contenir sa joie. Toutes ses alarmes du matin étaient effacées, tous ses soupçons lui paraissaient vains. Marguerite l'avait appelé ; Marguerite l'attendait ; dans quelques instants il tiendrait Marguerite entre ses bras, et il se jurait d'être l'amant le plus tendre, le plus gai, le plus ardent qui se puisse trouver.

La barque aborda au talus dans lequel s'enfonçaient les assises de la Tour. La dernière crue du fleuve y avait laissé une couche de vase.

Le passeur tendit le bras aux deux jeunes gens pour les aider à prendre pied.

« Alors, bonhomme, c'est bien convenu, lui dit Gautier d'Aunay ; tu nous attends sans t'éloigner, et sans te laisser voir.

— Toute la vie si vous voulez, mon jeune seigneur, du moment que vous me payez pour cela, répondit le passeur.

— La moitié de la nuit sera assez », dit Gautier.

Il lui donna un sou d'argent, douze fois plus que ne valait la course, et lui en promit autant pour le retour. Le passeur salua bien bas.

Prenant garde à ne pas glisser ni trop se crotter, les deux frères franchirent les quelques pas qui les séparaient d'une poterne à laquelle ils frappèrent selon un signal convenu. La porte s'entrouvrit. Une chambrière qui tenait un lumignon au poing leur livra passage et, après avoir rebarricadé la porte, les précéda dans un escalier à vis.

La grande pièce ronde où elle les fit pénétrer n'était éclairée que par les lueurs du feu, dans la cheminée à hotte. Et ces lueurs allaient se perdre dans la croisée d'ogive d'un plafond à voûte.

Ici, comme dans la chambre de Marguerite, flottait une odeur d'essence de jasmin ; tout en était imprégné, les étoffes brochées d'or tendues sur la muraille, les tapis, les fourrures fauves répandues en abondance sur des lits bas, à la mode orientale.

Les princesses n'étaient pas là. La chambrière sortit en disant qu'elle allait les avertir.

Les deux jeunes gens, ayant ôté leurs manteaux, s'approchèrent de la cheminée et tendirent machinalement les mains à la flamme.

Gautier d'Aunay était d'une vingtaine de mois l'aîné de son frère Philippe, auquel il ressemblait fort, mais en plus court, plus solide et plus blond. Il avait le cou large, les joues roses, et prenait la vie avec amusement. Il ne semblait pas, comme Philippe, tour à tour ravagé ou exalté par la passion. Il était marié, et bien marié, à une Montmorency, dont il avait déjà trois enfants.

« Je me demande toujours, dit-il en se chauffant, pourquoi Blanche m'a pris pour amant, et pourquoi même elle a un amant. De la part de Marguerite, cela s'explique sans peine. Il suffit de voir le Hutin, avec son regard bas, et sa poitrine creuse, et de te contempler à côté, pour comprendre aussitôt. Et puis il y a tout le reste que nous savons... »

Il faisait allusion, par là, à des secrets d'alcôve, au peu de vigueur amoureuse du jeune roi de Navarre et à la discorde sourde qui existait entre les époux.

« Mais Blanche, je ne comprends point, reprit Gautier d'Aunay. Son mari est beau, bien plus que je ne le suis... Mais non, mon frère, ne proteste pas ; Charles est plus beau ; il a toute l'apparence du roi Philippe. Blanche est aimée de lui, et je pense bien, quoi qu'elle m'en dise, qu'elle l'aime aussi. Alors pourquoi ? Je savoure ma chance, mais n'en vois point la raison. Serait-ce simplement parce que Blanche veut agir en tout comme sa cousine ? »

Il y eut de légers bruits de pas et des chuchotements dans la galerie qui reliait la Tour à l'Hôtel, et les deux princesses apparurent.

Philippe s'élança vers Marguerite, mais s'arrêta net dans son mouvement. A la ceinture de sa maîtresse, il avait aperçu l'aumônière qui l'avait tant irrité, le matin.

« Qu'as-tu, mon beau Philippe ? demanda Marguerite, les bras tendus et la bouche offerte. N'es-tu pas heureux ?

— Je le suis, Madame, répondit-il froidement.

— Que se passe-t-il encore ? Quelle nouvelle mouche...

— Est-ce... pour me narguer ? » dit Philippe en désignant l'aumônière.

Elle eut un beau rire chaud.

« Que tu es sot, que tu es jaloux, que tu me plais ! Tu n'as donc pas compris que j'agissais par jeu ? Mais je te la donne, cette bourse, si cela doit t'apaiser. »

Elle détacha prestement l'aumônière de sa ceinture. Philippe eut un geste pour protester.

« Voyez-moi ce fol, continua-t-elle, qui prend feu au moindre propos. »

Et, grossissant la voix, elle s'amusa à contrefaire la colère de Philippe.

« Un homme ! Quel est cet homme ? Je veux savoir !... C'est Robert d'Artois... c'est le sire de Fiennes... »

A nouveau son beau rire roula dans sa gorge.

« C'est une parente qui me l'a envoyée, messire l'ombrageux, puisque vous voulez tout savoir, reprit-elle. Et Blanche a reçu la même, et Jeanne aussi. Si c'était un présent d'amour, songerais-je à te l'offrir ? c'en est un, à présent, pour toi. »

A la fois penaud et comblé, Philippe d'Aunay admirait l'aumônière que Marguerite lui avait mise presque de force dans la main.

Se tournant vers sa cousine, Marguerite ajouta :

« Blanche, montre ton aumônière à Philippe. Je lui ai donné la mienne. »

Et à l'oreille de Philippe, elle murmura :

« Je gage fort qu'avant qu'il soit longtemps, ton frère aura reçu même présent. »

Blanche était allongée sur l'un des lits bas ; et Gautier, un genou en terre, auprès d'elle, lui couvrait de baisers la gorge et les mains. Se soulevant à demi, elle demanda, la voix rendue un peu lointaine par l'attente du plaisir :

« N'est-ce pas bien imprudent, Marguerite, ce que tu fais là ?

— Mais non, répondit Marguerite. Personne ne sait, et nous ne les avons pas encore portées. Il suffira d'avertir Jeanne. Et puis le don d'une bourse n'est-il pas la meilleure manière de remercier de bons gentilshommes du service qu'ils nous font ?

— Alors, s'écria Blanche, je ne veux pas que mon bel amant soit moins aimé et moins paré que le tien. »

Et elle délia son aumônière, que Gautier accepta sans peine ni gêne, puisque son frère l'avait fait.

Marguerite regarda Philippe d'un air qui signifiait : « Ne te l'avais-je pas dit ? »

Philippe lui sourit. Il ne pourrait jamais la deviner, ni se l'expliquer. Etait-ce la même femme qui, le matin, cruelle, coquette, perfide, s'ingéniait à le faire défaillir de jalousie, et qui, maintenant, lui offrant un cadeau de vingt livres, se tenait entre ses bras, soumise, tendre, presque tremblante ?

« Si je t'aime si fort, murmura-t-il, je crois bien que c'est parce que je ne te comprends pas. »

Aucun compliment ne pouvait toucher davantage Marguerite. Elle en remercia Philippe en enfouissant les lèvres dans son cou. Puis, se dégageant, et l'oreille soudain attentive, elle s'écria :

« Entendez-vous ? Les Templiers... On les amène au bûcher. »

Le regard brillant, le visage animé d'une curiosité trouble, elle entraîna Philippe vers la fenêtre, haute meurtrière taillée en biais dans l'épaisseur du mur, et elle ouvrit l'étroit vitrail.

Une grande rumeur de foule pénétra dans la pièce.

« Blanche, Gautier, venez voir ! » dit Marguerite.

Mais Blanche répondit, dans un gémissement heureux :

« Ah ! non, je ne veux bouger d'ici ; je suis trop bien. »

Entre les deux princesses et leurs amants, toute pudeur était depuis longtemps abolie, et ils avaient accoutumé de se livrer les uns devant les autres à tous les jeux de la passion. Si Blanche parfois détournait les yeux, et réfugiait sa nudité dans les coins d'ombre, Marguerite, au contraire, prenait un surcroît de plaisir à contempler l'amour des autres, comme à s'offrir à leurs regards.

Mais pour l'instant, collée à la fenêtre, elle était retenue par le spectacle qui se déroulait au milieu de la Seine. Là-bas, sur l'île aux Juifs, cent archers disposés en cercle élevaient des torches allumées ; et la flamme de toutes ces torches, vacillant dans le vent, formait une grotte de clarté où l'on voyait nettement l'immense bûcher et les aides-bourreaux qui escaladaient les piles de rondins. En deçà des archers, l'îlot, simple prairie où l'on menait d'ordinaire paître vaches et chèvres, était couvert d'une foule pressée ; et une nuée de barques sillonnaient le fleuve, chargées de gens qui voulaient assister au supplice.

Partie de la rive droite, une barque plus lourde que les autres et montée par des hommes d'armes debout, venait d'accoster à l'îlot. Deux hautes silhouettes grises, coiffées d'étranges chapeaux, en descendirent. Devant elles, se profilait une croix. Alors la rumeur de la foule grossit, devint clameur.

Presque au même instant, une loggia s'éclaira dans une tour, dite de l'Eau, bâtie à la pointe du jardin du Palais. Bientôt l'on vit des ombres se profiler dans cette loggia. Le roi et son Conseil venaient d'y prendre place.

Marguerite éclata de rire, d'un long rire modulé, cascadant, qui n'en finissait pas.

« Pourquoi ris-tu ? demanda Philippe.

— Parce que Louis est là-bas, répondit-elle, et que s'il faisait jour, il pourrait me voir. »

Ses yeux luisaient ; ses boucles noires dansaient sur son front bombé. D'un mouvement rapide, elle fit surgir de sa robe ses belles épaules ambrées, et laissa choir ses vêtements à terre comme si elle avait voulu, à travers la distance et la nuit, narguer le mari qu'elle détestait. Elle attira sur ses hanches les mains de Philippe.

Au fond de la salle, Blanche et Gautier étaient étendus l'un près de l'autre, dans un enlacement indistinct, et le corps de Blanche avait des reflets de nacre.

Là-bas, au milieu du fleuve, la clameur croissait. On liait les Templiers sur le bûcher auquel, dans un instant, on mettrait le feu.

Marguerite frissonna sous l'air nocturne, et se rapprocha de la cheminée. Elle resta un moment à regarder fixement le foyer, s'exposant à l'ardeur des braises jusqu'à ce que la caresse de la chaleur devînt insupportable. Les flammes moiraient sa peau de lueurs dansantes.

« Ils vont brûler, ils vont griller, dit-elle d'une voix haletante et rauque, et nous, pendant ce temps... »

Ses yeux cherchaient dans le cœur du feu d'infernales images pour nourrir son plaisir.

Elle se retourna brusquement, faisant face à Philippe, et s'offrit à lui, debout, comme les nymphes de la légende s'offraient au désir des faunes.

Sur le mur, leur ombre se projetait, immense, jusqu'aux voûtes du plafond.

VIII

« JE CITE AU TRIBUNAL DE DIEU... »

Le jardin du Palais n'était séparé de l'île aux Juifs que par un mince bras du fleuve [13]. Le bûcher avait été dressé de manière à faire face à la loggia royale de la tour de l'Eau.

Les curieux ne cessaient d'affluer sur les deux berges boueuses de la Seine, et l'îlot lui-même disparaissait sous le piétinement de la foule. Les passeurs, ce soir, faisaient fortune.

Mais les archers étaient bien alignés ; les sergents truffaient les rassemblements ; des piquets d'hommes d'armes avaient été postés sur les ponts et aux issues de toutes les rues qui aboutissaient à la rive.

« Marigny, vous pourrez complimenter le prévôt », dit le roi à son coadjuteur.

L'agitation, dont on avait pu redouter le matin

qu'elle ne tournât à la révolte, s'achevait en fête populaire, en liesse foraine, en divertissement tragique offert par le roi à sa capitale. Il régnait une atmosphère de kermesse. Des truands se mêlaient aux bourgeois qui s'étaient dérangés en famille ; les « filles follieuses » étaient accourues, fardées et teintes, des ruelles, derrière Notre-Dame, où elles exerçaient leur commerce. Des gamins se faufilaient entre les pieds des gens pour gagner les premiers rangs. Quelques Juifs, serrés en groupes timides, la rouelle jaune sur leur manteau, étaient venus regarder ce supplice dont, pour une fois, ils ne faisaient pas les frais. Et de belles dames en surcots fourrés, quêteuses d'émotions fortes, se serraient contre leurs galants en poussant de petits cris nerveux.

L'air était presque froid; le vent soufflait par courtes rafales. La lueur des torches répandait sur le fleuve des marbrures rouges.

Messire Alain de Pareilles, chapeau de fer en tête, l'air ennuyé comme toujours, se tenait à cheval, en avant de ses archers.

Autour du bûcher, dont la hauteur dépassait la taille d'un homme, les bourreaux et leurs aides, encapuchonnés de rouge, s'affairaient, rectifiaient l'alignement des rondins, préparaient les fagots de réserve, avec le souci du travail bien fait.

Au sommet du bûcher, le grand-maître des Templiers et le précepteur de Normandie étaient déjà liés, côte à côte, à leurs poteaux. On leur avait mis sur la tête l'infamante mitre de papier des hérétiques.

Un moine tendait vers leurs visages un crucifix à longue hampe, et leur adressait ses dernières exhortations. La foule fit silence, pour entendre le moine.

« Dans un instant vous allez comparaître devant Dieu. Il est temps encore de confesser vos fautes et de vous repentir... Je vous en adjure pour la dernière fois... »

Là-haut, les condamnés, immobiles entre ciel et terre et la barbe tordue par le vent, ne répondirent pas.

« Ils refusent de se confesser ; ils ne se repentent point », murmura-t-on dans l'assistance.

Le silence devint plus dense, plus profond. Le moine s'était agenouillé au pied du bûcher, et récitait les prières en latin. Le maître-bourreau prit de la main d'un de ses aides le brandon d'étoupe allumée qu'il fit tournoyer plusieurs fois pour en aviver la flamme.

Un enfant se mit à pleurer et l'on entendit claquer le bruit d'une gifle.

Alain de Pareilles se tourna vers la loggia royale comme s'il demandait un ordre ; tous les regards, toutes les têtes se dirigèrent du même côté. Et toutes les respirations restèrent en suspens.

Philippe le Bel était debout contre la balustrade, avec les membres de son Conseil alignés de part et d'autre de sa personne, et formant sous la lumière des torches comme un bas-relief au flanc de la tour.

Les condamnés eux-mêmes avaient levé les yeux vers la loggia. Le regard du roi et celui du grand-maître se croisèrent, se mesurèrent, s'accrochèrent, se retinrent.

Personne ne pouvait savoir quelles pensées, quels sentiments, quels souvenirs roulaient sous le front des deux ennemis. Mais la foule perçut instinctivement que quelque chose de grandiose, de terrible, de surhumain était en train de se jouer dans cet affrontement muet entre ces deux princes de la terre, l'un tout-puissant, l'autre qui l'avait été.

Le grand-maître du Temple allait-il enfin s'humilier et demander pitié ? Et le roi Philippe le Bel allait-il, dans un mouvement d'ultime clémence, gracier les condamnés ?

Le roi fit un geste de la main, et l'on vit étinceler une bague à son doigt. Alain de Pareilles répéta le geste à l'intention du bourreau et celui-ci enfonça le brandon d'étoupe dans les fagots. Un immense soupir s'échappa de milliers de poitrines, soupir de soulagement et d'horreur, de trouble joie et d'épouvante, d'angoisse, de répulsion et de plaisir mêlés.

Plusieurs femmes hurlèrent. Des enfants se cachèrent la tête dans les vêtements de leurs parents. Une voix d'homme cria :

« Je t'avais bien dit de ne pas venir ! »

La fumée commença de s'élever en spirales épaisses qu'une rafale de vent rabattit vers la loggia.

Mgr de Valois toussa, y mettant le plus d'ostentation qu'il put. Il recula entre Guillaume de Nogaret et Marigny et dit :

« Si cela continue, nous serons étouffés avant que vos Templiers ne brûlent. Vous auriez pu, au moins, faire prendre du bois sec. »

Nul ne fit écho à sa remarque. Nogaret, les muscles tendus, l'œil ardent, savourait âprement son triomphe. Ce bûcher, c'était l'aboutissement de sept années de luttes, de voyages épuisants,

de milliers de paroles prononcées pour convaincre, de milliers de pages écrites pour prouver.
« Allez, grillez, flambez, pensait-il. Vous m'avez
assez tenu en échec. J'avais raison, et vous êtes
vaincus. »

Enguerrand de Marigny, copiant son attitude
sur celle du roi, se forçait à demeurer impassible
et à considérer ce supplice comme une nécessité
du pouvoir. « Il le fallait, il le fallait », se répétait-
il. Mais il ne pouvait éviter, en voyant des hommes mourir, de songer à la mort, de songer à *sa*
mort. Les deux condamnés cessaient d'être, enfin,
des abstractions politiques.

Hugues de Bouville priait sans se faire remarquer.

Le vent vira, et la fumée, de seconde en seconde
plus épaisse et plus haute, environna les condamnés, les cachant presque à la foule. On entendit les
deux vieux hommes tousser et hoqueter contre
leurs poteaux.

Louis de Navarre se mit à rire niaisement, en
frottant ses yeux rougis.

Son frère Charles, le cadet des fils du roi, détournait la tête. Le spectacle, visiblement, lui était
pénible. Il avait vingt ans ; il était élancé, blond
et rose, et ceux qui avaient connu son père au
même âge disaient qu'il lui ressemblait de manière saisissante, mais en moins vigoureux, en
moins imposant aussi, comme une copie affai-
blie d'un grand modèle. L'apparence était là, mais
la trempe manquait, et les dons de l'esprit également.

« Je viens de voir apparaître des lumières chez
toi, dans la tour de Nesle, dit-il à Louis, à mi-
voix.

— Ce sont les gardiens sans doute qui veulent se régaler l'œil, eux aussi.

— Je leur céderais volontiers ma place, murmura Charles.

— Quoi ? Cela ne t'amuse-t-il donc pas de voir rôtir le parrain d'Isabelle ? dit Louis de Navarre.

— Il est vrai que messire Jacques fut le parrain de notre sœur... murmura Charles.

— Louis... taisez-vous », fit le roi.

Le jeune prince Charles, pour dissiper le malaise qui le gagnait, s'efforça d'occuper sa pensée d'un objet rassurant. Il se mit à songer à sa femme Blanche, à se représenter le merveilleux sourire de Blanche, les bras légers de Blanche entre lesquels, tout à l'heure, il irait demander l'oubli de cette atroce vision. Mais il ne put éviter que s'interposât un souvenir malheureux, le souvenir des deux enfants que Blanche lui avait donnés et qui étaient morts presque aussitôt qu'apparus, deux petites créatures qu'il revoyait, inertes, dans leurs langes brodés. Le sort lui accorderait-il d'avoir de Blanche d'autres enfants, et qui vécussent ?...

Le hurlement de la foule le fit sursauter. Les flammes venaient de jaillir du bûcher. Sur un ordre d'Alain de Pareilles, les archers éteignirent leurs torches dans l'herbe, et la nuit ne fut plus éclairée que par le brasier.

Le précepteur de Normandie fut atteint le premier. Il eut un pathétique mouvement de recul quand le feu courut vers lui, et ses lèvres s'ouvrirent largement comme s'il cherchait en vain à aspirer un air qui le fuyait. Son corps, malgré la corde, se plia presque en deux ; sa mitre de

papier tomba et fut en un instant consumée. Le
feu tournait autour de lui. Puis une vague de fumée l'enveloppa. Quand elle se dissipa, Geoffroy
de Charnay était en flammes, hurlant et haletant,
et tentant de s'arracher au poteau qui tremblait
sur sa base. Le grand-maître inclinait le visage
vers son compagnon, et lui parlait ; mais la foule
grondait si fort, à présent, pour surmonter son
horreur, que l'on ne put rien entendre sinon le
mot de « frère » par deux fois lancé.

Les aides-bourreaux couraient en se bousculant,
puisant dans la réserve de bûches et attisant le
foyer avec de longs crocs de fer.

Louis de Navarre, dont la pensée avait des re-
tours assez lents, demanda à son frère :

« Es-tu bien sûr d'avoir vu des lumières dans
la tour de Nesle ? Je n'en aperçois point. »

Et un souci, un moment, sembla l'habiter.

Enguerrand de Marigny s'était mis la main devant les yeux, comme pour se protéger de l'éclat
des flammes.

« Belle image de l'Enfer que vous nous donnez
là, messire de Nogaret ! dit le comte de Valois.
Est-ce à votre vie future que vous songez ? »

Guillaume de Nogaret ne répondit pas.

Geoffroy de Charnay n'était plus qu'un objet
qui noircissait, crépitait, se gonflait de bulles, s'effondrait lentement dans la cendre, devenait cendre.

Des femmes s'évanouirent. D'autres s'appro-
chaient de la berge, à la hâte, pour aller vomir
dans l'eau, presque sous le nez du roi. La foule,
d'avoir tant hurlé, s'était calmée, et l'on commençait à crier au miracle parce que le vent, s'obsti-
nant à souffler dans le même sens, couchait les

flammes devant le grand-maître, et que celui-ci n'avait pas encore été atteint. Comment pouvait-il tenir si longtemps ? Le bûcher de son côté paraissait intact.

Puis, soudain, il y eut un effondrement du brasier et, ravivées, les flammes bondirent devant le condamné.

« Ça y est, lui aussi ! » s'écria Louis de Navarre.

Les vastes yeux froids de Philippe le Bel, même en ce moment, ne cillaient pas.

Et tout à coup, la voix du grand-maître s'éleva à travers le rideau de feu et, comme si elle se fût adressée à chacun, atteignit chacun en plein visage. Avec une force stupéfiante, ainsi qu'il l'avait fait devant Notre-Dame, Jacques de Molay criait :

« Honte ! Honte ! Vous voyez des innocents qui meurent. Honte sur vous tous ! Dieu vous jugera. »

La flamme le flagella, brûla sa barbe, calcina en une seconde sa mitre de papier et alluma ses cheveux blancs.

La foule terrifiée s'était tue. On eût dit qu'on brûlait un prophète fou.

De ce visage en feu, la voix effrayante proféra :

« Pape Clément !... Chevalier Guillaume !... Roi Philippe !... Avant un an, je vous cite à paraître au tribunal de Dieu pour y recevoir votre juste châtiment ! Maudits ! Maudits ! tous maudits jusqu'à la treizième génération de vos races !... »

Les flammes entrèrent dans la bouche du grand-maître, et y étouffèrent son dernier cri. Puis, pendant un temps qui parut interminable, il se battit contre la mort.

Enfin il se plia. La corde se rompit. Il s'effondra dans la fournaise, et l'on vit sa main qui demeurait levée entre les flammes. Elle resta ainsi jusqu'à ce qu'elle fût toute noire.

La foule demeurait sur place, et n'était que murmures, attente sans raison, consternation, angoisse. Tout le poids de la nuit et de l'horreur était tombé sur elle ; les derniers craquements des braises la faisaient tressaillir. Les ténèbres gagnaient sur les lueurs déclinantes du bûcher.

Les archers voulurent repousser les gens ; mais ceux-ci ne se décidaient pas à partir. Ils chuchotaient :

« Ce n'est pas nous qu'il a maudits ; c'est le roi, n'est-ce pas... c'est le pape, c'est Nogaret... »

Les regards se levaient vers la loggia. Le roi était toujours contre la balustrade. Il regardait la main noire du grand-maître plantée dans la cendre rouge. Une main brûlée ; tout ce qui restait de l'Ordre illustre des chevaliers du Temple. Mais cette main était immobilisée dans le geste de l'anathème.

« Eh bien ! mon frère, dit Mgr de Valois, avec un mauvais sourire ; vous voici content, je pense ? »

Philippe le Bel se retourna.

« Non, mon frère, dit-il. Je ne le suis point. J'ai commis une erreur. »

Valois se gonfla, déjà prêt à triompher.

« Vraiment, vous en convenez ?

— Oui, mon frère, dit le roi. J'aurais dû leur faire arracher la langue avant de les brûler. »

Suivi de Nogaret, de Marigny et de Bouville, il descendit l'escalier de la tour, pour regagner ses appartements.

Maintenant, le bûcher était gris, avec quelques étoiles de feu qui sautaient encore et s'éteignaient vite. La loggia restait emplie d'une amère odeur de chair brûlée.

« Cela pue, dit Louis de Navarre. Je trouve vraiment que cela pue trop. Allons-nous-en. »

Le jeune prince Charles se demandait si, même entre les bras de Blanche, il parviendrait à oublier.

IX

LES TIRE-LAINE

INDÉCIS, les frères d'Aunay, qui venaient de sortir de la tour de Nesle, piétinaient dans la vase et scrutaient l'obscurité.

Leur passeur avait disparu.

« Je m'en doutais. Ce batelier ne me plaisait guère, dit Philippe. Nous aurions dû nous méfier.

— Je lui ai donné trop d'argent, répondit Gautier. Le maraud aura jugé sa journée faite et il sera allé assister au supplice.

— Tant mieux s'il ne s'agit que de cela.

— Et de quoi voudrais-tu qu'il s'agît ?

— Je ne sais... Ce bonhomme vient se proposer pour nous passer, en geignant qu'il n'avait rien gagné de tout le jour. On lui dit d'attendre ; il s'en va.

— Et que voulais-tu faire ? Nous n'avions pas le choix. Il était seul.

— Précisément, dit Philippe. Et aussi, il posait un peu trop de questions. »

Il prêta l'oreille, guettant un bruit de rames ; mais on n'entendait rien d'autre que le clapotement du fleuve et la rumeur dispersée des gens qui regagnaient leur demeure dans Paris. Là-bas, sur l'île aux Juifs, qu'on commencerait, dès demain, à appeler l'îlot des Templiers, tout s'était éteint. Une odeur de fumée se mêlait à la fade odeur de la Seine.

« Il ne nous reste qu'à rentrer à pied, dit Gautier. Nous aurons les chausses crottées jusqu'aux cuisses. Ce n'est que petit mal pour grand plaisir. »

Ils avancèrent le long des fossés de Nesle, se donnant le bras pour éviter de glisser.

« Je me demande de qui elles les ont reçues, dit soudain Philippe.

— Quelles choses ?

— Les aumônières.

— Est-ce encore à cela que tu penses ? répondit Gautier. Moi, je t'avoue que je ne m'en soucie guère. Qu'importe la provenance si le don est plaisant ! »

En même temps, il caressait l'aumônière à sa ceinture, et sentait sous ses doigts le relief des pierres précieuses.

« Une parente... Ce ne peut être quelqu'un de la cour, reprit Philippe. Marguerite et Blanche ne sauraient risquer qu'on reconnaisse ces bourses sur nous. A moins... à moins qu'elles n'aient feint qu'on les leur ait données, alors qu'elles les ont payées de leur cassette. »

Il était disposé, maintenant, à attribuer à Marguerite toutes les délicatesses d'âme.

« Que préfères-tu ? dit Gautier. Savoir ou avoir ? »

A ce moment quelqu'un siffla, non loin d'eux. Ils sursautèrent et, d'un même mouvement, mirent la main à leur dague. Une rencontre, à cette heure, en ce lieu, avait toute chance d'être une mauvaise rencontre.

« Qui va là ? » dit Gautier.

Ils entendirent un nouveau sifflement, et n'eurent même pas le temps de se mettre en garde.

Six hommes, jaillis de la nuit, s'étaient jetés sur eux. Trois des assaillants, s'attaquant à Philippe, le collèrent au mur en lui maintenant les bras, de manière à l'empêcher de se servir de son arme. Les trois autres s'y étaient moins bien pris avec Gautier. Celui-ci avait jeté à terre l'un de ses agresseurs, ou plus exactement l'un des agresseurs s'était étalé en esquivant un coup de dague. Mais les deux derniers, ceinturant Gautier, lui tordaient le poignet pour le forcer de lâcher sa lame.

Philippe sentit qu'on cherchait à lui dérober son aumônière.

Impossible d'appeler à l'aide. Les secours n'eussent pu venir que de l'hôtel de Nesle. Les deux frères eurent le même réflexe de se taire. Il leur fallait se tirer de là par leurs seuls moyens, ou ne point s'en tirer.

Arc-bouté au mur, Philippe se débattait furieusement. Il ne voulait pas qu'on lui prît l'aumônière. Cet objet était devenu d'un coup ce qu'il possédait de plus précieux dans l'univers, et il était décidé à tout pour le sauver. Gautier était plus près de parlementer. Qu'on les vole, mais qu'on leur laisse la vie. A savoir si on la leur laisserait et si, une fois dépouillés, on n'expédierait pas leurs cadavres à la Seine.

A ce moment une nouvelle ombre sortit de la nuit. Un des agresseurs poussa un cri :

« Alerte, compagnons, alerte ! »

L'arrivant s'était abattu dans la mêlée, et l'on vit briller l'éclair d'une épée courte.

« Ah ! Marauds ! Pendards ! Butors ! » s'écria-t-il d'une voix puissante, en distribuant les coups à la volée.

Les escarpes s'écartèrent comme mouches devant ses moulinets. L'un des tire-laine passant à sa portée, il l'empoigna par le col et le jeta contre le mur. Toute la troupe détala sans demander son reste, et le bruit d'une course précipitée décrut le long des fossés. Puis ce fut le silence.

Philippe d'Aunay, haletant, avança vers son frère.

« Blessé ? demanda-t-il.

— Non, dit Gautier, hors d'haleine lui aussi, en se frottant l'épaule. Et toi ?

— Non plus. Mais c'est miracle d'en être sortis. »

Ensemble, ils se tournèrent vers leur sauveur qui revenait vers eux, rengainant son épée. Il était de grande taille, large, puissant ; un souffle brutal s'échappait de ses narines.

« Eh bien ! messire, lui cria Gautier, nous vous devons un beau cierge. Sans vous, nous n'aurions pas tardé à flotter le ventre en l'air. A qui sommes-nous redevables... »

L'homme riait, d'un rire large et gras, un peu forcé. Le vent poussait les nuages et les effilochait devant la lune. Les deux frères reconnurent le comte Robert d'Artois.

« Eh ! Par Dieu, Monseigneur, c'était donc vous !
s'écria Philippe.

— Eh ! Par diable, mes damoiseaux, répondit
l'homme, mais je vous reconnais aussi ! Les frères d'Aunay ! s'écria-t-il. Les plus jolis garçons
de la cour. Du diable si je m'attendais... Je passais
sur la rive, j'entends la rumeur qui s'y faisait ;
je me dis : « Voici sûrement quelque paisible
bourgeois qu'on détrousse. » Il est vrai que Paris est infesté de coupe-jarrets, et que ce Ployebouche de prévôt... Ployecul devrait-on l'appeler...
est plus occupé à lécher les orteils de Marigny
qu'à assainir sa ville.

— Monseigneur, dit Philippe, nous ne savons
comment vous assurer d'assez de grâces...

— Petite affaire ! dit Robert d'Artois en abattant sa patte sur l'épaule de Philippe, qui en
chancela. Un plaisir pour moi. C'est le mouvement
naturel de tout gentilhomme que de se porter au
secours des gens qu'on attaque. Mais l'agrément
est double lorsqu'il s'agit de seigneurs de connaissance, et je suis bien aise d'avoir conservé à mes
cousins Valois et Poitiers leurs meilleurs écuyers.
Mon seul regret est qu'il ait fait si sombre. Ah !
si la lune s'était plus tôt montrée, j'aurais aimé
découdre quelques-uns de ces trousse-gousset.
Je n'ai point osé piquer vraiment, de crainte
de vous trouer... Mais dites-moi, mes damoiseaux, qu'aviez-vous à muser dans ce fangeux
réduit ?

— Nous... nous promenions », dit Philippe d'Aunay, gêné.

Le géant éclata de rire.

« Vous vous promeniez ! Le bel endroit, et la
belle heure pour ce faire ! Vous vous promeniez...

dans la boue jusqu'aux fesses. Ils vous ont de ces dires ! Et ils veulent qu'on les croie ! Ah ! jeunesse ! dit-il jovialement en écrasant de nouveau l'épaule de Philippe. Toujours en quête d'amour, et le haut-de-chausses en feu ! Il est beau d'avoir votre âge. »

Soudain il aperçut leurs aumônières qui scintillaient.

« Mâtin ! s'écria-t-il. Le haut-de-chausses en feu, mais joliment décoré ! Bel ornement, mes damoiseaux, bel ornement. »

Il soupesait l'aumônière de Gautier.

« Habile travail... Précieuse matière. Et brillant neuf... Ce ne sont point des payes d'écuyers qui permettent de s'offrir de pareilles bougettes. Les tire-laine n'auraient pas fait mauvaise affaire. »

Il s'agitait, gesticulait, tout roussâtre dans la demi-clarté, énorme, tapageur et graveleux. Il commençait à irriter sérieusement les nerfs des deux frères. Mais comment dire à qui vient de vous sauver la vie qu'il se veuille mêler de ce qui le regarde ?

« L'amour paie, mes gentillets, continua-t-il tout en marchant entre eux. Il faut croire que vos maîtresses sont de bien hautes dames, et bien généreuses. Les jeunes d'Aunay ! Qui aurait pu croire cela !...

— Monseigneur se trompe, dit Gautier assez froidement. Ces bourses nous viennent de famille.

— Tout juste, j'en étais sûr, dit d'Artois. D'une famille qu'on vient visiter, à près de minuit, sous les murs de la tour de Nesle !... Bon, bon, on se taira. Pour l'honneur de vos belles. Je vous approuve, mes gentillets. Les dames qu'on baise, il en faut préserver la renommée ! Dieu vous assiste, damoiseaux. Et ne sortez plus de nuit avec toute votre joaillerie. »

Il partit d'un nouvel éclat de rire, cogna les deux frères l'un contre l'autre dans un grand geste d'embrassade, et puis les planta là, inquiets, contrariés, sans leur laisser le temps de lui renouveler des remerciements. Il franchit le ponceau qui enjambait les fossés, et s'éloigna par les champs, en direction de Saint-Germain-des-Prés. Les frères d'Aunay remontèrent vers la porte de Buci.

« Il vaudrait mieux qu'il n'allât pas raconter à toute la cour où il nous a trouvés, dit Philippe. Le crois-tu capable de fermer sa large gueule ?

— Je pense, dit Gautier. Ce n'est point un méchant gaillard. Sans sa large gueule, comme tu dis, et ses larges bras, nous ne serions pas là. Ne nous montrons pas ingrats, pas si vite.

— D'ailleurs, nous aurions pu lui demander ce qu'il faisait lui-même dans ce coin.

— Il cherchait des ribaudes, j'en jurerais ! Et à présent, il doit s'en aller vers quelque bordeau », dit Philippe.

Il se trompait. Robert d'Artois n'avait fait qu'un détour par le Pré-aux-Clercs. Après un moment il revint vers la berge, aux abords de la Tour. Il siffla, de ce même sifflement léger qui avait précédé la bagarre.

Et six ombres, comme précédemment, se détachèrent de la nuit, plus une septième qui se leva d'une barque. Mais les ombres, cette fois, se tenaient dans une attitude respectueuse.

« C'est bon, vous avez bien accompli votre travail, dit d'Artois, et tout s'est passé comme je vous l'avais demandé. Tiens, Carl-Hans ! ajouta-t-il en appelant le chef des gredins ; partagez-vous cela. »

Et il lui jeta une bourse.

« Vous m'avez flanqué un rude coup à l'épaule, Monseigneur, dit le tire-laine.

— Bah ! C'était compris dans le marché, répondit d'Artois en riant. Disparaissez à présent. Si j'ai derechef besoin de vous, je vous en avertirai. »

Puis il monta dans la barque arrêtée à l'angle du fleuve et du fossé, et qui s'enfonça sous son poids. L'homme qui se mit aux rames était celui qui avait fait traverser les frères d'Aunay.

« Etes-vous satisfait, Monseigneur ? » demanda-t-il.

Il avait perdu son ton geignard, semblait rajeuni de dix ans et ne ménageait plus sa vigueur.

« Pleinement, mon brave Lormet ! Tu leur as joué ton tour à merveille, dit le géant. Maintenant je sais ce que je voulais savoir. »

Il se renversa en arrière dans la barque, étendit ses jambes monumentales et laissa pendre sa grande patte dans l'eau noire.

DEUXIÈME PARTIE

LES PRINCESSES ADULTÈRES

I

LA BANQUE TOLOMEI

MESSER SPINELLO TOLOMEI prit un grand air de réflexion puis, baissant la voix comme s'il avait craint qu'on n'écoutât aux portes, il dit :

« Deux mille livres, en avance ? Est-ce bonne somme vous convenant, Monseigneur ? »

Son œil gauche était clos ; son œil droit brillait, innocent et tranquille.

Bien qu'il fût depuis de longues années installé en France, il n'avait pu se défaire de son accent italien. C'était un gros homme, au menton double, au teint brun. Ses cheveux grisonnants, soigneusement taillés, retombaient sur le col de sa robe de drap fin, bordée de fourrure, et tendue à la ceinture sur son ventre en poire. Quand il parlait, il élevait des mains grasses et pointues, et les frottait doucement l'une contre l'autre. Ses ennemis assuraient que son œil ouvert était celui du mensonge, et qu'il tenait fermé l'œil de la vérité.

Ce banquier, l'un des plus puissants de Paris, avait des manières d'évêque. En cet instant tout au moins, où il s'adressait à un prélat.

Le prélat était Jean de Marigny, homme jeune et mince, élégant, celui-là même qui, la veille, au Tribunal épiscopal, devant le portail de Notre-Dame, s'était fait remarquer par ses poses alanguies avant de s'emporter si fort contre le grand-maître. Archevêque de Sens, dont dépendait le diocèse de Paris, et frère d'Enguerrand de Marigny, il touchait du plus près aux affaires du royaume [14].

« Deux mille livres ? » fit-il.

Il feignit de déplisser sur son genou la précieuse étoffe de sa robe violette, pour cacher l'heureuse surprise que lui causait le chiffre énoncé par le banquier.

« Ma foi, cette somme me convient assez, reprit-il en affectant un air détaché. J'aimerais donc que les choses fussent réglées au plus vite. »

Le banquier le guettait comme un gros chat guette un bel oiseau.

« Mais nous pouvons les régler céans, répondit-il.

— Fort bien, dit le jeune archevêque. Et quand voulez-vous que vous soient apportés les... »

Il s'interrompit, car il avait cru entendre du bruit derrière la porte. Mais non. Tout était tranquille. On percevait seulement les rumeurs habituelles du matin dans la rue des Lombards, les cris des repasseurs de lames, des marchands d'eau, d'herbes, d'oignons, de cresson de fontaine, de fromage blanc et de charbon de bois. « Au lait, commères, au lait... J'ai du bon fromage de Cham-

pagne !... Charbon ! un sac pour un denier... »
Par les fenêtres à trois ogives, faites selon la
mode siennoise, la lumière venait éclairer doucement les riches tapisseries, les crédences de chêne,
le grand coffre bardé de fer.

« Les... articles ? dit Tolomei, achevant la phrase
de l'archevêque. A votre convenance, Monseigneur,
à votre convenance. »

Il ouvrit le coffre, et en sortit deux sacs qu'il
posa sur un meuble à écrire encombré de plumes
d'oie, de parchemins, de tablettes et de stylets.

« Mille dans chacun, dit-il. Prenez-les dès à présent si vous le désirez. Ils étaient apprêtés pour
vous. Vous voudrez bien, Monseigneur, me signer
cette décharge... »

Et il tendit à Jean de Marigny un feuillet et une
plume d'oie.

« Volontiers », dit l'archevêque en prenant la
plume, sans se déganter.

Mais comme il allait signer, il eut une hésitation. Sur la décharge étaient énumérés les « articles » qu'il devait remettre à Tolomei pour que
celui-ci les négociât : matériel d'église, ciboires
en or, croix précieuses, armes rares, toutes choses provenant de biens saisis naguère dans des
commanderies de Templiers, et gardés à l'archidiocèse. Or ces biens eussent dû revenir, partie
au Trésor royal, et partie à l'ordre des Hospitaliers. C'était un détournement, une belle malver-
sation que le jeune prélat commettait là, et sans
perdre de temps. Apposer une signature au bas
de cette liste, alors que le grand-maître était juste
grillé de la nuit...

« J'aimerais mieux..., dit-il.

— Que les articles ne soient pas vendus en

France ? dit Tolomei. Cela va de soi, Monseigneur. *Non sono pazzo*, comme on dit en mon pays ; je ne suis pas fou.

— Je voulais dire... cette décharge...

— Personne d'autre que moi ne la verra jamais. Ce n'est pas plus mon intérêt que le vôtre. Nous autres banquiers sommes un peu comme les prêtres, Monseigneur. Vous confessez les âmes ; nous confessons les bourses, et sommes nous aussi tenus au secret. Et bien que je sache que ces fonds ne serviront qu'à fournir votre inépuisable charité, je n'en soufflerai mot. C'est seulement dans le cas où il nous arriverait malheur, à l'un ou à l'autre... que Dieu nous en garde. »

Il se signa, et puis rapidement, derrière la table, il fit les cornes avec les doigts de la main gauche.

« Ce ne sera pas trop lourd ? poursuivit-il en désignant les sacs, comme si pour lui l'affaire ne souffrait plus discussion.

— J'ai mes serviteurs en bas, répondit l'archevêque.

— Alors... ici, je vous prie », dit Tolomei, en marquant du doigt, sur le feuillet, la place où l'archevêque devait signer.

Celui-ci ne pouvait plus reculer. Quand on est forcé de prendre des complices, on est bien obligé de leur faire confiance...

« Vous voyez d'ailleurs, Monseigneur, reprit le banquier, qu'à pareille somme, je ne puis guère attendre de profit. J'aurai les peines et point de bénéfices. Mais je veux vous avantager parce que vous êtes un homme puissant, et que l'amitié des hommes puissants est plus précieuse que l'or. »

Il avait prononcé cela d'un ton débonnaire, mais son œil gauche était toujours fermé.

« Après tout, le bonhomme dit vrai », pensa Jean de Marigny.

Et il signa la décharge.

« A propos, Monseigneur, dit Tolomei, savez-vous comment le roi... que Dieu le préserve... a reçu les chiens à lièvre que je lui ai envoyés hier ?

— Ah ! Comment ? C'est donc de vous que vient ce grand lévrier qui ne le quitte plus et qu'il appelle Lombard ?

— Il l'a appelé Lombard ? Je suis content de l'apprendre. Le roi notre Sire a bien de l'esprit, dit Tolomei en riant. Figurez-vous qu'hier matin, Monseigneur... »

Il allait raconter l'histoire lorsqu'on frappa à la porte. Un commis parut, annonçant que le comte Robert d'Artois demandait à être reçu.

« Bien. Je vais le voir », dit Tolomei en renvoyant du geste son commis.

Jean de Marigny s'était rembruni.

« Je préférerais... ne pas le rencontrer, dit-il.

— Certes, certes, répondit le banquier avec douceur. Mgr d'Artois est un grand parleur. »

Il agita une clochette. Une tenture s'écarta aussitôt et un jeune homme en justaucorps serré pénétra dans la pièce. C'était le garçon qui, la veille, avait failli renverser le roi de France.

« Mon neveu, lui dit le banquier, reconduis Monseigneur sans passer par la galerie, en veillant à ce qu'il ne rencontre personne. Et porte-lui ceci jusqu'à la rue, ajouta-t-il en lui mettant les deux sacs d'or dans les bras. A vous revoir, Monseigneur ! »

Messer Spinello Tolomei s'inclina bien bas pour baiser l'améthyste au doigt du prélat. Puis il souleva la tenture.

Lorsque Jean de Marigny fut sorti, le Siennois revint vers la table, prit le reçu signé, le plia soigneusement.

« *Coglione !* murmura-t-il. *Vanesio, ladro, ma sopratutto coglione* *. »

Son œil gauche un instant s'était ouvert. Ayant serré le document dans le coffre, il quitta la pièce à son tour, pour accueillir son autre visiteur.

Il descendit au rez-de-chaussée et traversa la grande galerie, éclairée par six fenêtres, où étaient installés ses comptoirs ; car Tolomei n'était pas seulement banquier, mais aussi importateur et marchand de denrées rares, depuis les épices et les cuirs de Cordoue jusqu'aux draps de Flandre, aux tapis de Chypre brodés d'or, aux essences d'Arabie.

Une dizaine de commis s'occupaient des clients qui entraient et sortaient sans cesse ; les comptables faisaient leurs calculs, à l'aide d'échiquiers spéciaux sur les cases desquels ils empilaient des jetons de cuivre ; et la galerie entière résonnait du sourd bourdonnement du commerce.

Tout en avançant rapidement, le gros Siennois saluait quelqu'un, rectifiait un chiffre, houspillait un employé ou faisait refuser, d'un *niente* prononcé entre les dents, une demande de crédit.

Robert d'Artois était penché sur un comptoir d'armes du Levant et soupesait un lourd poignard damasquiné.

---

* Couillon... Vaniteux, voleur, mais surtout couillon !

Le géant se retourna d'un mouvement brusque quand le banquier lui posa la main sur le bras, et prit cet air rustre et jovial qu'il affectait généralement.

« Alors, Monseigneur, lui dit Tolomei, besoin de moi ?

— Ouais, fit le géant. Deux choses à vous demander.

— La première, j'imagine, c'est de l'argent ?

— Chut ! grogna d'Artois. Est-ce que tout un chacun doit savoir, usurier de mes tripes, que je vous dois des fortunes ? Allons causer chez vous. »

Ils sortirent de la galerie. Une fois dans son cabinet, au premier étage, et la porte refermée, Tolomei dit :

« Monseigneur, si c'est pour un nouveau prêt, je crains que ce ne soit plus possible.

— Pourquoi ?

— Cher Monseigneur Robert, répliqua posément Tolomei, quand vous avez fait procès à votre tante Mahaut pour l'héritage du comté d'Artois, c'est moi qui ai payé les frais. Ce procès, vous l'avez perdu.

— Mais je l'ai perdu par infamie, vous le savez bien ! s'écria d'Artois. Je l'ai perdu par les intrigues de cette chienne de Mahaut... qu'elle en crève !... On lui a donné l'Artois, pour que la Franche-Comté, par sa fille, revienne à la couronne. Marché de coquins. Mais en vraie justice, je devrais être pair du royaume et le plus riche baron de France. Et je le serai, vous m'entendez, Tolomei, je le serai ! »

Et, de son poing énorme, il frappait la table.

« Je vous le souhaite, dit Tolomei toujours calme. Mais en attendant, vous avez perdu votre procès. »

Il avait abandonné ses manières d'église, et en usait avec d'Artois bien plus familièrement qu'avec l'archevêque.

« J'ai quand même reçu la châtellenie de Conches et la promesse du comté de Beaumont-le-Roger, avec cinq mille livres de revenus, répondit le géant.

— Mais votre comté n'est toujours pas constitué, et vous ne m'avez rien remboursé. Au contraire.

— Je n'arrive point à me faire verser mes revenus. Le Trésor me doit les arrérages de plusieurs années...

— ... dont vous m'avez engagé une bonne part. Il vous a fallu de l'argent pour réparer les toitures de Conches et les écuries...

— Elles avaient brûlé, dit Robert.

— Bon. Et puis il vous a fallu encore de l'argent pour entretenir vos partisans en Artois...

— Et que ferais-je sans eux ? C'est grâce à ces féaux amis, à Fiennes, à Souastre, à Caumont et aux autres, que je gagnerai ma cause un jour, et les armes à la main s'il le faut... Et puis dites-moi, messer banquier... »

Et le géant changea de ton, comme s'il en avait assez de jouer les écoliers qu'on semonce. Il prit le banquier par la robe, entre le pouce et l'index, et commença de le soulever, doucement.

« ... Dites-moi donc... vous m'avez payé mon procès, mes écuries, mes partisans, soit. Mais n'avez-vous pas fait quelques bonnes petites recettes grâce à moi ? Qui donc vous a annoncé voici sept ans que les Templiers allaient être pié-

gés comme lapins en garenne, et vous a conseillé
de leur faire quelques emprunts que vous n'avez
jamais eu à leur rendre ? Qui donc vous a averti
des rognages de monnaie, ce qui vous a permis
de mettre tout votre or en marchandises, que
vous avez revendues avec un tiers de gain ? Hein !
qui donc ? »

Les traditions de la finance sont éternelles, et
toujours la haute banque eut ses informateurs
auprès des gouvernements. Le principal informa-
teur de messer Spinello Tolomei était le comte
Robert d'Artois, parce que celui-ci était l'ami et
le commensal de Mgr le frère du roi, Charles de
Valois, qui siégeait au Conseil étroit et lui racontait tout.

Tolomei se dégagea, défroissa le pli de sa robe, sourit, et dit, la paupière gauche toujours
close :

« Je reconnais, Monseigneur, je reconnais. Vous
m'avez quelquefois bien utilement renseigné.
Mais hélas...

— Quoi, hélas ?

— Hélas ! les bénéfices que vous m'avez fait
faire sont loin de couvrir les sommes que je vous
ai avancées.

— Est-ce vrai ?

— C'est vrai, Monseigneur », dit Tolomei de
l'air le plus innocent et le plus profondément dé-
solé.

Il mentait, et il était sûr de pouvoir le faire
impunément, car Robert d'Artois, s'il était habile
à l'intrigue, s'entendait peu aux calculs d'argent.

« Ah ! » fit ce dernier, dépité.

Il se gratta la couenne, balança le menton de
droite à gauche.

« Tout de même, les Templiers... Vous devez être bien content ce matin ? demanda-t-il.

— Oui et non, Monseigneur ; oui et non. Depuis longtemps déjà ils ne faisaient plus tort à notre négoce. A qui va-t-on s'en prendre, maintenant ? A nous autres, aux Lombards, comme on dit... Le métier de marchand d'or n'est point facile. Et pourtant, sans nous, rien ne pourrait se faire... A propos, ajouta Tolomei, Mgr de Valois vous a-t-il appris si l'on allait encore changer le cours de la livre parisis, comme je l'ai entendu assurer ?

— Non, non ; rien de tel... Mais cette fois, dit d'Artois, qui suivait son idée, je tiens Mahaut. Je tiens Mahaut parce que je tiens ses filles et sa cousine. Et je vais les étrangler.. crac... comme de malfaisantes belettes ! »

La haine lui durcissait les traits et lui dessinait un masque presque beau. Il s'était de nouveau rapproché de Tolomei. Celui-ci pensait : « Cet homme-là, pour sa vengeance, est capable de n'importe quoi... De toute façon, je suis décidé à lui prêter encore cinq cents livres... » Puis il dit :

« De quoi s'agit-il ? »

Robert d'Artois baissa la voix. Ses yeux brillaient.

« Les petites catins ont des amants, et depuis cette nuit j'en sais les noms. Mais silence ! Je ne veux point donner l'éveil... pas encore. »

Le Siennois se mit à réfléchir. On le lui avait déjà dit ; il ne l'avait pas cru.

« En quoi cela peut-il vous servir ? demanda-t-il.

— Me servir ? s'écria d'Artois. Mais voyons, banquier, vous imaginez la honte ? La future reine de France et ses belles-sœurs, pincées

comme des ribaudes avec leurs freluquets... C'est
scandale jamais ouï ! Les deux familles de Bourgogne sont plongées dans cette crotte jusqu'à la
gueule ; Mahaut perd tout crédit à la cour ; les
mariages sont dissous ; les héritages disparais-
sent des espoirs de la couronne ; je requiers alors
reprise de mon procès, et je le gagne ! »

Il marchait de long en large et ses pas faisaient vibrer le plancher, les meubles, les objets.

« Et c'est vous, dit Tolomei, qui allez découvrir
la honte ? Vous irez trouver le roi...

— Mais non, messer, pas moi. Moi, on ne
m'entendrait pas. Quelqu'un d'autre de bien
mieux désigné... Mais qui n'est pas en France...
Et c'est précisément la seconde chose que je venais vous demander. Il me faudrait un homme
sûr et peu voyant pour aller en Angleterre porter
un message.

— A qui, Monseigneur ?

— A la reine Isabelle.

— Ah ! bah !... » murmura le banquier.

Puis il y eut un silence, pendant lequel on n'entendit que les bruits de la rue.

« Il est vrai que Madame Isabelle ne passe pas
pour chérir beaucoup ses belles-sœurs de France,
dit enfin Tolomei qui n'avait pas besoin d'en
entendre davantage pour comprendre comment
d'Artois avait monté son complot. Vous êtes fort
son ami, je crois, et vous fûtes là-bas il y a peu
de jours ?

— J'en suis revenu la semaine passée, et j'ai
été assez vite en besogne.

— Mais pourquoi n'envoyez-vous pas à Madame Isabelle un homme à vous, ou bien un chevaucheur de Mgr de Valois ?

— Mes hommes sont connus et ceux de Mgr de Valois aussi, dans ce pays où tout le monde surveille tout le monde ; on aurait tôt fait de me gâcher mon affaire. J'ai pensé qu'un marchand, mais un marchand en qui l'on puisse se fier, conviendrait mieux. Vous ne manquez pas de gens qui voyagent pour vous... D'ailleurs, le message n'aura rien qui puisse faire inquiéter le porteur... »

Tolomei regarda le géant dans les yeux, médita un moment, puis, enfin, il secoua sa clochette de bronze.

« Je vais essayer de vous rendre encore une fois service », dit-il.

La tenture s'écarta et le même jeune homme qui avait accompagné l'archevêque reparut. Le banquier le présenta.

« Guccio Baglioni, mon neveu, nouvellement arrivé de Sienne. Je ne crois point que les prévôts et sergents de notre ami Marigny le connaissent encore... Bien qu'hier matin, ajouta Tolomei à mi-voix en regardant le jeune homme avec une feinte sévérité, il se soit distingué par une belle prouesse au vu du roi de France... Comment le trouvez-vous ? »

Robert d'Artois considéra Guccio.

« Joli garçon, dit-il en riant ; bien tourné, mollet sec, taille mince, yeux de troubadour. Est-ce lui que vous dépêcheriez, messire Tolomei ?

— C'est un autre moi-même, dit le banquier... en moins gros et en plus jeune. J'ai été comme lui, figurez-vous, mais je suis seul à m'en souvenir.

— Si le roi Edouard le voit, bougre comme on

le connaît, vous risquez fort que ce jouvenceau ne vous revienne jamais. »

Et, là-dessus, le géant partit d'un grand rire auquel se joignirent l'oncle et le neveu.

« Guccio, dit Tolomei, tu vas connaître l'Angleterre. Tu partiras demain à l'aube crevant ; tu te rendras à Londres chez notre cousin Albizzi...

— Albizzi, je connais ce nom, interrompit d'Artois. Ah ! mais oui, c'est le fournisseur de la reine Isabelle...

— Vous voyez, Monseigneur... Donc tu te rendras chez Albizzi, et là, avec son aide, tu iras à Wesmoutiers délivrer à la reine, et à elle seule, le message que Monseigneur va écrire. Je te dirai tout à l'heure plus longuement ce que tu devras faire.

— Je préférerais dicter, dit d'Artois ; je me sers mieux d'un épieu que de vos satanées plumes d'oie. »

Tolomei pensa : « Et méfiant en plus, le gaillard ; il ne veut pas laisser de traces. »

« A votre guise, Monseigneur. Je vous écoute. »

Et il prit lui-même sous la dictée la lettre suivante :

« Madame,

« Les choses que nous avions devinées sont véridiques et plus honteuses encore qu'il se pouvait croire. Je sais les personnes et les ai si bien découvertes qu'elles ne sauraient échapper si nous faisons hâte. Mais vous seule avez puissance assez pour accomplir ce que nous escomptons, et mettre terme par votre venue à tant de vilenie qui noircit moult l'honneur de vos parents. Je n'ai d'autre désir que d'être en tout votre serviteur de corps et d'âme. »

« La signature, Monseigneur ? demanda Tolomei.

. — La voici », répondit d'Artois en sortant de sa bourse une énorme bague d'argent qu'il tendit au jeune homme.

Il en portait une semblable au pouce, mais en or.

« Tu remettras ceci à Madame Isabelle ; elle saura... Mais es-tu sûr, troubadour, de te faire accorder audience dès ton arrivée ?

— Bah ! Monseigneur, dit Tolomei, nous ne sommes pas trop mal placés auprès des souverains d'Angleterre. Quand le roi Edouard est venu l'année passée, avec Madame Isabelle, il a emprunté à nos compagnies vingt mille livres que nous nous sommes associés pour lui fournir, et qu'il ne nous a pas encore rendues.

— Lui aussi ? s'écria d'Artois. A propos, banquier, et cette... première chose que je venais vous demander ?

— Ah ! je ne vous résisterai jamais, Monseigneur », dit Tolomei en soupirant.

Et il alla prendre dans le coffre un sac qu'il remit à d'Artois en ajoutant :

« Cinq cents livres. C'est tout ce que je puis. Nous marquerons cela à votre compte, ainsi que le voyage de votre messager.

— Ah ! banquier, banquier, s'écria d'Artois, avec un grand sourire qui illumina son visage, tu es un ami. Quand j'aurai repris mon comté paternel, je ferai de toi mon argentier.

PHILIPPE II AUGUSTE

Louis VIII

Louis IX
(ST-LOUIS)

Philippe III

? |
Robert d'Artois

Charles de Valois   Louis d'Evreux

Philippe IV

Charles
m.
Blanche

Isabelle   Louis
m.
Marguerite

Philippe
m.
Jeanne

— J'y compte bien, Monseigneur, dit l'autre en s'inclinant.

— Et sinon, je t'emmènerai avec moi dans l'Enfer pour que tu m'achètes les faveurs du Diable. »

Et le géant sortit, trop large pour la porte, en faisant sauter le sac d'or comme une balle dans sa paume.

« Vous lui avez encore donné de l'argent, mon oncle ? dit Guccio en hochant la tête avec réprobation. Vous aviez pourtant bien dit...

— *Guccio mio, Guccio mio*, répondit doucement le banquier (et maintenant il avait les deux yeux bien ouverts), rappelle-toi toujours ceci : les secrets des grands de ce monde sont l'intérêt de l'argent que nous leur prêtons. Dans ce même matin, Mgr Jean de Marigny et Mgr d'Artois m'ont donné sur eux des lettres de crédit qui valent plus que de l'or, et que nous saurons négocier en leur temps. Quant à l'or... nous allons en rattraper un peu. »

Il resta pensif un instant et reprit :

« En revenant d'Angleterre, tu feras un détour. Tu passeras par Neauphle-le-Vieux.

— Bien, mon oncle, répondit Guccio sans enthousiasme.

— Notre commis de là-bas n'arrive pas à recouvrer une créance que nous avons sur les châtelains de Cressay. Le père vient de mourir. Les héritiers refusent de payer. Il semble qu'ils n'aient plus rien.

— Et comment faire, s'ils n'ont plus rien ?

— Bah ! Ils ont des murs, ils ont une terre, ils ont peut-être des parents. Ils n'ont qu'à emprunter ailleurs de quoi nous rendre. S'ils ne **peuvent**, tu vas voir le prévôt de Montfort, tu fais saisir, tu fais vendre. C'est dur, je sais. Mais un banquier doit s'habituer à être dur. Pas de pitié pour les petits clients, sinon nous ne pourrions plus servir les gros. A quoi penses-tu, *figlio mio* ?

— A l'Angleterre, mon oncle », répondit Guccio.

Le retour par Neauphle lui paraissait une corvée, mais qu'il acceptait de bon gré ; toute sa curiosité, tous ses rêves d'adolescent étaient déjà tournés vers Londres. Il allait traverser la mer pour la première fois... La vie de marchand lombard était décidément une vie agréable, et qui ménageait de belles surprises. Partir, courir les routes, porter aux princes des messages secrets...

Le vieil homme contempla son neveu avec un air de profonde tendresse. Guccio était la seule affection de ce cœur rusé et usé.

« Tu vas faire un beau voyage, et je t'envie, dit-il. Peu de gens à ton âge ont l'occasion de voir autant de pays. Instruis-toi, fouine, furète, regarde tout, fais parler et parle peu. Prends garde à qui t'offre à boire ; ne donne pas aux filles plus d'argent qu'elles ne valent, et veille bien à te découvrir devant les processions... Et si tu croises un roi sur ton chemin, fais en sorte qu'il ne m'en coûte pas cette fois un cheval ou un éléphant.

— Est-il vrai, mon oncle, demanda Guccio en souriant, que Madame Isabelle est aussi belle qu'on le dit ? »

II

LA ROUTE DE LONDRES

Certaines gens rêvent toujours de départs et d'aventures pour se donner, aux yeux des autres et d'eux-mêmes, des manières de héros. Puis, quand ils sont au milieu de l'affaire et qu'un péril survient, ils se mettent à penser : « Quelle sottise m'a donc poussé, et qu'avais-je besoin de venir me fourrer où je suis ? » C'était tout juste le cas du jeune Guccio Baglioni. Il n'avait rien tant désiré que de connaître la mer. Mais maintenant qu'il était dessus, il aurait payé fort cher pour être ailleurs.

On se trouvait en pleines marées d'équinoxe, et les navires n'avaient guère été nombreux ce jour-là à lever l'ancre. Faisant un peu le fendant sur les quais de Calais, la dague au côté et le manteau rejeté sur l'épaule, Guccio avait enfin trouvé un patron de bateau qui voulût bien l'embarquer. Ils

étaient partis au soir, et la tempête s'était levée
presque à la sortie du port. Enfermé dans un
réduit ménagé sous le pont, près du grand mât...
« c'est l'endroit où cela bouge le moins », avait
dit le patron... et où un bat-flanc de bois servait
de couchette, Guccio était en train de passer la
pire nuit de sa vie.

Les vagues frappaient comme à coups de bélier
contre le bateau, et Guccio sentait le monde bas-
culer autour de lui. Il roulait du bat-flanc sur le
plancher et se débattait longuement dans une
obscurité totale, tantôt heurtant la charpente et
tantôt les paquets de cordages durcis par l'eau.
La coque semblait sur le point d'éclater. Entre
deux halètements de la tempête, Guccio entendait
les voiles claquer et des masses d'eau s'effondrer
sur le pont. Il se demandait si tout l'équipage
n'avait pas été balayé, et s'il n'était pas seul sur-
vivant à bord d'un navire désemparé que le flot
lançait contre le ciel pour le rejeter aussitôt vers
les abîmes.

« Sûrement je vais mourir, se disait Guccio.
Comme c'est sot de mourir de la sorte, à mon
âge, englouti au milieu de la mer. Jamais je ne
reverrai Paris, ni Sienne, ni ma famille, jamais
je ne reverrai le soleil. Si seulement j'avais attendu un jour ou deux à Calais ! Quelle sottise ! Mais
si j'en ressors, par la Madone, je reste à Londres,
je me fais débardeur, faquin, n'importe quoi, mais
jamais je ne repose le pied sur un bateau. »

Enfin, il entoura des deux bras le pied du grand
mât et, à genoux dans le noir, cramponné, tremblant, l'estomac malade, les vêtements trempés, il
attendit sa fin en promettant des ex-voto à Santa
Maria delle Nevi, à Santa Maria della Scala, à

Santa Maria dei Servi, à Santa Maria del Carmine, autant dire à toutes les églises de Sienne qu'il connaissait.

Avec l'aube, la tempête se calma. Guccio, épuisé, regarda autour de lui : les caisses, les voiles, les prélarts, les ancres et les cordages s'entassaient dans un effrayant désordre ; au fond du bateau, sous le plancher disjoint, une nappe d'eau clapotait.

La trappe qui donnait accès au pont s'ouvrit, et une voix rude cria :

« Holà ! Signor ! Avez-vous pu dormir ?

— Dormir ? répondit Guccio sur un ton plein de rancune. Je pourrais aussi bien être mort. »

On lui lança une échelle de corde et on l'aida à se hisser sur le pont. Un grand souffle froid l'enveloppa et le fit frissonner sous ses vêtements mouillés.

« Vous ne pouviez donc pas m'avertir qu'on aurait une tempête ? dit Guccio au patron du bâtiment.

— Bah ! mon gentilhomme, il est vrai que nous avons eu une mauvaise nuit. Mais vous sembliez si pressé... Et puis pour nous, vous savez, c'est chose courante, répondit le patron. Maintenant nous sommes près de la côte. »

C'était un vieil homme robuste, au poil gris ; il regardait Guccio de manière un peu goguenarde.

Tendant le bras vers une ligne blanchâtre qui sortait de la brume, il ajouta :.

« C'est Douvres, là-bas. »

Guccio soupira, en serrant contre lui son manteau.

« Dans combien de temps arriverons-nous ? »

L'autre haussa les épaules et répondit :

« Deux ou trois heures, pas plus, car le vent souffle du Levant. »

Sur le pont, trois matelots étaient étendus, recrus de fatigue. Un autre, accroché au timon du gouvernail, mordait dans un morceau de viande salée, sans quitter des yeux la proue du navire et la côte d'Angleterre.

Guccio s'assit auprès du vieux marin, à l'abri d'une petite cloison de planches qui coupait le vent, et, malgré le jour, le froid et la houle, il tomba endormi.

Lorsqu'il se réveilla, le port de Douvres étalait devant lui son bassin rectangulaire et ses rangées de maisons basses aux murs grossiers, aux toits chargés de pierres. A droite de la passe se détachait la demeure du shérif, gardée par des hommes en armes. Le quai, encombré de marchandises empilées sous des auvents, grouillait d'une foule bruyante. La brise charriait des odeurs de poisson, de goudron et de bois pourri. Des pêcheurs circulaient, traînant leurs filets et portant leurs lourdes rames sur l'épaule. Des enfants tiraient sur le pavé des sacs plus gros qu'eux.

Le bateau, voiles amenées, entra dans le bassin.

La jeunesse a vite fait de récupérer à la fois ses forces et ses illusions. Les dangers surmontés ne servent qu'à lui donner davantage confiance en elle-même et à la pousser vers d'autres entreprises. Il avait suffi à Guccio d'un sommeil de deux heures pour oublier ses frayeurs de la nuit. Il n'était pas loin de s'attribuer tout le mérite d'avoir dominé la tempête ; il y voyait un signe de sa bonne étoile. Debout sur le pont, dans une pose de conquérant, la main serrée sur un cordage, il regardait avec une curiosité passionnée venir à lui le royaume d'Isabelle.

Le message de Robert d'Artois cousu dans son vêtement et la bague d'argent enfermée dans sa bougette lui semblaient les gages d'un grand avenir. Il allait entrer dans l'intimité du pouvoir, connaître des rois et des reines, savoir le contenu des traités les plus secrets. Avec ivresse, il devançait le temps ; il se voyait déjà un prestigieux ambassadeur, confident écouté des puissants de la terre, devant qui les plus hauts personnages s'inclinaient. Il participerait aux conseils des princes... N'avait-il pas l'exemple de ses compatriotes Biccio et Musciato Guardi, les deux fameux financiers toscans que les Français appelaient Biche et Mouche, et qui avaient été pendant plus de dix ans les trésoriers, les ambassadeurs, les familiers de l'austère Philippe le Bel ? Il ferait mieux qu'eux, et un jour on raconterait l'histoire de l'illustre Guccio Baglioni débutant dans la vie en manquant de renverser le roi de France au coin d'une rue... La rumeur du port lui parvenait comme déjà une acclamation.

Le vieux marin jeta une planche entre le bateau et le quai. Guccio paya le prix de son passage et quitta la mer pour la terre ferme.

Ne transportant pas de marchandises, il n'eut point à passer par les « traites », c'est-à-dire les douanes. Au premier gamin qu'il rencontra, il demanda d'être conduit chez le Lombard du lieu.

Les banquiers et marchands italiens de cette époque possédaient leur propre organisation de courrier et de fret. Formés en « compagnies » qui portaient le nom de leur fondateur, ils avaient des comptoirs dans toutes les villes principales et dans les ports ; ces comptoirs étaient à la fois une succursale de banque, un bureau de poste privé et une agence de voyage.

Le Lombard de Douvres appartenait à la compagnie Albizzi. Il fut heureux de recevoir le neveu du chef de la compagnie Tolomei, et le traita du mieux qu'il put. Chez lui, Guccio trouva à se laver ; ses vêtements furent séchés et repassés ; il changea son or français contre de l'or anglais, et prit un fort repas tandis qu'on lui apprêtait un cheval.

Tout en mangeant, Guccio raconta la tempête qu'il avait essuyée, en s'y donnant un rôle avantageux.

Il y avait là un homme arrivé de la veille, qui s'appelait Boccacio, ou Boccace, et qui était voyageur pour le compte de la compagnie Bardi. Il venait lui aussi de Paris, et avait assisté avant son départ au supplice de Jacques de Molay ; il avait, de ses oreilles, entendu la malédiction, et il se servait, pour décrire cette tragédie, d'une ironie précise et macabre qui enchanta la tablée italienne. C'était un personnage d'une trentaine d'années au visage intelligent et vif, avec des lèvres minces, et un regard qui semblait s'amuser de tout. Comme il se rendait également à Londres, Guccio et lui décidèrent de faire chemin ensemble.

Ils partirent au milieu du jour.

Se souvenant des conseils de son oncle, Guccio fit parler son compagnon, qui d'ailleurs ne demandait que cela. Le signor Boccace semblait avoir beaucoup vu. Il était allé partout, en Sicile, en Vénétie, en Espagne, en Flandre, en Allemagne, jusqu'en Orient, et s'était tiré avec habileté de bien des aventures ; il connaissait les mœurs de tous ces pays, avait son opinion personnelle sur la valeur comparée des religions, méprisait assez les moines et détestait l'Inquisition. Il paraissait aussi s'intéresser aux femmes ; il laissait entendre qu'il en avait pratiqué beaucoup, et connaissait sur une foule d'entre elles, illustres ou obscures, de curieuses anecdotes. Il faisait peu de cas de leur vertu, et son langage s'épiçait, à leur propos, d'images qui rendaient Guccio songeur. Un esprit libre, ce signor Boccace, et tout à fait au-dessus du commun.

« J'aurais aimé écrire tout cela si j'avais eu le temps, dit-il à Guccio, toute cette moisson d'histoires et d'idées que j'ai récoltées au long de mes voyages.

— Que ne le faites-vous, signor ? » répondit Guccio.

L'autre soupira, comme s'il avouait quelque rêve inexaucé.

« Trop tard... On ne devient pas clerc à mon âge, dit-il. Quand on a pour métier de gagner de l'or, après trente ans on ne peut plus rien faire d'autre. Et puis si j'écrivais tout ce que je sais, je risquerais d'être brûlé. »

Cette marche au botte à botte avec un compagnon plein d'intérêt, à travers une belle campagne verte, enchanta Guccio. Il aspirait avec plaisir l'air printanier ; les fers des chevaux chantaient à ses oreilles une chanson heureuse, et il prenait aussi bonne opinion de lui-même que s'il avait partagé toutes les aventures de son voisin.

Au soir, ils s'arrêtèrent dans une auberge. Les haltes du voyage disposent aux confidences. Tout en buvant devant le feu des pichets de godale, forte bière épicée au genièvre, au piment et aux clous de girofle, le signor Boccace raconta à Guccio qu'il avait une maîtresse française, dont lui était né, l'an passé, un garçon baptisé Giovanni.

« On dit que les enfants nés hors mariage sont plus vifs et plus vigoureux que les autres, remarqua sentencieusement Guccio, qui avait quelques bonnes banalités à sa disposition pour nourrir la conversation.

— Sans doute Dieu leur fait-il des dons d'esprit et de corps pour compenser ce qu'il leur ôte d'héritage et de respect, répondit le signor Boccace.

— Celui-là, en tout cas, aura un père qui pourra lui apprendre beaucoup.

— A moins qu'il n'en veuille à son père de l'avoir mis au jour dans de si mauvaises conditions », dit le voyageur des Bardi.

Ils dormirent dans la même chambre. Au petit matin, ils reprirent la route. Des lambeaux de brume collaient encore à la terre. Le signor Boccace se taisait ; il n'était pas un homme de l'aube.

Le temps était frais, et le ciel s'éclaircit bientôt. Guccio découvrait une contrée dont la grâce le ravissait. Les arbres étaient encore nus, mais l'air sentait la sève, et la terre était déjà verte d'une herbe fraîche et tendre. D'innombrables haies découpaient les champs et les collines. Le paysage vallonné, ourlé de forêts, l'éclat vert et bleu de la Tamise aperçue du haut d'une côte, une meute filant à travers prés, suivie par des cavaliers, tout séduisit Guccio. « La reine Isabelle a un beau royaume », se disait-il.

A mesure que les lieues passaient, cette reine prenait de plus en plus de place dans ses pensées. Tout en accomplissant sa mission, pourquoi n'essaierait-il pas de plaire ? L'histoire des princes et des empires offrait maints exemples de choses plus étonnantes. « Pour être reine, elle n'en est pas moins femme ; elle a vingt-deux ans et son époux ne l'aime pas. Les seigneurs anglais ne doivent pas oser la courtiser, de peur de déplaire au roi. Tandis que moi j'arrive, je suis messager secret ; pour venir j'ai bravé la tempête... je mets un genou en terre, je la salue d'un grand coup de bonnet, je baise le bas de sa robe... »

Déjà il polissait les mots par lesquels il allait placer son cœur au service de la jeune souveraine blonde... « Madame, je ne suis point noble, mais je suis libre citoyen de Sienne, et je vaux bien mon gentilhomme. J'ai dix-huit ans, et ne connais pas de plus cher désir que celui de contempler votre beauté, et de vous faire offre de mon âme et de mon sang... »

« Nous voici bientôt arrivés », dit le signor Boccace.

Ils avaient atteint les faubourgs de Londres sans que Guccio s'en fût aperçu. Les maisons se rapprochaient le long de la route ; la bonne odeur de forêt avait disparu ; l'air sentait la tourbe brûlée.

Guccio regardait autour de lui avec surprise. Son oncle Tolomei lui avait annoncé une ville extraordinaire, et il ne voyait qu'une interminable succession de villages faits de masures aux murs noirs, avec des ruelles sales où passaient des femmes chargées de lourds fardeaux, des enfants en guenilles et des soldats de mauvaise mine.

Soudain, dans un grand concours de gens, de chevaux et de charrois, les voyageurs se trouvèrent devant le pont de Londres. Deux tours carrées en fortifiaient l'entrée, entre lesquelles, le soir, on

tendait des chaînes et l'on fermait d'énormes portes. La première chose que remarqua Guccio, ce
fut une tête humaine, toute sanglante, plantée sur
l'une des piques qui hérissaient ces portes. Les
corbeaux tournaient autour de ce visage aux yeux
crevés.

« La justice du roi des Anglais a fonctionné ce
matin, dit le signor Boccace. C'est ainsi que finis-
sent ici les criminels, ou ceux qu'on dit tels pour
s'en débarrasser.

— Curieuse enseigne pour accueillir les étrangers, dit Guccio.

— Une manière de leur faire connaître qu'ils
n'arrivent point dans une ville de fleurette et de
tendresse. »

Ce pont était le seul qui fût alors jeté sur la
Tamise ; il formait une véritable rue construite
au-dessus de l'eau et dont les maisons de bois,
pressées les unes contre les autres, abritaient toutes sortes de négoces.

Vingt arches de soixante pieds de haut soute-
naient cet extraordinaire édifice. Il avait fallu près
de cent ans pour le bâtir, et les Londoniens en
étaient fort orgueilleux.

Une eau trouble bouillonnait autour des arches ;
du linge séchait aux fenêtres ; des femmes vidaient
des seaux dans le fleuve.

En comparaison du pont de Londres, le Ponte
Vecchio, à Florence, ne semblait qu'un jouet, et
l'Arno, auprès de la Tamise, qu'un ruisselet. Guccio en fit la remarque à son compagnon.

« C'est quand même nous qui apprenons tout
aux autres peuples », répondit celui-ci.

Il leur fallut presque un tiers d'heure pour passer de l'autre côté, tant la foule était dense, et

tenaces les mendiants qui les accrochaient par la botte.

En arrivant sur l'autre rive, Guccio aperçut, à main droite, la tour de Londres dont l'énorme masse blanche se détachait sur le ciel gris ; puis, à la suite du signor Boccace, il s'enfonça dans la Cité. Le bruit et l'agitation qui régnaient dans les rues, la rumeur des voix étrangères, le ciel plombé, la lourde odeur de fumée qui imprégnait la ville, les cris qui sortaient des tavernes, l'audace des filles effrontées, la brutalité des soldats braillards, surprirent Guccio.

Au bout de trois cents pas, les voyageurs tournèrent à gauche dans Lombard Street, où toutes les banques italiennes avaient leur établissement. Maisons de peu de mine sur l'extérieur, à un étage, deux au plus, mais fort bien entretenues, avec des portes cirées et des grilles aux fenêtres. Le signor Boccace laissa Guccio devant la banque Albizzi. Les deux compagnons de route se séparèrent avec beaucoup de chaleur, se félicitèrent mutuellement de leur amitié naissante, et se promirent de se revoir très vite, à Paris.

III

WESTMINSTER

MESSER ALBIZZI était un homme grand, sec, au long visage brun, avec des sourcils épais et des touffes de cheveux noirs qui sortaient de dessous son bonnet. Il montra au visiteur une affabilité tranquille et seigneuriale. Debout, le corps serré dans une robe de velours bleu sombre, la main posée sur son écritoire, Albizzi avait l'allure d'un prince toscan.

Tandis que s'échangeaient les compliments d'usage, le regard de Guccio allait des hauts sièges de chêne aux tentures de Damas, des tabourets incrustés d'ivoire aux riches tapis qui couvraient le sol, de la cheminée monumentale aux flambeaux d'argent massif. Et le jeune homme ne pouvait s'empêcher de faire une évaluation rapide : « Ces tapis... quarante livres, sûrement... ces flambeaux, le double... La maison, si chaque chambre est à la mesure de celle-ci, vaut trois fois plus que celle de mon oncle. » Car pour se rêver ambassadeur secret et chevalier servant, Guccio n'en était pas moins marchand, fils, petit-fils et arrière-petit-fils de marchands.

« Vous auriez dû embarquer sur un de mes navires... car nous sommes aussi armateurs... et prendre par Boulogne, dit messer Albizzi, et ainsi, mon cousin, vous auriez fait plus confortable traversée. »

Il fit servir de l'hypocras, vin aromatisé qu'on buvait en mangeant des dragées. Guccio expliqua le but de son voyage.

« Votre oncle Tolomei, que j'estime fort, a été avisé de vous envoyer à moi, dit Albizzi en jouant avec le gros rubis qu'il portait à la main droite. Hugh Le Despenser est de mes principaux clients, et obligés. Nous allons par lui arranger l'entrevue.

— N'est-ce pas l'ami de cœur du roi Edouard ? interrogea Guccio.

— La maîtresse, vous voulez dire, la favorite, le pique-bouquet du roi ! Non ; je parle de Hugh Le Despenser le père. Son influence est plus secrète, mais elle est grande. Il se sert habilement de la bougrerie de son fils, et si les choses continuent comme elles vont, il est en passe de commander au royaume.

— Mais, dit Guccio, c'est la reine qu'il me faut voir, non le roi.

— Mon jeune cousin, répondit Albizzi avec un sourire, ici comme ailleurs se trouvent des gens qui, n'appartenant ni à un parti ni à l'adverse, profitent des deux en jouant de l'un sur l'autre. Je sais ce que je puis faire. »

Il appela son secrétaire et écrivit rapidement quelques lignes sur un papier qu'il scella.

« Vous irez à Westmoutiers ce jour d'hui, après dîner, mon cousin, dit-il une fois qu'il eut expédié le secrétaire porteur du billet. Je pense que la reine vous donnera audience. Vous serez pour tous un marchand de pierres précieuses et d'orfèvrerie, venu exprès d'Italie et recommandé par moi. En présentant vos bijoux à la reine, vous pourrez lui remettre votre message. »

Il alla vers un coffre, l'ouvrit, et en tira une grande boîte plate de bois précieux à ferrures de cuivre.

« Voici vos lettres de créance », ajouta-t-il.

Guccio souleva le couvercle. Des bagues, des agrafes et fermaux, des perles montées en pendentifs, un collier d'émeraudes et de rubis reposaient sur un lit de velours.

« Et si la reine voulait acquérir un de ces joyaux, que ferais-je ? »

Albizzi sourit.

« La reine ne vous achètera rien directement, car elle n'a pas d'argent avoué, et l'on surveille sa dépense. Si elle désire une chose, elle me le laissera savoir. Je lui ai fait confectionner, le mois passé, trois aumônières qui me sont dues encore. »

Après le repas, dont Albizzi s'excusa qu'il fût menu d'ordinaire mais qui était digne d'une table de baron, Guccio se rendit à Westminster. Il était accompagné d'un valet de la banque, sorte de garde du corps, taillé en buffle, et qui portait le coffret lié à sa ceinture par une chaîne de fer.

Guccio avançait, le menton levé, avec un grand air de fierté, et contemplait la ville comme s'il allait le lendemain en être propriétaire.

Le palais, imposant par ses proportions gigantesques, mais surchargé de fioritures, lui parut
d'assez mauvais goût comparé à ce qui se cons-
truisait en Toscane, et particulièrement à Sienne,
dans ces années-là. « Ces gens manquent déjà
de soleil, et il semble qu'ils fassent tout pour
empêcher de passer le peu qu'ils en ont », pensa-
t-il.

Il arriva par l'entrée d'honneur. Les hommes du
corps de garde se chauffaient autour de grosses
bûches. Un écuyer s'approcha.

« Signor Baglioni ? Vous êtes attendu. Je vais
vous conduire », dit-il en français.

Toujours escorté du valet qui portait le coffret
à bijoux, Guccio suivit l'écuyer. Ils traversèrent
une cour entourée d'arcades, puis une autre, puis
gravirent un large escalier de pierre et pénétrèrent dans les appartements. Les voûtes étaient
très hautes, étrangement sonores. A mesure qu'il
avançait à travers une succession de salles glacées
et sombres, Guccio s'efforçait en vain de conserver
sa belle assurance, mais il avait l'impression de
rapetisser. Il vit un groupe de jeunes hommes
dont il distingua les riches costumes brodés, les
cottes garnies de fourrure ; au flanc gauche de
chacun brillait la poignée d'une épée. C'était la
garde de la reine.

L'écuyer dit à Guccio de l'attendre et le laissa
là, parmi les gentilshommes qui le considéraient
d'un air narquois et échangeaient des remarques
qu'il n'entendait pas.

Soudain Guccio se sentit gagné par une inquiétude sourde. Si quelque imprévu allait se produire ? Si dans cette cour qu'il savait déchirée
d'intrigues, il allait passer pour suspect ? Si, avant

qu'il n'ait vu la reine, on se saisissait de lui, on le fouillait, on découvrait le message ?

Quand l'écuyer, revenant le chercher, lui toucha la manche, il sursauta. Il prit le coffret des mains du serviteur d'Albizzi ; mais, dans sa hâte, il oublia que le coffret était attaché à la ceinture du porteur, lequel fut projeté en avant. La chaîne s'embrouilla. Il y eut des rires, et Guccio éprouva l'irritation du ridicule. Si bien qu'il entra chez la reine humilié, empêtré, confus, et qu'il se trouva devant elle avant même de l'avoir vue.

Isabelle était assise. Une jeune femme au visage étroit, au maintien raide, se tenait debout auprès d'elle. Guccio mit un genou à terre et chercha un compliment qui ne vint point. La présence d'une tierce personne augmentait son désarroi. Mais par quelle sotte illusion s'était-il figuré que la reine serait seule pour le recevoir ?

Ce fut elle qui parla.

« Lady Le Despenser, voyons les bijoux que nous porte ce jeune Italien, et si ce sont vraiment les merveilles qu'on dit. »

Ce nom de Despenser acheva de troubler Guccio. Quel pouvait être le rôle d'une Despenser dans l'intimité de la reine ?

S'étant relevé sur un geste d'Isabelle, il ouvrit le coffret et le présenta. Lady Le Despenser, y ayant à peine jeté un regard, dit d'une voix brève et sèche :

« Ces bijoux sont fort beaux en effet ; mais nous n'en avons que faire. Nous ne pouvons pas les acheter, Madame. »

La reine eut un mouvement d'humeur :

« Alors pourquoi votre beau-père m'a-t-il pressée de voir ce marchand ?

— Pour obliger Albizzi, je pense ; mais nous devons déjà trop à ce dernier pour acquérir encore.

— Je sais, Madame, dit alors la reine, que vous, votre époux et tous vos parents avez si grand soin des deniers du royaume qu'on pourrait croire que ce sont les vôtres. Mais ici, vous tolérerez que je dispose de ma cassette ou, à tout le moins, de ce qu'on m'en a laissé... J'admire d'ailleurs, Madame, que lorsqu'il vient au palais quelque étranger ou marchand, on éloigne toujours, comme par accident, mes dames françaises, afin que votre belle-mère ou vous-même me teniez une compagnie qui ressemble plutôt à une garde. J'imagine que si ces mêmes joyaux sont présentés à mon époux et au vôtre, ceux-ci en trouveront bien l'usage pour s'en parer l'un l'autre comme femmes ne l'oseraient point. »

Le ton était uni et froid ; mais en chaque parole éclatait le ressentiment d'Isabelle contre cette famille qui, en même temps qu'elle déshonorait la couronne, mettait le Trésor au pillage. Car non seulement les Despenser, père et mère, s'enrichissaient de l'amour que le roi portait à leur fils, mais l'épouse elle-même consentait au scandale et y prêtait la main.

Vexée de l'algarade, Eleanor Le Despenser se retira dans un coin de l'immense pièce, mais sans cesser d'observer la reine et le jeune Siennois.

Guccio, reprenant un peu de cet aplomb qui d'ordinaire lui était naturel et aujourd'hui lui faisait si malencontreusement défaut, osa enfin regarder la reine. C'était l'instant ou jamais de faire comprendre à celle-ci qu'il plaignait ses malheurs et souhaitait la servir. Mais il rencontra une telle froideur, une telle indifférence, qu'il en eut le cœur gelé. Les yeux bleus d'Isabelle avaient la même fixité que ceux de Philippe le Bel. Le moyen d'aller déclarer à une telle femme : « Madame, on vous fait souffrir et je veux vous aimer » ?

Tout ce que put Guccio fut de désigner l'énorme bague d'argent, qu'il avait placée dans un coin du coffret, et de dire :

« Madame, me ferez-vous la faveur de considérer ce cachet et d'en remarquer la ciselure ? »

La reine prit la bague, y reconnut les trois châteaux d'Artois gravés dans le métal, releva son regard sur Guccio.

« Ceci me plaît à voir, dit-elle. Avez-vous d'autres objets qui soient travail de même main ? »

Guccio sortit de son vêtement le message en disant :

« Les prix en sont inscrits ici.

— Approchons-nous du jour, que je les voie mieux », répondit Isabelle.

Elle se leva et, accompagnée de Guccio, gagna l'embrasure d'une fenêtre où elle put lire le message tout à loisir.

« Retournez-vous à Paris ? murmura-t-elle.

— Aussitôt qu'il vous plaira de me l'ordonner, Madame, répondit Guccio du même ton.

— Dites alors à Mgr d'Artois que je me rendrai en France dans les proches semaines, et que j'agirai comme j'en suis convenue avec lui. »

Son visage s'était un peu animé ; mais son attention se portait tout entière sur le message, et nullement sur le messager.

Un souci royal de bien payer ceux qui la servaient lui fit cependant ajouter :

« Je dirai à Mgr d'Artois qu'il vous récompense

de votre peine mieux que je ne saurais le faire en cet instant.

— L'honneur de vous voir et de vous obéir, Madame, est certes la plus belle récompense. »

Isabelle remercia d'un bref mouvement de tête, et Guccio comprit qu'entre une arrière-petite-fille de Mgr saint Louis et le neveu d'un banquier toscan il y avait des distances qui ne se franchissaient point.

A voix bien haute, afin que la Despenser entendît, Isabelle prononça :

« Je vous ferai connaître par Albizzi ce que je déciderai concernant ce fermail. Adieu, messer. »

Et elle le congédia du geste.

IV

LA CRÉANCE

En dépit de la courtoisie d'Albizzi, qui lui offrait de demeurer quelques jours, Guccio quitta Londres dès le lendemain, assez mécontent de lui-même. Il avait pourtant parfaitement rempli sa mission, et sur ce point ne méritait que des éloges. Mais il ne se pardonnait pas, lui, libre citoyen de Sienne, et qui par là se jugeait l'égal de tout gentilhomme sur la terre, de s'être à ce point laissé troubler par une présence royale. Car il aurait beau faire, il ne pourrait jamais se cacher que la parole lui avait manqué lorsqu'il s'était trouvé devant la reine d'Angleterre, laquelle ne l'avait même pas honoré d'un sourire. « C'est une femme comme une autre, après tout ! Qu'avais-je donc à si fort trembler ? » se répétait-il avec humeur. Mais il se disait cela alors qu'il était bien loin de Westminster.

N'ayant pas, comme à l'aller, rencontré de compagnon, il cheminait seul, remâchant son dépit. Cet état d'esprit ne le quitta pas de tout le voyage, et ne fit même que s'exaspérer, à mesure que les lieues passaient.

Parce qu'il n'avait pas reçu à la cour d'Angleterre l'accueil qu'il escomptait, parce qu'on ne lui avait pas, sur sa seule mine, rendu des honneurs de prince, il s'était fait l'opinion, lorsqu'il remit le pied en France, que les Anglais constituaient une nation barbare. Quant à la reine Isabelle, si elle était malheureuse, si son mari la bafouait, elle ne recevait là qu'à proportion de son mérite. « Comment ? On traverse la mer, on risque sa vie pour elle, et l'on n'est pas plus remercié que si l'on était un valet ! Ces gens-là ont de grands airs appris, mais point de manières de cœur, et ils rebutent les meilleurs dévouements. Ils n'ont point à s'étonner d'être si mal aimés et si bien trahis. »

La jeunesse ne renonce pas aisément à ses désirs d'importance. Sur les mêmes routes où, quatre jours plus tôt, il s'était cru déjà ambassadeur et amant royal, Guccio se disait rageusement : « J'aurai ma revanche. » Comment ? Sur qui ? Il n'en savait rien. Mais il lui fallait une revanche.

Et d'abord, puisque le destin et le dédain des rois voulaient le maintenir dans sa condition de Lombard, il allait se montrer un Lombard comme on en avait rarement vu. Un banquier puissant, audacieux et retors ; un prêteur impitoyable. Son oncle l'avait chargé de passer par le comptoir de Neauphle pour recouvrer une créance ? Eh bien ! les débiteurs ignoraient quelle foudre allait s'abattre sur leur dos !

Prenant par Pontoise pour bifurquer à travers

l'Ile-de-France, Guccio arriva à Neauphle-le-Vieux le jour de la Saint-Hugues.

Le comptoir Tolomei occupait une maison proche de l'église, sur la place du bourg. Guccio y entra d'un pas de maître, se fit montrer les registres, houspilla son monde. A quoi le commis principal était-il bon ? Faudrait-il que lui, Guccio Baglioni, propre neveu du chef de la Compagnie, se dérangeât pour chaque créance en souffrance ? Et d'abord, qui étaient ces châtelains de Cressay qui devaient trois cents livres ? On le renseigna. Le père était mort ; oui, cela Guccio le savait. Et puis ? Il y avait deux fils, vingt et vingt-deux ans. Que faisaient-ils ? Ils chassaient... Des fainéants, évidemment. Il y avait aussi une fille, seize ans... laide certainement, décida Guccio. Et une mère, qui faisait marcher la maison depuis le décès du sire de Cressay. Des gens de bonne noblesse, mais sans un sou vaillant... Combien valaient leur château, leurs champs ? Huit cents, neuf cents livres. Ils avaient un moulin, et une trentaine de serfs sur leurs terres.

« Et vous n'arrivez pas à les faire payer ? s'écria Guccio. Vous allez voir, avec moi, si cela va durer longtemps ! Comment s'appelle le prévôt de Montfort ? Portefruit ? Très bien. Si ce soir ils n'ont pas remboursé, je vais trouver le prévôt [15] et je les fais saisir. Voilà ! »

Il se remit en selle et partit au grand trot pour Cressay, comme s'il allait enlever une place forte à lui tout seul. « Mon or ou la saisie... mon or ou la saisie. Et ils iront s'adresser à Dieu ou à ses saints. »

Cressay, à une demi-lieue de Neauphle, était un hameau bâti à flanc de val au bord de la Mauldre, rivière qu'on pouvait franchir d'un bon saut de cheval.

Le château qu'aperçut Guccio n'était en vérité qu'un petit manoir assez délabré, sans fossé d'enceinte puisque la rivière lui servait de défense, avec des tourelles basses et des abords boueux. Tout y montrait la pauvreté et le mauvais entretien. Les toitures s'affaissaient en plusieurs places ; le pigeonnier paraissait peu garni ; les murs moussus avaient des lézardes, et les bois voisins présentaient des saignées profondes.

« Tant pis. Mon or ou la saisie », se répétait Guccio en passant la porte.

Mais quelqu'un avait eu la même idée un peu avant lui, et c'était précisément le prévôt Portefruit.

Dans la cour, il y avait grand remue-ménage. Trois sergents royaux, bâton à fleur de lis en main, affolant de leurs ordres quelques serfs guenilleux, faisaient rassembler le bétail, lier les bœufs par couple, et monter du moulin des sacs de grain qu'on jetait dans un chariot de la prévôté. Les cris des sergents, les galopades des paysans terrifiés, les bêlements d'une vingtaine de brebis, les cris de la volaille, produisaient un beau vacarme.

Personne ne se soucia de Guccio ; personne ne vint lui prendre son cheval dont il attacha lui-même la bride à un anneau. Un vieux paysan passant auprès de lui dit simplement :

« Le malheur est sur cette maison. Le maître serait présent qu'il en crèverait une deuxième fois. C'est pas justice ! »

La porte de la demeure était ouverte et il en venait les éclats d'une violente discussion.

« Il paraît que je n'arrive pas le bon jour »,

pensa Guccio, dont la mauvaise humeur ne faisait que grandir.

Il monta les marches du seuil et, se guidant sur les voix, pénétra dans une salle sombre, aux murs de pierre et au plafond à poutres.

Une jeune fille, qu'il ne prit pas la peine de regarder, vint à sa rencontre.

« Je viens pour affaire et voudrais parler aux maîtres de Cressay, dit-il.

— Je suis Marie de Cressay. Mes frères sont là, et ma mère aussi, répondit la jeune fille d'une voix hésitante, en montrant le fond de la pièce. Mais ils sont fort retenus pour l'heure...

— N'importe, j'attendrai », dit Guccio.

Et, pour affirmer sa volonté, il alla se planter devant la cheminée et tendit sa botte au feu.

Au bout de la salle, on criait ferme. Encadrée de ses deux fils, l'un barbu, l'autre glabre, mais tous deux grands et rougeauds, la dame de Cressay s'efforçait de tenir tête à un quatrième personnage dont Guccio comprit bientôt qu'il était le prévôt lui-même.

Mme de Cressay, ou dame Eliabel pour le voisinage, avait l'œil brillant, la poitrine forte, et portait une quarantaine généreuse en chair dans ses vêtements de veuve [16].

« Messire prévôt, criait-elle, mon époux s'est endetté à s'équiper pour la guerre du roi où il a gagné plus de meurtrissures que de profits, tandis que le domaine, sans homme, allait comme il pouvait. Nous avons toujours payé la taille et les aides, et donné l'aumône à Dieu. Qui a mieux fait dans la province, qu'on me le dise ? Et c'est pour engraisser des gens de votre sorte, messire Portefruit, dont les grands-pères allaient nu-pieds dans les ruisseaux, qu'on vient nous piller ! »

Guccio regarda autour de lui. Quelques escabeaux rustiques, deux chaises à dossier, des bancs scellés au mur, des coffres, et un grand bat-flanc à courtine qui laissait apercevoir sa paillasse, constituaient l'ameublement. Au-dessus de la cheminée était accroché un vieil écu aux couleurs déteintes, le bouclier de bataille du feu sire de Cressay.

« Je ferai plainte au comte de Dreux, continuait dame Eliabel.

— Le comte de Dreux n'est point le roi, et ce sont les ordres du roi que j'accomplis, répondit le prévôt.

— Je ne vous crois point, messire. Je ne veux point croire que le roi ordonne de traiter comme malfaiteur des gens qui ont la chevalerie depuis deux cents années. Ou bien alors le royaume ne va plus guère.

— Au moins laissez-nous du temps ! dit le fils barbu. Nous paierons par petites sommes.

— Finissons ces palabres. Du temps, je vous en ai donné et vous n'avez point payé », coupa le prévôt.

Il avait les bras courts, la face ronde et le ton tranchant.

« Mon labeur n'est point d'entendre vos griefs, mais de faire rentrer les dettes, continua-t-il. Vous devez encore au Trésor trois cent trente livres. Si vous ne les avez point, tant pis ; je saisis et je vends. »

Guccio pensa : « Ce gaillard a tout juste le langage que je m'apprêtais à tenir, et quand il sera passé il ne restera guère à prendre. Mauvais voyage, décidément. Faut-il me mettre tout de suite de la partie ? »

Et il se sentit de la hargne envers ce prévôt mal venu qui lui coupait l'herbe sous le pied.

La jeune fille qui l'avait accueilli était demeurée non loin de lui. Il la regarda mieux. Elle était blonde, avec de belles ondes de cheveux qui sortaient de sa coiffe, une peau lumineuse, un corps fin, droit et bien formé. Guccio dut reconnaître qu'il avait trop hâtivement médit d'elle.

Marie de Cressay, pour sa part, semblait fort gênée qu'un inconnu assistât à la scène. Il n'arrivait pas tous les jours qu'un jeune cavalier d'agréable visage, et dont le vêtement disait assez la richesse, passât par ces campagnes ; c'était vraiment malchance que cela se produisît justement quand la famille se montrait sous son plus mauvais jour.

Là-bas, au bout de la salle, la discussion se poursuivait.

« N'est-ce pas assez de perdre son époux, qu'on doive encore payer six cents livres pour conserver son toit ? Je ferai plainte au comte de Dreux, répétait dame Eliabel.

— Nous vous en avons déjà versé deux cent septante, que nous avons dû emprunter, dit le fils barbu.

— Nous saisir, c'est nous réduire à famine, et nous vendre, c'est nous vouloir morts, dit le second fils.

— Les ordonnances sont les ordonnances, répliqua le prévôt ; je sais mon droit ; je fais la saisie et je ferai la vente. »

Vexé comme un acteur dépossédé de son rôle, Guccio dit à la jeune fille :

« Ce prévôt m'est bien odieux. Que vous veut-il ?

— Je ne sais, et mes frères guère davantage ; nous comprenons peu à ces choses, répondit-elle. Il s'agit de la taille de mutation, après le trépas de notre père.

— Et c'est pour cela qu'il réclame six cents livres ? dit Guccio en plissant le front.

— Ah ! messire, nous avons le malheur sur nous », murmura-t-elle.

Leurs regards se rencontrèrent, se retinrent un instant, et Guccio crut que la jeune fille allait pleurer. Mais non ; elle tenait bon contre l'adversité, et ce ne fut que par pudeur qu'elle détourna ses belles prunelles bleu sombre.

Guccio réfléchissait. Soudain, par une grande volte à travers la salle, il vint se planter devant l'agent de l'autorité et lança :

« Permettez, messire prévôt ! Ne seriez-vous point un peu en train de voler ? »

Stupéfait, le prévôt lui fit face et lui demanda qui il était.

« Il n'importe, répliqua Guccio, et souhaitez ne point l'apprendre trop vite, si par malchance vos comptes n'étaient pas justes. Mais j'ai, moi aussi, quelque raison de m'intéresser aux hoirs du sire de Cressay. Veuillez me dire à combien vous estimez ce domaine. »

Comme l'autre essayait de le prendre de haut et menaçait d'appeler ses sergents, Guccio continua :

« Prenez garde ! Vous parlez à un homme qui, voici cinq jours, était l'hôte de Madame la reine d'Angleterre, et qui a le pouvoir, demain, de faire savoir à messire Enguerrand de Marigny comment ses prévôts se comportent. Alors répondez, messire : que vaut ce domaine ? »

Ces paroles firent grand effet. Au nom de Mari-gny, le prévôt s'était troublé ; la famille se taisait, attentive, étonnée ; et Guccio se sentit comme grandi de deux pouces.

« Cressay est porté aux estimations du bailliage pour trois mille livres, répondit enfin le prévôt.

— Trois mille, vraiment ? s'écria Guccio. Trois mille livres, ce manoir de campagne, alors que l'hôtel de Nesle, qui est l'un des plus beaux de Pa-ris et la demeure de Monseigneur le roi de Navarre, est inscrit pour cinq mille livres aux registres de la taille ? On estime cher dans votre bailliage.

— Il y a les terres.

— Le tout en vaut neuf cents, au mieux compté, et je le sais de source sûre. »

Le prévôt avait au front, entourant l'œil gauche, une large tache de naissance couleur lie-de-vin. Et Guccio, tout en parlant, fixait cette envie, ce qui achevait de décontenancer le prévôt.

« Voulez-vous me dire maintenant, reprit Guc-cio, quelle est la taille de mutation ?

— Quatre sols à la livre, dans le bailliage.

— Vous mentez gros, messire Portefruit. La taille est de deux sols pour les nobles, en tous bailliages. Vous n'êtes pas seul à connaître la loi, nous sommes deux... Cet homme se sert de votre ignorance pour vous gruger comme un coquin, dit Guccio en s'adressant à la famille Cressay. Car il vient vous effrayer en vous parlant au nom du roi, mais il ne vous dit pas qu'il a les impôts et tailles en fermage, qu'il versera au Trésor ce qui est prescrit par les ordonnances, et que tout le surplus, il se le mettra en poche. Et s'il vous fait vendre, qui donc achètera, non pas pour trois mille, mais pour neuf cents, ou cinq cents, ou juste pour la dette, le château de Cressay ? Ne serait-ce pas vous, messire prévôt, qui auriez ce beau dessein ? »

Toute l'irritation de Guccio, ses dépits, sa colère, trouvaient leur emploi et leur exutoire. Il s'échauffait en parlant. Il avait enfin l'occasion d'être important, de se faire respecter, de jouer les hommes forts. Passant allégrement dans le camp qu'il venait attaquer, il prenait la défense des plus faibles et se posait à présent en redresseur de torts.

Quant au prévôt, sa grosse face ronde avait pâli et seule son envie violette au-dessus de l'œil gardait une teinte foncée. Il agitait ses bras trop courts d'un mouvement de canard. Il protestait de sa bonne foi. Ce n'était pas lui qui tenait les comptes. On pouvait avoir fait une erreur... ses commis, ou bien ceux du bailliage.

« Eh bien ! nous allons les refaire, vos comptes », dit Guccio.

En quelques instants, il lui démontra que les Cressay ne devaient pas, tout additionné, principal et intérêts, plus de cent livres et quelques sols.

« Alors, maintenant, venez donner ordre à vos sergents de délier les bœufs, de reporter le blé au moulin et de laisser en paix d'honnêtes gens ! »

Et, empoignant le prévôt par l'emmanchure, il l'amena jusqu'à la porte. L'autre s'exécuta et cria aux sergents qu'il y avait erreur, qu'il fallait vérifier, qu'on reviendrait une autre fois, et que, pour l'instant, on remît tout en place. Il croyait en avoir fini, mais Guccio le ramena vers le milieu de la salle, en lui disant :

« Et à présent, rendez-nous cent septante livres. »

Car Guccio avait si bien pris le parti des Cressay qu'il commençait à dire « nous » en défendant leur cause.

Là, le prévôt s'étrangla de fureur, mais Guccio le calma vite.

« N'ai-je pas entendu tout à l'heure, demanda-t-il, que vous aviez déjà perçu, par le passé, deux cents et septante livres ? »

Les deux frères acquiescèrent.

« Alors, messire prévôt... cent septante », dit Guccio en tendant la main.

Le gros Portefruit voulut ergoter. Ce qui était versé était versé. Il faudrait voir aux comptes de la prévôté. D'ailleurs, il n'avait pas une telle somme sur lui. Il reviendrait.

« Mieux vaudrait que vous eussiez cet or en votre sac. Etes-vous bien sûr de n'avoir rien récolté aujourd'hui ?... Les enquêteurs de messire de Marigny sont rapides, déclara Guccio, et votre intérêt vous commande de clore cette affaire sur-le-champ. »

Le prévôt balança un instant. Appeler ses sergents ? Mais le jeune homme avait l'air singulièrement vif, et il portait une bonne dague au côté. Et puis il y avait les deux frères Cressay, solidement taillés, et dont les épieux de chasse étaient à portée de main, sur un coffre. Les paysans prendraient sûrement la cause de leurs maîtres. Mauvaise affaire dans laquelle il valait mieux ne pas s'aventurer, surtout si elle devait venir aux oreilles de Marigny... Il se rendit et, sortant une grosse bougette de dessous son vêtement, il compta le trop-perçu. Seulement alors Guccio le laissa partir.

« Nous nous souviendrons de votre nom, messire prévôt », lui cria-t-il sur la porte.

Et il revint, riant largement, en découvrant toutes ses dents qu'il avait belles, blanches et serrées.

Aussitôt la famille l'entoura, l'accablant de bénédictions, le traitant en sauveur. Dans l'élan général, la belle Marie de Cressay saisit la main de Guccio et y posa ses lèvres ; puis elle parut effrayée de ce qu'elle avait osé.

Guccio, enchanté de lui-même, s'installait à merveille dans son nouveau rôle. Il venait de se conduire selon l'idéal des preux ; il était le chevalier errant arrivant dans un château inconnu pour secourir la jeune fille en détresse, délivrer des méchants la veuve et les orphelins.

« Mais enfin, qui êtes-vous, messire, à qui nous devons tant ? demanda Jean de Cressay, celui qui portait barbe.

— Je m'appelle Guccio Baglioni ; je suis le neveu de la banque Tolomei, et je viens pour la créance. »

Le silence se fit dans la pièce. Toute la famille s'entre-regarda avec angoisse et consternation. Et Guccio eut l'impression qu'on le dépouillait d'une belle armure.

Dame Eliabel se reprit la première. Elle rafla prestement l'or laissé par le prévôt et, montrant un sourire de façade, elle dit d'un ton enjoué qu'elle tenait avant toute chose à ce que leur bienfaiteur partageât leur dîner.

Elle commença de s'affairer, expédia ses enfants vers diverses tâches, puis, les réunissant à la cuisine, elle leur dit :

« Soyons sur nos gardes, c'est tout de même un Lombard. Il faut toujours se méfier de ces gens-là, surtout quand ils vous ont rendu service.

Il est bien regrettable que votre pauvre père ait
dû recourir à eux. Montrons à celui-ci, qui d'ailleurs a fort bonne mine, que nous n'avons point
d'argent ; mais faisons en sorte qu'il n'oublie point
que nous sommes nobles. »

Par chance, les deux fils avaient, la veille, rap-
porté de la chasse assez de gibier ; on tordit le
cou à quelques volailles, et l'on put ainsi accommoder les deux services à quatre plats que commandait l'étiquette seigneuriale. Le premier service
fut composé d'un brouet d'Allemagne surmonté
d'œufs frits, d'une oie, d'un civet de lapin et
d'un lièvre rôti ; le second, d'une queue de sanglier en sauce, d'un chapon, de lait lardé et de
blanc-manger.

Petit menu, mais qui tranchait toutefois sur
l'ordinaire de bouillies de farine et de lentilles
au gras dont la famille se contentait le plus souvent.

Tout cela prit du temps à accommoder. Du
cellier, on monta de l'hydromel, du cidre, et
même les dernières fioles d'un vin un peu piqué.
La table fut dressée sur des tréteaux dans la
grande salle, contre l'un des bancs. Une nappe
blanche tombait jusqu'à terre, que les convives
remontèrent sur leurs genoux, afin de pouvoir
s'y essuyer les mains. Il y avait une écuelle
d'étain pour deux. Les plats étaient posés au
milieu de la table, et chacun y piquait avec la
main.

Trois paysans qui, à l'accoutumée, s'occupaient
de la basse-cour, avaient été appelés pour assurer
le service. Ils fleuraient un peu le porc et le
clapier.

« Notre écuyer tranchant ! » dit dame Eliabel

avec une mimique d'excuse et d'ironie, en désignant le boiteux qui coupait les rouelles de pain, épaisses comme des meules, sur lesquelles on mangeait les viandes. « Il faut vous dire, messire Baglioni, qu'il s'entend surtout à fendre le bois. Cela explique... »

Guccio mangea et but beaucoup. L'échanson avait la main lourde, et l'on eût dit qu'il versait à boire aux chevaux.

La famille poussa Guccio à parler, ce qu'il fit volontiers. Il raconta sa tempête sur la Manche de telle façon que ses hôtes en laissèrent tomber la queue de sanglier dans la sauce. Il disserta de tout, des événements, de l'état des routes, des Templiers, du pont de Londres, de l'Italie, de l'administration de Marigny. A l'entendre, il était l'intime de la reine d'Angleterre, et il insista si fort sur le mystère de sa mission qu'on eût pu croire qu'il allait y avoir la guerre entre les deux pays. « Je ne saurais vous en dire davantage, car ceci est secret du royaume et ne m'appartient point. » A faire étalage de soi devant autrui, on se persuade aisément soi-même ; et Guccio, voyant les choses d'autre façon que le matin, considérait son voyage comme une grande réussite.

Les deux frères Cressay, braves jeunes gens, mais pas très déliés de cervelle, et qui n'avaient jamais poussé plus loin que Dreux, contemplaient avec admiration et envie ce garçon qui était leur cadet et avait déjà tant vu et tant fait.

Dame Eliabel, un peu à l'étroit dans sa robe, se laissait aller à regarder tendrement le jeune Toscan, et, en dépit de sa prévention contre les Lombards, elle trouvait bien du charme aux cheveux bouclés, aux dents éclatantes, au noir regard, et même à l'accent zézayant de Guccio. Elle lui servait le compliment avec adresse.

« Méfie-toi des flatteries, avait dit souvent Tolomei à son neveu. La flatterie est le pire péril pour un banquier. On résiste mal à écouter dire du bien de soi, et mieux vaut pour nous un voleur qu'un flatteur. »

Mais Guccio buvait la louange comme il buvait l'hydromel. En vérité, c'était surtout pour Marie de Cressay qu'il parlait, pour cette jeune fille qui ne le quittait pas des yeux en levant ses beaux cils dorés. Elle avait une manière d'écouter, les lèvres entrouvertes comme une grenade mûre, qui donnait envie à Guccio de parler, de parler encore.

L'éloignement ennoblit facilement les gens. Pour Marie, Guccio figurait exactement le prince étranger en voyage. Il était l'imprévu, l'inespéré, le rêve trop souvent fait, inaccessible, et qui soudain frappe à la porte avec un vrai visage, un corps bellement vêtu, une voix.

L'émerveillement qu'il lisait dans le regard de Marie fit que Guccio la trouva bientôt la plus belle fille qu'il ait vue au monde, et la plus désirable. Auprès d'elle la reine d'Angleterre lui semblait froide comme la pierre d'un tombeau. « Si elle paraissait à la cour, et vêtue pour cela, se disait-il, elle y serait dans la semaine la plus admirée. »

Lorsqu'on se rinça les mains, chacun était un peu ivre, et le jour venait de tomber.

Dame Eliabel décida que le jeune homme ne pouvait pas repartir à cette heure et le pria d'accepter le coucher, si modeste qu'il fût.

Elle l'assura aussi que sa monture avait été bien soignée et conduite aux écuries. L'existence du chevalier d'aventure continuait, et Guccio trouvait cette vie exaltante.

Bientôt dame Eliabel et sa fille se retirèrent. Les frères Cressay conduisirent le voyageur dans la chambre réservée aux hôtes de passage, et qui semblait n'avoir pas servi depuis longtemps. A peine couché, Guccio coula dans le sommeil, en pensant à une bouche, pareille à une grenade mûre, sur laquelle il buvait tout l'amour du monde.

V

LA ROUTE DE NEAUPHLE

Il fut réveillé par une main qui lui pesait doucement sur l'épaule. Il faillit prendre cette main et la presser contre son visage... Ouvrant l'œil, il vit, au-dessus de lui, l'abondant poitrail et le visage souriant de dame Eliabel.

« Avez-vous bien dormi, messire ? »

Il faisait grand jour. Guccio, un peu embarrassé, assura qu'il avait passé une excellente nuit, et qu'il voulait se hâter maintenant de faire toilette.

« C'est honte que d'être ainsi devant vous », dit-il.

Dame Eliabel appela le paysan boiteux qui, la veille, avait servi à table ; elle lui commanda de ranimer le feu, et aussi d'apporter un bassin d'eau chaude et des « toiles », c'est-à-dire des serviettes.

« Autrefois, nous avions au château une bonne étuve avec une chambre à bains et une chambre à suer. Mais tout y tombait en pièces, car elle datait de l'aïeul de mon défunt, et nous n'avons jamais eu assez pour la remettre en état. Aujourd'hui, elle sert à remiser le bois. Ah ! la vie n'est point aisée pour nous, gens de campagne ! »

« Elle commence à prêcher pour la créance », pensa Guccio.

Il se sentait la tête un peu lourde des boissons du dîner. Il demanda nouvelles de Pierre et Jean de Cressay ; ils étaient partis pour la chasse dès l'aube. Plus hésitant, il s'enquit de Marie. Dame Eliabel répondit que sa fille avait dû se rendre à Neauphle pour quelques achats de ménage.

« J'y vais tout à l'heure, dit Guccio. Si j'avais su, j'aurais pu la conduire sur mon cheval et lui éviter la peine du chemin. »

Il se demanda si la châtelaine n'avait pas fait exprès d'éloigner toute sa famille pour demeurer seule avec lui. D'autant que lorsque le boiteux eut apporté le bassin, dont il répandit un bon quart sur le sol, dame Eliabel resta là, chauffant les toiles devant le feu. Guccio attendait qu'elle se retirât.

« Lavez-vous donc, mon jeune messire, dit-elle. Nos servantes sont si balourdes qu'elles vous écorcheraient en vous séchant. Et c'est bien le moins que j'aie soin de vous. »

Bredouillant un remerciement, Guccio se résolut à se mettre nu jusqu'à la taille ; évitant de regarder la dame, il s'aspergea d'eau tiède la tête et le torse. Il était assez maigre, comme on l'est à son âge, mais bien tourné dans sa petite taille. « Encore heureux qu'elle ne m'ait point fait porter une cuve où j'aurais dû tout entier me dépouiller sous ses yeux. Ces gens de campagne ont de curieuses façons. »

Quand il eut fini, dame Eliabel vint à lui avec les serviettes chaudes, et se mit à l'essuyer. Guccio pensait qu'en partant vite, et en poussant un temps de galop, il aurait des chances de rattraper Marie sur la route de Neauphle ou de la retrouver dans le bourg.

« Quelle jolie peau vous avez, messire, dit soudain dame Eliabel d'une voix qui tremblait un peu. Les femmes pourraient être jalouses d'une aussi douce peau... et j'imagine qu'il en est beaucoup qui doivent en être friandes. Cette belle couleur brune doit leur sembler plaisante. »

En même temps, elle lui caressait le dos, du bout des doigts, tout le long des vertèbres. Cela chatouilla Guccio qui se retourna en riant.

Dame Eliabel avait le regard troublé, la poitrine agitée, et un singulier sourire lui modifiait le visage. Guccio enfila prestement sa chemise.

« Ah ! que c'est belle chose, la jeunesse ! reprit dame Eliabel. A vous voir, je gage que vous la goûtez bien, et que vous faites profit de toutes les permissions qu'elle donne. »

Elle se tut un instant ; puis, du même ton, elle reprit :

« Alors, mon gentil messire, qu'allez-vous faire pour notre créance ? »

« Nous y voici », pensa Guccio.

« Vous pouvez bien nous demander ce qu'il vous plaît, continua-t-elle ; vous êtes notre bienfaiteur et nous vous bénissons. Si vous voulez l'or que vous avez fait rendre à ce coquin de prévôt, il est à vous, emportez-le ; cent livres, si vous voulez. Mais vous voyez notre état, et vous nous avez montré que vous aviez du cœur. »

En même temps, elle le regardait lacer ses chausses. Ce n'était pas, pour Guccio, les bonnes conditions d'une discussion d'affaires.

« Celui qui nous sauve va-t-il être celui qui nous perd ? poursuivit-elle. Vous autres, gens de ville, ne savez point comme notre position est malaisée. Si nous n'avons point encore payé votre banque, c'est que nous ne le pouvions pas. Les gens du roi nous grugent ; vous l'avez constaté. Les serfs ne travaillent point comme par le passé. Depuis les ordonnances du roi Philippe, qui les encouragent à se racheter, l'idée de franchise leur travaille en tête ; on n'en obtient plus rien, et ces manants seraient tout près de se considérer de même race que vous et moi. »

Elle marqua un léger arrêt, afin de permettre au jeune Lombard d'apprécier tout ce que ce « vous et moi » contenait de flatteur pour lui.

« Ajoutez à cela que nous avons eu deux mauvaises années pour les champs. Mais il suffit, ce qu'à Dieu plaise, que la prochaine récolte soit bonne... »

Guccio, qui ne songeait qu'à partir à la recherche de Marie, essaya d'éluder.

« Ce n'est point moi ; c'est mon oncle qui décide », dit-il.

Mais déjà il se savait vaincu.

« Vous pourrez remontrer à votre oncle qu'il fait avec nous sage et sûr placement ; je lui souhaite de n'avoir jamais pires débiteurs. Donnez-nous encore une année ; nous vous paierons bien les intérêts. Faites cela pour moi ; je vous en aurai grandement gré », dit dame Eliabel en lui saisissant les mains.

Puis, avec une légère confusion, elle ajouta : « Savez-vous, gentil messire, que dès votre venue, hier... peut-être dame ne devrait point dire cela... je me suis senti de l'amitié pour vous, et qu'il n'est chose qui dépende de moi que je ne voudrais faire pour votre contentement ?... »

Guccio n'eut pas la présence d'esprit de répondre : « Eh bien ! remboursez donc votre dette et je serai content. »

De toute évidence, la veuve paraissait plutôt prête à payer de sa personne, et l'on pouvait juste se demander si elle se disposait au sacrifice pour faire reculer la créance, ou si elle se servait de la créance pour avoir l'occasion de se sacrifier.

En bon Italien, Guccio pensa que la chose serait plaisante de séduire à la fois et la fille et la mère. Dame Eliabel avait encore des charmes ; ses mains dodues ne manquaient pas de douceur, et sa gorge, tout abondante qu'elle était, semblait avoir conservé de la fermeté. Mais ce ne pouvait être qu'un amusement de surcroît, et qui ne valait pas de manquer l'autre proie.

Guccio se dégagea des empressements de dame Eliabel, en l'assurant qu'il allait s'efforcer d'arranger l'affaire ; mais il lui fallait courir à Neauphle, et en conférer avec ses commis.

Il sortit dans la cour, pressa le boiteux de seller son cheval, et partit pour le bourg. Point de Marie sur le chemin. Tout en galopant, Guccio se demandait si vraiment la jeune fille était aussi

belle qu'il l'avait vue la veille, s'il ne s'était pas
mépris sur les promesses qu'il avait cru lire
dans ses yeux, et si tout cela, qui n'était peut-
être qu'illusions de fin de dîner, méritait tant
de hâte. Car il existe des femmes qui, lorsqu'elles vous regardent, semblent se donner à vous
dans le premier instant ; mais c'est leur air naturel ; elles regardent un meuble, un arbre, de
la même façon et, finalement, ne donnent rien du
tout...

Guccio n'aperçut pas Marie sur la place de
Neauphle. Il jeta un coup d'œil sur les rues
avoisinantes, entra dans l'église, n'y resta que le
temps d'un signe de croix, puis se rendit au
comptoir. Là il accusa les commis de l'avoir mal
renseigné. Les Cressay étaient gens de qualité,
tout à fait honorables et solvables. Il fallait pro-
longer leur créance. Quant au prévôt, c'était
une franche canaille... Tout en parlant, Guccio
ne cessait de regarder par la fenêtre. Les employés hochaient la tête en contemplant ce jeune
fou qui se déjugeait du lendemain sur la veille,
et ils pensaient que ce serait grande pitié si
la banque lui tombait tout à fait entre les
mains.

« Il se peut que je revienne assez souvent ;
ce comptoir a besoin d'être surveillé », leur dit-
il en guise d'adieu.

Il sauta en selle, et les cailloux volèrent sous
les fers de son cheval. « Sans doute a-t-elle emprunté un sentier de raccourci, se disait-il. Je la
rejoindrai au château, mais il sera malaisé de
la voir seule... »

Peu après la sortie du bourg, il distingua une
silhouette qui se hâtait vers Cressay, et il recon-

nut Marie. Alors, brusquement, il entendit que
les oiseaux chantaient, il découvrit que le soleil
brillait, qu'on était en avril, et que de petites
feuilles tendres couvraient les arbres. A cause
de cette robe qui avançait entre deux prairies,
le printemps, auquel Guccio depuis trois jours
n'avait pas accordé attention, venait de lui apparaître.

Il ralentit son cheval en arrivant à la hauteur
de Marie. Elle le regarda, pas tellement surprise
de sa présence, mais comme si elle venait de recevoir le plus beau cadeau du monde. La marche
lui avait coloré le visage, et Guccio reconnut
qu'elle était plus belle encore qu'il n'en avait
jugé la veille.

Il s'offrit à l'emmener en croupe. Elle sourit
pour acquiescer, et ses lèvres de nouveau s'en-
trouvrirent comme un fruit. Guccio fit ranger son
cheval contre le talus, et se pencha, présentant
à Marie son bras et son épaule. La jeune fille
était légère ; elle se hissa lestement, et ils partirent au pas. Un moment ils allèrent en silence.
La parole manquait à Guccio. Ce hâbleur, soudain, ne trouvait rien à dire.

Il sentit que Marie osait à peine se tenir à lui.
Il lui demanda si elle était accoutumée à aller
ainsi à cheval.

« Avec mon père ou mes frères... seulement »,
répondit-elle.

Jamais encore elle n'avait cheminé de la sorte,
flanc contre dos, avec un étranger. Elle s'enhardit
un peu et assura mieux son étreinte.

« Etes-vous en hâte de rentrer ? » demanda-t-il.

Elle ne répondit pas, et il engagea son cheval
dans un sentier de traverse.

« Votre pays est beau, reprit-il après un nouveau silence ; aussi beau que ma Toscane. »

Ce n'était pas seulement compliment d'amoureux. Guccio découvrait avec ravissement la douceur de l'Ile-de-France, ses collines, brodées de forêts, ses horizons bleutés, ses rideaux de peupliers partageant de grasses prairies, et le vert plus laiteux, plus fragile des seigles récemment levés, et ses haies d'aubépine où s'ouvraient des bourgeons gommeux.

Quelles étaient ces tours qu'on apercevait au lointain, noyées dans une brume légère, vers le couchant ? Marie eut beaucoup de peine à répondre que c'étaient les tours de Montfort-l'Amaury.

Elle éprouvait un mélange d'angoisse et de bonheur qui l'empêchait de parler, qui l'empêchait de penser. Où conduisait ce sentier ? Elle ne le savait plus. Vers quoi la menait ce cavalier ? Elle ne le savait pas davantage. Elle obéissait à quelque chose qui n'avait pas encore de nom, qui était plus fort que la crainte de l'inconnu, plus fort que les préceptes enseignés et les mises en garde des confesseurs. Elle se sentait livrée entièrement à une volonté étrangère. Ses mains se crispaient un peu plus sur ce manteau, sur ce dos d'homme qui constituait en l'instant, au milieu du chavirement de tout, la seule certitude de l'univers.

Le cheval qui allait, rênes longues, s'arrêta de lui-même pour manger une jeune pousse.

Guccio descendit, prit Marie dans ses bras et la posa sur le sol. Mais il ne la lâcha point et garda les mains autour de sa taille, qu'il s'étonna de trouver si étroite et si mince. La jeune fille demeurait sans bouger, prisonnière, inquiète, mais consentante, entre ces doigts qui l'enserraient. Guccio sentit qu'il fallait parler ; et ce furent les paroles italiennes pour exprimer l'amour qui lui vinrent aux lèvres :

« *Ti voglio bene, ti voglio tanto bene.* »

Elle parut les comprendre, tellement la voix suffisait à en donner le sens.

A contempler ainsi Marie, sous le soleil, Guccio vit que les cils de la jeune fille n'étaient pas dorés comme il l'avait cru, ni ses cheveux vraiment blonds. Elle était une châtaine à reflets roux, avec une carnation de blonde et de grands yeux bleu foncé, largement dessinés sous le sourcil. D'où venait alors cet éclat doré qui émanait d'elle ? D'instant en instant, Marie devenait pour Guccio plus exacte, plus réelle, et elle était parfaitement belle dans cette réalité. Il l'étreignit plus étroitement, glissa la main lentement, doucement le long de la hanche, puis du corsage, continuant d'apprendre la vérité de ce corps.

« Non... » murmura-t-elle éloignant cette main.

Mais comme si elle craignait de le décevoir, elle renversa un peu le visage vers le sien. Elle avait entrouvert les lèvres, et ses yeux étaient clos. Guccio se pencha vers cette bouche, vers ce beau fruit qu'il convoitait tant. Et ils restèrent ainsi de longues secondes, parmi le pépiement des oiseaux, les lointains aboiements des chiens et toute la grande respiration de la nature qui semblait soulever la terre sous leurs pieds.

Quand leurs lèvres se furent séparées, Guccio remarqua le tronc verdâtre et tordu d'un gros pommier qui croissait là, et cet arbre lui parut étonnamment beau et vivant, comme il n'en avait jamais vu de pareil jusqu'à ce jour. Une pie sautillait dans le seigle nouveau ; et le garçon des villes demeurait tout surpris de ce baiser en plein champ.

« Vous êtes venu ; vous êtes enfin venu », murmura Marie.

On eût dit qu'elle l'attendait depuis le fond des âges, depuis le fond des nuits. Elle ne le quittait plus du regard.

Il voulut reprendre sa bouche, mais cette fois elle refusa.

« Non, il faut retourner », dit-elle.

Elle avait la certitude que l'amour était apparu dans sa vie, et pour l'instant elle était comblée. Elle ne souhaitait rien de plus.

Quand elle fut de nouveau assise sur le cheval, derrière Guccio, elle passa les bras autour de la poitrine du jeune Siennois, posa la tête contre son épaule, et se laissa aller ainsi, au rythme de la monture, liée à l'homme que Dieu lui avait envoyé.

Elle avait le goût du miracle et le sens de l'absolu. Pas un instant elle n'imagina que Guccio pût être dans une disposition d'âme différente de la sienne, ni que le baiser qu'ils avaient échangé pût avoir pour lui une signification moins grave que celle qu'elle y attachait.

Elle ne se redressa, et ne reprit le maintien qui convenait, que lorsque les toits de Cressay apparurent dans le val.

Les deux frères étaient rentrés de la chasse. Dame Eliabel vit sans plaisir Marie revenir en compagnie de Guccio. Quoi qu'ils fissent pour ne rien laisser paraître, les jeunes gens avaient un air de bonheur qui donna du dépit à la grasse châtelaine et lui inspira des pensées de sévérité envers sa fille. Mais elle n'osa aucune remarque en présence du jeune banquier.

« J'ai fait rencontre de damoiselle Marie, et lui ai demandé de me montrer les alentours de votre domaine, dit Guccio. C'est belle terre que vous possédez. »

Puis il ajouta :

« J'ai ordonné qu'on reporte votre créance à l'an prochain ; mon oncle, j'espère, m'approuvera. Peut-on rien refuser à si noble dame ! »

Alors dame Eliabel gloussa et prit un air de discret triomphe.

On fit à Guccio force remerciements ; pourtant, quand il annonça qu'il allait repartir, on n'insista pas trop pour le garder. Il était bien charmant cavalier, ce jeune Lombard, et il avait rendu grand service... mais on ne le connaissait guère, après tout. La créance était prolongée, c'était l'essentiel. Dame Eliabel n'aurait pas de mal à se persuader que ses charmes y avaient aidé.

La seule personne qui désirait vraiment que Guccio restât ne pouvait ni n'osait rien dire.

Pour dissiper la vague gêne qui s'installait, on força Guccio d'emporter un quartier du chevreuil que les frères avaient tué, et on lui fit promettre de revenir. Il promit, en regardant Marie.

« Pour les intérêts de la créance, je reviendrai, soyez certains », dit-il d'un ton jovial qui voulait donner le change.

Son bagage bouclé, il se remit en selle.

Le voyant s'éloigner en descendant vers la Mauldre, Mme de Cressay eut un fort soupir et déclara à ses fils, moins pour eux que pour donner du fil à ses illusions :

« Mes enfants, votre mère sait encore parler aux damoiseaux. J'ai fait bonne manœuvre avec celui-là, et vous l'eussiez trouvé plus âpre si je ne l'avais point pris à part. »

De peur de se trahir, Marie était déjà rentrée dans la maison.

Sur la route de Paris, Guccio, galopant, se considérait comme un séducteur irrésistible qui n'avait qu'à paraître dans les châteaux pour y moissonner les cœurs. L'image de Marie dans le clos de pommiers, auprès de la rivière, ne le quittait pas. Et il se promettait de revenir à Neauphle, très vite, dans quelques jours peut-être...

Il arriva pour le souper rue des Lombards et, jusqu'à une heure avancée, s'entretint avec son oncle Tolomei. Celui-ci accepta sans peine les explications que Guccio lui donna au sujet de la créance ; il avait d'autres soucis en tête. Mais il parut s'intéresser spécialement aux agissements du prévôt Portefruit.

Toute la nuit, Guccio eut l'impression que Marie habitait son sommeil. Le lendemain il y pensait déjà un peu moins.

Il connaissait, à Paris, deux femmes de marchands, jolies bourgeoises de vingt ans, qui ne lui étaient pas cruelles. Au bout de quelques jours, il avait oublié sa conquête de Neauphle.

Mais les destins se forment lentement et nul ne sait, parmi tous nos actes semés au hasard, les-

quels germeront pour s'épanouir, comme des arbres. Nul ne pouvait imaginer que le baiser échangé au bord de la Mauldre conduirait la belle Marie
jusqu'au berceau d'un roi.

A Cressay, Marie commençait d'attendre.

VI

LA ROUTE DE CLERMONT

VINGT jours plus tard, la petite cité de Clermont-de-l'Oise connaissait une animation fort inhabituelle. Des portes jusqu'au château royal, de l'église à la prévôté, il y avait grand mouvement de peuple. On se bousculait dans les rues et dans les tavernes, avec une rumeur joyeuse, et les tentures de procession flottaient aux fenêtres. Car les crieurs publics avaient annoncé, tôt le matin, que Mgr de Poitiers, second fils du roi, et son oncle, Mgr de Valois, venaient accueillir, au nom du souverain, leur sœur et nièce, la reine Isabelle d'Angleterre.

Celle-ci, débarquée trois jours plus tôt sur le sol de France, faisait route à travers la Picardie. Elle avait quitté Amiens le matin ; si tout allait bien, elle parviendrait à Clermont en fin d'après-midi. Elle y dormirait et, le lendemain, son escorte d'Angleterre jointe à celle de France, elle se rendrait au château de Maubuisson, près Pontoise, où son père, Philippe le Bel, l'attendait.

Peu avant vêpres, prévenus de l'approche des princes français, le prévôt, le capitaine de ville et les échevins passèrent la porte de Paris pour présenter les clefs. Philippe de Poitiers et Charles de Valois, qui chevauchaient en tête, reçurent leur bienvenue et pénétrèrent dans Clermont.

Derrière eux s'avançaient plus de cent gentilshommes, écuyers, valets et gens d'armes, dont les chevaux soulevaient grande poussière.

Une tête dominait toutes les autres, celle de Robert d'Artois. A cavalier géant, monture géante. Ce colossal seigneur, assis sur un énorme percheron rouan, et portant bottes rouges, manteau rouge, cotte d'armes de soie rouge, attirait forcément les regards. Alors que chez maint cavalier, la fatigue était visible, lui restait droit en selle comme s'il venait juste d'y monter.

En vérité, depuis le départ de Pontoise, Robert d'Artois avait, pour se soutenir et se rafraîchir, le sentiment aigu de la vengeance. Il était seul à savoir le but véritable du voyage de la jeune reine d'Angleterre, seul à en deviner les développements. Et il en tirait d'avance une jouissance âpre et secrète.

Pendant tout le trajet, il n'avait cessé de surveiller Gautier et Philippe d'Aunay qui faisaient partie du cortège, le premier comme écuyer de la maison de Poitiers, et le cadet comme écuyer de celle de Valois. Les deux jeunes gens étaient ravis du déplacement et de tout ce train royal. Pour mieux briller, ils avaient, dans leur innocence et leur vanité, accroché sur leurs vêtements d'appa-

rat les belles aumônières données par leurs maîtresses. En voyant ces objets étinceler à leurs
ceintures, Robert d'Artois sentit passer dans sa
poitrine les ondes d'une énorme joie cruelle, et il
eut peine à s'empêcher de rire. « Allez, mes gentillets, mes oisons, mes coquebins, se disait-il, souriez donc en pensant aux beaux seins de vos
dames. Pensez-y bien, car vous n'y toucherez plus
guère ; et respirez le jour qu'il fait, car je crois
fort que vous n'en aurez plus beaucoup d'autres. »

En même temps, gros tigre jouant, griffes rentrées, avec sa proie, il adressait aux frères d'Aunay
des saluts cordiaux ou leur lançait quelque joyeu-
seté sonore.

Depuis qu'il les avait sauvés du faux guet-apens
de la tour de Nesle, les deux garçons se considéraient comme ses obligés et se sentaient tenus
de lui témoigner de l'amitié. Quand le cortège
s'arrêta, ils invitèrent d'Artois à vider en leur
compagnie un broc de vin gris, sur le seuil d'une
auberge.

« A vos amours, leur dit-il en levant son gobelet.
Et gardez bien le goût de ce petit vin. »

Dans la grand-rue coulait une foule dense, qui
ralentissait l'avance des chevaux. La brise agitait
légèrement les draperies multicolores qui ornaient
les fenêtres. Un chevaucheur arriva au galop, annonçant que le train de la reine d'Angleterre était
en vue ; aussitôt se refit un grand branle-bas.

« Pressez nos gens », cria Philippe de Poitiers
à Gautier d'Aunay.

Puis, se tournant vers Charles de Valois :

« Nous sommes à l'heure qu'il faut, mon oncle. »

Charles de Valois, tout de bleu vêtu, et un peu
congestionné par la fatigue, se contenta d'incli-

ner la tête. Il se serait bien passé de cette chevauchée ; son humeur était morose.

Le cortège avança sur la route d'Amiens.

Robert d'Artois s'approcha des princes et se
mit au botte à botte avec Valois. Bien que dépossédé de l'héritage d'Artois, Robert n'en était pas
moins cousin du roi, et sa place était sur le rang
des premières couronnes de France. Regardant
la main gantée de Philippe de Poitiers fermée
sur les rênes de son cheval noir, Robert pensait :
« C'est pour toi, mon maigre cousin, c'est pour te
donner la Comté-Franche que l'on m'a ôté mon
Artois. Mais avant que demain soit achevé, tu vas
recevoir une blessure dont ni l'honneur ni la
fortune d'un homme ne se remettent aisément. »

Philippe, comte de Poitiers et mari de Jeanne de
Bourgogne, était âgé de vingt et un ans. Par le
physique autant que par la manière d'être, il dif-
férait du reste de la famille royale. Il n'avait pas
la beauté majestueuse et froide de son père, ni le
turbulent embonpoint de son oncle. Il tenait de
sa mère, la Navarraise. Long de visage, de corps et
de membres, très grand, ses gestes étaient toujours mesurés, sa voix précise, un peu sèche ;
tout en lui, le regard, la simplicité du vêtement,
la courtoisie contrôlée de ses propos, disait une
nature réfléchie, décidée, où la tête l'emportait
sur les impulsions du cœur. Il était déjà dans le
royaume une force avec laquelle il fallait compter.

La rencontre des deux cortèges se fit à une
demi-lieue de Clermont. Quatre hérauts de la maison de France, groupés au milieu du chemin, levèrent leurs longues trompettes et lancèrent quelques sonneries graves. Les sonneurs anglais répondirent en soufflant dans des instruments sem-

blables, mais d'une tonalité plus aiguë. Les princes
s'avancèrent, et la reine Isabelle, mince et droite
sur sa haquenée blanche, reçut la brève bienvenue que lui adressa son frère, Philippe de Poitiers. Charles de Valois vint ensuite baiser la
main de sa nièce ; puis ce fut le tour du comte
d'Artois qui, dans la grande inclinaison de tête
et le regard qu'il adressa à la jeune reine, sut
assurer celle-ci qu'il n'y avait ni obstacle ni
imprévu dans le déroulement de leur machina-
tion.

Pendant que s'échangeaient compliments, questions et nouvelles, les deux escortes attendaient
et s'observaient. Les chevaliers français jugeaient
les costumes des Anglais. Ceux-ci, immobiles et
dignes, le soleil dans l'œil, portaient avec fierté,
brodées sur leur cotte, les armes d'Angleterre ;
encore qu'ils fussent, pour la plupart, Français
d'origine et de nom, on les sentait soucieux de
faire belle figure en terre étrangère [17].

De la grande litière bleu et or qui suivait la
reine, s'éleva un cri d'enfant.

« Ma sœur, dit Philippe, vous avez donc amené
derechef notre petit neveu en ce voyage ? N'est-ce
pas bien éprouvant pour un enfant d'un si jeune
âge ?

— Je n'aurais garde de le laisser à Londres sans
moi », répondit Isabelle.

Philippe de Poitiers et Charles de Valois lui
demandèrent quel était le but de sa venue ; elle
leur déclara simplement qu'elle voulait voir son
père, et ils comprirent qu'ils n'en sauraient pas
plus, au moins pour l'instant.

Un peu lassée par la longueur de l'étape, elle
descendit de sa jument blanche, et prit place dans

la grande litière portée par deux mules caparaçonnées de velours. Les escortes se remirent en marche vers Clermont.

Profitant de ce que Poitiers et Valois reprenaient la tête du cortège, d'Artois poussa son cheval auprès de la litière.

« Vous êtes plus belle à chaque fois qu'on vous voit, ma cousine, lui dit-il.

— Ne mentez point. Je ne puis certes être belle après une semaine de chemin et de poussière, répondit la reine.

— Quand on vous a aimée de souvenir pendant de longues semaines, on ne voit point la poussière, on ne voit que vos yeux. »

Isabelle se renfonça un peu dans les coussins. De nouveau, elle se sentait reprise de cette singulière faiblesse qui l'avait saisie à Westminster en face de Robert. « Est-il donc vrai qu'il m'aime, pensait-elle, ou bien seulement me fait-il compliments comme il en doit faire à toute femme ? » Entre les rideaux de la litière, elle voyait au flanc du cheval pommelé l'immense botte rouge et l'éperon doré ; elle voyait cette cuisse de géant dont les muscles roulaient contre l'arçon de la selle ; et elle se demandait si, chaque fois qu'elle se trouverait en présence de cet homme, elle éprouverait ce même trouble, ce même désir d'abandon... Elle fit effort pour se dominer. Elle n'était point là pour elle-même.

« Mon cousin, dit-elle, profitons de ce que nous pouvons parler, et mettez-moi au fait de ce que vous avez à m'apprendre. »

Rapidement, et feignant de lui commenter le paysage, il lui raconta ce qu'il savait et ce qu'il avait fait, la surveillance dont il avait entouré les

princesses royales, le guet-apens de la tour de
Nesle.

« Quels sont ces hommes qui déshonorent la
couronne de France ? demanda Isabelle.

— Ils marchent à vingt pas de vous. Ils sont de
l'escorte qui vous fait conduite. »

Et il donna les renseignements essentiels sur
les frères d'Aunay, leurs fiefs, leur parenté, leurs
alliances.

« Je veux les voir », dit Isabelle.

A grands signes, d'Artois appela les deux jeunes gens.

« La reine vous a remarqués », dit-il en leur faisant un gros clin d'œil.

Les visages des deux garçons s'épanouirent d'orgueil et de plaisir.

D'Artois les poussa vers la litière, comme s'il
était en train de faire leur fortune, et tandis qu'ils
saluaient plus bas que l'encolure de leurs montures, il dit, jouant la jovialité :

« Madame, voici messires Gautier et Philippe
d'Aunay, les plus loyaux écuyers de votre frère et
de votre oncle. Je les recommande à votre bien-
veillance. Ils sont un peu mes protégés. »

Isabelle examina froidement les deux jeunes
hommes, se demandant ce qu'ils avaient dans le
visage et l'allure qui pût détourner de leur devoir
des filles de roi. Ils étaient beaux, à coup sûr, et
la beauté des hommes gênait toujours un peu Isabelle. Soudain, elle aperçut les aumônières à la
ceinture des deux cavaliers, et ses yeux aussitôt
cherchèrent ceux de Robert. Ce dernier eut un
bref sourire.

Désormais il pouvait rentrer dans l'ombre. Il
n'aurait même pas à assumer devant la cour le

rôle déplaisant de délateur. « Beau labeur, Robert, beau labeur », se disait-il.

Les frères d'Aunay, la tête pleine de rêves, allèrent reprendre leur place dans le défilé.

Les cloches de toutes les églises de Clermont, de toutes les chapelles, de tous les couvents, sonnaient à la volée, et, de la petite ville en liesse, montaient déjà de longues clameurs de bienvenue vers cette reine de vingt-deux ans qui apportait à la cour de France le plus surprenant des malheurs.

VII

TEL PÈRE, TELLE FILLE

Un chandelier d'argent niellé, sommé d'un gros cierge entouré d'une couronne de chandelles, éclairait sur la table la liasse de parchemins dont le roi venait d'achever l'examen. De l'autre côté des fenêtres, le parc se dissolvait dans le crépuscule ; Isabelle, le visage tourné vers la nuit, regardait l'ombre prendre les arbres un à un.

Depuis Blanche de Castille, Maubuisson, aux abords de Pontoise, était demeure royale et Philippe le Bel en avait fait l'une de ses résidences habituelles. Il avait du goût pour ce domaine silencieux, clos de hautes murailles, pour son parc, et pour son abbaye où des sœurs bénédictines menaient une vie paisible rythmée par les offices religieux. Le château lui-même n'était pas grand ; mais Philippe le Bel en appréciait le calme.

« C'est là que je prends conseil de moi », avait-il déclaré un jour.

Il y habitait avec sa famille et une cour réduite.

Isabelle était arrivée l'après-midi, au terme de son voyage. Elle avait abordé ses trois belles-sœurs, Marguerite, Jeanne et Blanche, avec un visage parfaitement souriant, et répondu d'un ton de circonstance à leurs paroles d'accueil.

Le souper avait été bref. Et maintenant Isabelle était enfermée tête-à-tête avec son père dans la pièce où il aimait à s'isoler. Le roi Philippe l'observait de ce regard glacé dont il contemplait toute créature humaine, fût-ce sa propre enfant. Il attendait qu'elle parlât ; elle n'osait pas. « Je vais lui faire tant de mal », pensait-elle. Et soudain, à cause de cette présence, de ce parc, de ces arbres, de ce silence, il vint à Isabelle une grande bouffée de souvenirs d'enfance, en même temps que de pitié pour elle-même.

« Mon père, dit-elle, mon père, je suis malheureuse. Ah ! comme la France me semble loin depuis que je suis reine d'Angleterre ! Et comme j'ai le regret des jours qui ne sont plus ! »

Elle eut à se défendre contre la tentation des larmes.

« Est-ce pour m'informer de ceci, Isabelle, que vous avez entrepris ce long voyage ? demanda le roi d'une voix sans chaleur.

— Si ce n'est à mon père, à qui dirai-je que je n'ai pas de bonheur ? » répondit-elle.

Le roi regarda la fenêtre, maintenant obscure, et dont le vent faisait vibrer les vitraux ; puis il regarda les chandelles, puis le feu.

« Le bonheur... dit-il lentement. Qu'est-ce donc que le bonheur, ma fille, sinon de convenir à notre destinée ? »

Ils étaient assis face à face sur des sièges de chêne.

« Je suis reine, il est vrai, dit-elle à voix basse. Mais est-ce qu'on me traite en reine là-bas ?

— Vous fait-on du tort ? »

Il avait mis peu de surprise dans sa question, sachant trop ce qu'elle allait répondre.

« Ignorez-vous à qui vous m'avez mariée ? dit-elle. Est-ce un mari, celui qui déserte mon lit depuis le premier jour ? A qui ni les soins, ni les égards, ni les sourires qui lui viennent de moi, n'arrachent un mot ? Qui me fuit comme si j'étais affligée de la lèpre et distribue, non pas même à des favorites, mais à des hommes, mon père, à des hommes, les faveurs qu'il m'a ôtées ? »

Philippe le Bel connaissait tout cela depuis longtemps, et depuis longtemps aussi sa réponse était prête.

« Je ne vous ai point mariée à un homme, Isabelle, mais à un roi. Je ne vous ai point sacrifiée par erreur. Est-ce à vous que je dois apprendre ce que nous devons à nos Etats, et que nous ne sommes point nés pour nous laisser aller à nos douleurs de personnes ? Nous ne vivons point nos propres vies, mais celles de nos royaumes, et c'est par là seulement que nous pouvons trouver notre contentement... si nous convenons à notre destinée. »

En parlant, il s'était rapproché du chandelier. La lumière accusait les reliefs ivoirins de son beau visage.

« Je n'aurais pu aimer qu'un homme qui lui ressemblât, pensa Isabelle. Et jamais je n'aimerai, car jamais je ne trouverai d'homme à sa semblance. »

Puis à haute voix :

« Ce n'est point pour pleurer sur mes maux que je suis venue en France, mon père. Mais je suis aise que vous m'ayez rappelé ce respect de soi qui convient aux personnes royales, et aussi que le bonheur n'est point ce que nous devons poursuivre. J'aimerais seulement qu'autour de vous chacun en pensât autant.

— Pourquoi êtes-vous venue ? »

Elle prit son souffle :

« Parce que mes frères ont épousé des garces, mon père, que je l'ai su, et que je suis aussi âpre que vous à défendre l'honneur. »

Philippe le Bel soupira.

« Vous n'aimez pas, je le sais, vos belles-sœurs. Mais ce qui vous en sépare...

— Ce qui m'en sépare, mon père, c'est l'honnêteté. Je sais des choses que l'on vous a cachées. Ecoutez-moi, car je ne vous apporte point seulement des mots. Connaissez-vous le jeune messire Gautier d'Aunay ?

— Ils sont deux frères que je confonds toujours. Leur père fut avec moi en Flandre. Celui dont vous me parlez a épousé une Montmorency, n'est-il pas vrai ? Et il est à mon fils Poitiers, comme écuyer...

— Il est également à votre bru Blanche, mais d'une autre façon. Son frère cadet Philippe, qui est à mon oncle Valois...

— Oui, dit le roi, oui... »

Un léger pli horizontal partageait son front ordinairement dépourvu de toute ride.

« ... Eh bien ! celui-là est à Marguerite, que vous avez choisie pour être un jour reine de France. Quant à Jeanne, on ne lui nomme pas d'amant ;

mais on sait au moins qu'elle couvre les plaisirs de sa sœur et de sa cousine, protège les visites de leurs galants à la tour de Nesle, et s'acquitte très bien d'un métier qui a un fort vieux nom... Et apprenez que toute la cour en parle, sauf à vous. »

Philippe le Bel leva la main.

« Vos preuves, Isabelle ?

— Vous les trouverez à la ceinture des frères d'Aunay. Vous y verrez pendre des aumônières que j'ai envoyées l'autre mois à mes belles-sœurs et que j'ai reconnues hier, sur ces gentilshommes, dans l'escorte qui m'a menée ici. Je ne m'offense pas du peu de cas que vos brus font de mes présents. Mais de tels joyaux accordés à des écuyers ne peuvent être que le paiement d'un service. Cherchez le service. S'il vous faut d'autres faits, je crois pouvoir facilement vous les fournir. »

Philippe le Bel regardait sa fille.

Elle avait porté son accusation sans hésiter, sans faiblir, avec au fond des yeux quelque chose de déterminé, d'irréductible où il se retrouvait. Elle était vraiment sa fille.

Il se leva, et resta un long moment debout devant la fenêtre.

« Venez, dit-il enfin. Allons chez elles. »

Il ouvrit la porte, traversa une pièce sombre, poussa une seconde porte qui donnait sur le chemin de ronde. D'un coup, le vent de la nuit les enveloppa, faisant battre et flotter derrière eux leurs amples vêtements. De courtes rafales secouaient les ardoises du toit. D'en bas, montait l'odeur de la terre humide. Devant les pas du roi et de sa fille, des archers se levaient le long des créneaux.

Les trois brus avaient leurs appartements dans l'autre aile du château de Maubuisson. Quand il se trouva devant la porte des princesses, Philippe le Bel s'arrêta un instant. Il écouta. Des rires et de petits cris de joie lui parvenaient à travers le vantail de chêne. Il regarda Isabelle.

« Il faut », dit-il.

Isabelle inclina la tête sans répondre. Le roi ouvrit la porte.

Marguerite, Jeanne et Blanche poussèrent un cri de surprise, et leurs rires se cassèrent net.

Elles étaient en train de jouer avec des marionnettes ; elles reconstituaient une scène inventée par elles et qui, réglée par un maître jongleur, les avait fort diverties un jour, à Vincennes, mais dont le roi s'était irrité.

Les marionnettes étaient faites à l'image des principaux personnages de la cour. Le petit décor représentait la chambre du roi où celui-ci figurait, couché dans un lit paré d'un drap d'or. Mgr de Valois frappait à la porte et demandait à parler à son frère. Hugues de Bouville, le grand chambellan, répondait que le roi ne voulait parler à personne, et avait défendu qu'on le dérangeât. Mgr de Valois s'en repartait tout en colère. Venaient ensuite cogner à l'huis les marionnettes de Louis de Navarre et du prince Charles. Bouville faisait aux fils du roi la même réponse. Enfin, précédé de trois sergents massiers, se présentait Enguerrand de Marigny ; aussitôt on lui ouvrait la porte tout grand, en lui disant : « Monseigneur, soyez le bienvenu. Le roi a désir de vous voir. »

Cette satire avait paru déplacée à Philippe le Bel ; il avait interdit qu'on la répétât. Mais les jeunes princesses passaient outre, en secret, y prenant d'autant plus de plaisir que c'était amusement défendu.

Elles variaient le texte et renchérissaient de trouvailles et de moqueries, surtout quand elles maniaient les marionnettes qui représentaient leurs maris.

Elles furent, à l'entrée du roi et d'Isabelle, comme trois écolières prises en faute. En hâte, Marguerite ramassa un surcot qui traînait sur un siège et le revêtit pour couvrir sa gorge trop dénudée. Blanche releva ses tresses qu'elle avait dérangées en simulant le courroux de l'oncle Valois.

Jeanne, qui gardait le mieux son calme, dit vivement :

« Nous avons fini, Sire, nous avons juste fini ; mais vous auriez pu tout entendre sans qu'il y eût motif à vous courroucer. Nous allons tout ranger. »

Elle frappa dans ses mains.

« Holà ! Beaumont, Comminges, mes bonnes...

— Inutile d'appeler vos dames », dit brièvement le roi.

Il avait à peine regardé leur jeu ; il les regardait, elles. La plus jeune, Blanche, avait dix-huit ans, les deux autres vingt et un. Il les avait vues grandir, embellir, depuis qu'elles étaient arrivées, chacune environ sa douzième ou treizième année, pour épouser l'un de ses fils. Mais elles ne semblaient pas avoir acquis plus de cervelle qu'elles n'en possédaient alors. Elles jouaient encore avec des marionnettes... Se pouvait-il qu'Isabelle eût dit vrai ? Se pouvait-il que si grande malice de femme logeât dans ces êtres-là, qui lui semblaient toujours des enfants ? « Peut-être, pensa-t-il, je ne connais rien aux femmes. »

« Où sont vos époux ? demanda-t-il.

— Dans la salle d'armes, Sire mon père, dit Jeanne.

— Vous le voyez, je ne suis pas venu seul, reprit-il. Vous dites souvent que votre belle-sœur ne vous aime point. Et pourtant on me rapporte qu'elle vous a fait à chacune un fort beau présent... »

Isabelle vit comme une lueur s'éteindre dans les yeux de Marguerite et de Blanche.

« Voulez-vous, poursuivit lentement Philippe le Bel, me montrer ces aumônières que vous avez reçues d'Angleterre ? »

Le silence qui suivit sépara le monde en deux. Il y avait d'un côté le roi de France, la reine d'Angleterre, la cour, les barons, les royaumes ; et puis, de l'autre, trois femmes fautives et découvertes pour lesquelles commençait un long cauchemar .

« Eh bien mes filles ! dit le roi. Pourquoi ne répondez-vous ? »

Il continuait de les regarder fixement, de ses yeux immenses, dont les paupières ne battaient pas.

« J'ai laissé mon aumônière à Paris, dit Jeanne.

— Moi de même, moi de même », dirent aussitôt les deux autres.

Philippe le Bel, lentement, se dirigea vers la porte. Ses belles-filles, blêmes, observaient ses gestes.

La reine Isabelle s'était adossée au mur, et respirait à petits coups.

Le roi dit, sans se retourner :

« Puisque ces aumônières sont à Paris, nous enverrons deux écuyers les prendre sur-le-champ. »

Il ouvrit la porte, appela un homme de garde et lui commanda d'aller quérir les frères d'Aunay.

Blanche n'y résista pas. Elle se laissa choir sur un tabouret, la tête vidée de sang, le cœur arrêté, et son front s'inclina de côté, comme si elle défaillait. Jeanne la secoua par le bras pour l'obliger à se ressaisir.

Marguerite, de ses petites mains brunes, tordait machinalement le cou d'une marionnette.

Isabelle ne bougeait pas. Elle sentait sur elle les regards de Marguerite et de Jeanne ; son rôle de délatrice lui devenait lourd à porter. Elle éprouva soudain une grande fatigue. « J'irai jusqu'au bout », pensa-t-elle.

Les frères d'Aunay entrèrent, empressés, confus, se bousculant presque dans leur désir de bien servir et de se faire valoir.

Isabelle étendit la main.

« Mon père, dit-elle, ces gentilshommes semblent avoir prévenu votre souhait, puisque voici qu'ils apportent, pendues à leurs ceintures, les aumônières que vous demandiez à voir. »

Philippe le Bel se tourna vers ses brus.

« Pouvez-vous me faire connaître comment ces écuyers se trouvent pourvus des présents que vous a faits votre belle-sœur ? »

Aucune ne répondit.

Philippe d'Aunay regarda Isabelle avec étonnement, tel un chien qui ne comprend pas pourquoi on le bat, puis tourna les yeux vers son aîné, en cherchant protection. Gautier avait la bouche en-trouverte.

« Gardes ! Au roi ! » cria Philippe le Bel.

Sa voix fit passer le froid dans l'échine des assistants, et se répercuta, insolite, terrible, à travers le château et la nuit. Depuis plus de dix ans, depuis la bataille de Mons-en-Pévèle exacte-ment, où il avait rameuté ses troupes et forcé la victoire, on ne l'avait jamais entendu crier, et l'on ne se rappelait plus qu'il pût avoir cette force dans la gorge. Ce furent d'ailleurs les seuls mots qu'il prononça ainsi.

« Appelez votre capitaine », dit-il à l'un des hommes qui accouraient.

Aux autres, il commanda de se tenir sur la porte. On entendit une lourde galopade le long du chemin de ronde, et, un moment après, mes-sire Alain de Pareilles entra, tête nue, achevant de se harnacher.

« Messire Alain, lui dit le roi, saisissez-vous de ces deux écuyers. Au cachot et aux fers. Ils au-ront à répondre devant ma justice. »

Gautier d'Aunay voulut s'élancer.

« Sire, balbutia-t-il, Sire...

— Il suffit, dit Philippe le Bel. C'est à messire de Nogaret que vous devrez parler à présent... Messire Alain, reprit-il, les princesses seront gar-dées ici par vos hommes jusqu'à nouvel avis. Défense à elles de sortir. Défense à quiconque, à leurs servantes, à leurs parents, même à leurs époux, de pénétrer céans, ou de parler avec elles. Vous m'en répondrez. »

Si surprenants que fussent ces ordres, Alain de Pareilles les entendit sans broncher. Rien ne pouvait étonner l'homme qui avait arrêté le grand-maître des Templiers. La volonté du roi était sa seule loi.

« Allons, messires », dit-il aux deux frères en leur désignant la porte.

Gautier, se mettant en marche, murmura :

« Prions Dieu, Philippe ; tout est fini... »

Leurs pas, couverts par ceux des hommes d'armes, décrurent sur les dalles.

Marguerite et Blanche écoutèrent ce roulement de semelles qui emportait leurs amours, leur honneur, leur fortune, leur vie tout entière. Jeanne se demandait si elle parviendrait jamais à se disculper. Marguerite, brusquement, jeta dans le feu la marionnette déchirée. Blanche, de nouveau, était au bord de s'évanouir.

« Viens, Isabelle », dit le roi.

Ils sortirent. La jeune reine d'Angleterre avait vaincu ; mais elle se sentait lasse, et étrangement émue parce que son père lui avait dit : « Viens, Isabelle. » C'était la première fois qu'il la tutoyait depuis le temps de sa petite enfance.

Ils reprirent, l'un suivant l'autre, le chemin de ronde. Le vent d'est poussait dans le ciel d'énormes nuages sombres. Le roi repassa par son cabinet, se saisit du chandelier d'argent, et partit à la recherche de ses fils. Sa grande ombre s'enfonça dans un escalier à vis. Son cœur lui semblait pesant, et il ne sentait pas les gouttes de cire qui coulaient sur ses doigts.

VIII

MAHAUT DE BOURGOGNE

Vers le milieu de la même nuit, deux cavaliers, qui avaient fait partie de l'escorte d'Isabelle, s'éloignèrent du château de Maubuisson. C'étaient Robert d'Artois et son serviteur Lormet, à la fois valet, confident, compagnon d'armes et de route, et fidèle exécuteur de toutes besognes.

Transfuge, pour quelque pendable raison, de la maison des comtes de Bourgogne, Lormet le Dolois, depuis que Robert se l'était attaché, n'avait pratiquement pas quitté ce dernier d'une minute ni d'une semelle. C'était merveille que de voir ce petit homme rond, râblé et déjà grisonnant, s'inquiéter en toute occasion de son jeune géant de maître, et le suivre pas à pas pour le seconder en toute entreprise, comme il l'avait fait récemment dans le guet-apens tendu aux frères d'Aunay.

Le jour se levait lorsque les deux cavaliers ar-

rivèrent aux portes de Paris. Ils mirent au pas
leurs chevaux fumants, et Lormet bâilla une
bonne dizaine de fois. A cinquante ans passés, il
résistait mieux qu'un jeune écuyer aux longues
courses à cheval, mais le manque de sommeil
l'accablait.

Sur la place de Grève se faisait le rassemblement habituel des manœuvres en quête de travail. Contremaîtres des chantiers du roi et pa-
trons mariniers circulaient entre les groupes pour
embaucher aides, débardeurs, et commission-
naires. Robert d'Artois traversa la place et s'engagea dans la rue Mauconseil où habitait sa tante,
Mahaut d'Artois.

« Vois-tu, Lormet, dit le géant, je veux que
cette chienne trop grasse entende son malheur
de ma propre bouche. Voici un grand moment
de plaisir, en ma vie, qui s'approche. Je veux
voir la mauvaise gueule de ma tante, lorsque
je vais lui conter ce qui se passe à Maubuisson. Et je veux qu'elle vienne à Pontoise ; et je
veux qu'elle aide à sa ruine en allant braire
devant le roi, et je veux qu'elle en crève de
dépit. »

Lormet bâilla un bon coup.

« Elle crèvera, Monseigneur, elle crèvera, soyez-
en sûr, vous faites bien tout ce qu'il faut pour
cela », dit-il.

Ils atteignaient l'imposant hôtel des comtes
d'Artois.

« N'est-ce point vilenie qu'elle soit à se gober-
ger en ce gros logis que mon grand-père a fait
bâtir ! reprit Robert. C'est moi qui devrais y vivre !

— Vous y vivrez, Monseigneur, vous y vivrez.

— Et je t'en ferai concierge, avec cent livres par an.

— Merci, Monseigneur », répondit Lormet comme s'il avait déjà la haute fonction, et l'argent en poche.

D'Artois sauta au bas de son percheron, lança la bride à Lormet, et saisit le heurtoir dont il frappa quelques coups à fendre la porte.

Le battant clouté s'ouvrit, livrant passage à un gardien de belle taille, fort éveillé, et qui tenait à la main une masse grosse comme le bras.

« Qui va là ? » demanda le gardien, indigné d'un pareil vacarme.

Mais Robert d'Artois le poussa de côté et pénétra dans l'hôtel. Une dizaine de valets et de servantes s'affairaient au nettoyage matinal des cours, des couloirs et des escaliers. Robert, bousculant tout le monde, gagna l'étage des appartements.

« Holà ! »

Un valet accourut, tout effaré, un seau à la main.

« Ma tante, Picard ! Il me faut voir ma tante dans l'instant. »

Picard, la tête plate et le cheveu rare, posa son seau et répondit :

« Elle mange, Monseigneur.

— Eh bien ! je n'en suis point dérangé ! Préviens-la de ma venue, et fais vite ! »

S'étant rapidement composé une mine de douleur et d'émotion, Robert d'Artois suivit le valet jusqu'à la chambre.

Mahaut, comtesse d'Artois, pair du royaume, ex-régente de Franche-Comté, était une puissante femme entre quarante et quarante-cinq ans, à la

carcasse haute et solide, aux flancs massifs. Son
visage, au masque engraissé, donnait une impression de force et de volonté. Elle avait le front
large et bombé, le cheveu encore bien châtain,
la lèvre un peu trop duvetée, la bouche rouge.

Tout était grand chez cette femme, les traits,
les membres, l'appétit, les colères, l'avidité à pos-
séder, les ambitions, le goût du pouvoir. Avec
l'énergie d'un homme de guerre et la ténacité
d'un légiste, elle menait sa cour d'Arras comme
elle avait mené sa cour de Dole, surveillant l'administration de ses territoires, exigeant l'obéissance de ses vassaux, ménageant la force d'autrui, mais frappant sans pitié l'ennemi découvert.

Douze ans de lutte avec son neveu lui avaient
appris à le bien connaître. Chaque fois qu'une difficulté survenait, chaque fois que les seigneurs
d'Artois regimbaient, chaque fois qu'une ville
protestait contre l'impôt, Mahaut ne tardait pas à
déceler quelque action de Robert, en sous main.

« C'est un loup sauvage, un grand loup cruel
et faux, disait-elle en parlant de lui. Mais je suis
plus solide de tête, et il finira par se briser lui-
même à force d'en trop faire. »

Ils se parlaient à peine depuis de longs mois et
ne se voyaient que par obligation, à la cour.

Ce matin-là, assise devant une petite table dressée au pied de son lit, la comtesse Mahaut mâ-
chait, tranche après tranche, un pâté de lièvre
qui constituait le début de son menu de réveil.

De même que Robert s'appliquait à feindre
l'émoi et le chagrin, elle s'appliqua, quand elle le
vit entrer, à feindre le naturel et l'indifférence.

« Eh ! Vous voilà bien vif à l'aurore, mon neveu. Vous arrivez comme la tempête ! D'où vient cette hâte ?

— Madame ma tante, s'écria Robert, tout est perdu ! »

Sans changer d'attitude, Mahaut s'arrosa tranquillement le gosier d'une pleine timbale de vin d'Arbois, à la belle couleur de rubis, et qu'elle préférait à tout autre.

« Qu'avez-vous perdu, Robert ? Un autre procès ? demanda-t-elle.

— Ma tante, je vous jure que ce n'est point l'instant de nous iarder de traits. Le malheur qui s'abat sur notre famille ne souffre pas qu'on plaisante.

— Quel malheur pour l'un de nous pourrait être un malheur pour l'autre ? dit Mahaut avec un calme cynisme.

— Ma tante, nous sommes dans la main du roi. »

Mahaut laissa paraître un peu d'inquiétude dans son regard. Elle se demandait quel piège on pouvait bien lui tendre, et ce que signifiait tout ce préambule.

D'un geste qui lui était familier, elle retroussa ses manches sur ses avant-bras fort gras et charnus. Puis elle plaqua la main sur la table et appela :

« Thierry !

— Je ne saurais parler devant personne d'autre que vous, s'écria Robert. Ce que je viens vous apprendre touche à notre honneur.

— Bah ! Tu peux tout dire devant mon chancelier. »

Elle se méfiait et voulait un témoin.

Un court instant, ils se mesurèrent du regard,

elle attentive, lui se délectant de la comédie qu'il jouait. « Appelle donc ton monde, pensait-il. Appelle, et que chacun entende. »

C'était chose singulière que de voir s'observer, se jauger, s'affronter ces deux êtres qui avaient tant de traits en commun, ces deux taureaux de même espèce et de même sang, qui se ressemblaient si fort et se détestaient si bien.

La porte s'ouvrit et Thierry d'Hirson parut. Chanoine capitulaire de la cathédrale d'Arras, chancelier de Mahaut et un peu aussi son amant, ce petit homme bouffi, au visage rond, au nez pointu et blanc, ne manquait pas d'assurance ni d'autorité.

Il salua Robert et lui dit, le regardant pardessous les paupières, ce qui le forçait à tenir la tête très en arrière :

« C'est chose rare que votre visite, Monseigneur.

— Mon neveu a, paraît-il, un grave malheur à m'apprendre, dit Mahaut.

— Hélas ! » fit Robert en se laissant choir sur un siège.

Il prit un temps ; Mahaut commençait à trahir quelque impatience.

« Nous avons eu ensemble des différends, ma tante... reprit-il.

— Bien plus, mon neveu ; de très vilaines querelles, et qui se sont terminées sans avantage pour vous.

— Certes, certes, et Dieu m'est témoin que je vous ai souhaité tout le mal possible. »

Il reprenait sa ruse favorite, la bonne grosse franchise avec l'aveu de ses mauvaises intentions, pour dissimuler l'arme qu'il tenait en main.

« Mais jamais je ne vous aurais souhaité cela, continua-t-il. Car vous me savez bon chevalier, et ferme sur tout ce qui touche à l'honneur.

— Mais qu'est-ce, à la fin ? Parle donc ! s'écria Mahaut.

— Vos filles, mes cousines, sont convaincues d'adultère, et arrêtées sur l'ordre du roi, et Marguerite avec elles. »

Mahaut n'accusa pas tout de suite le coup. Elle n'y croyait pas.

« De qui tiens-tu cette fable ?

— De moi-même, ma tante ; et toute la cour à Maubuisson en sait autant. Cela s'est passé à la nuit tombée. »

Il prit plaisir à user les nerfs de Mahaut, ne lui livrant l'affaire que bribe après bribe, ou tout au moins ce qu'il voulait lui en laisser savoir.

« Ont-elles avoué ? demanda Thierry d'Hirson, toujours regardant par-dessous ses paupières.

— Je ne sais, répondit Robert. Mais les jeunes d'Aunay sont, en ce moment, en train d'avouer pour elles entre les mains de votre ami Nogaret.

— Mon ami Nogaret... répéta lentement Thierry d'Hirson. Seraient-elles innocentes, avec lui elles sortiront plus noires que la poix.

— Ma tante, reprit Robert, j'ai fait en pleine nuit les dix lieues de Pontoise à Paris pour venir vous avertir, car personne ne songeait à le faire. Croyez-vous encore que ce soient de mauvais sentiments qui m'amènent ? »

Mahaut observa son neveu un instant, et dans le drame où elle se trouvait, pensa : « Peut-être est-il capable parfois d'un bon mouvement. »

Puis, d'un ton bourru, elle lui dit :

« Veux-tu manger ? »

A ce seul mot, Robert comprit qu'elle était vraiment frappée.

Il saisit sur la table un faisan froid qu'il rompit en deux, avec les mains, et dans lequel il commença de mordre. Soudain, il vit sa tante changer étrangement de couleur. D'abord le haut de sa gorge, au-dessus de la robe bordée d'hermine, devint rouge écarlate, puis le cou, puis le bas du visage. On voyait le sang lui envahir la face, atteindre le front et le faire virer au cramoisi. La comtesse Mahaut porta la main à sa poitrine.

« Nous y sommes, pensa Robert. Elle en crève. Elle va crever ! »

Il fut bientôt déçu, car la comtesse se dressa, balayant d'un grand geste du bras pâté de lièvre, timbales et plats d'argent qui allèrent rouler au sol avec fracas.

« Les garces ! hurla-t-elle. Après tout ce que j'ai fait pour elles, après les mariages que je leur ai arrangés... Se faire pincer comme des ribaudes. Eh bien ! qu'elles perdent tout ! Qu'on les enferme, qu'on les empale, qu'on les pende ! »

Le chanoine-chancelier ne bougeait pas. Il avait l'habitude des fureurs de la comtesse.

« Voyez-vous, c'est tout juste ce que je pensais, ma tante, dit Robert, la bouche pleine. C'est bien mal vous remercier de toute votre peine...

— Il faut que j'aille à Pontoise sur l'heure, dit Mahaut sans l'entendre. Il faut que je les voie et leur souffle ce qu'elles doivent répondre.

— Je doute que vous y parveniez, ma tante. Elles sont au secret, et nul ne peut...

— Alors, je parlerai au roi. Béatrice ! Béatrice ! » appela-t-elle.

Une tenture se souleva ; une grande fille d'une vingtaine d'années, brune, la poitrine ronde et ferme, la hanche marquée, la jambe longue, entra sans se presser. Dès qu'il l'aperçut, Robert d'Artois se sentit de l'appétit pour elle.

« Béatrice, tu as tout entendu, n'est-ce pas ? demanda Mahaut.

— Oui... Madame... répondit la jeune fille d'une voix un peu narquoise, qui traînait sur la fin des mots. J'étais derrière la porte... comme de coutume... »

Cette curieuse lenteur qu'elle avait dans la voix, dans les gestes, elle l'avait aussi dans la manière de se déplacer et de regarder. Elle donnait une impression de mollesse onduleuse et d'anormale placidité ; mais l'ironie lui brillait aux yeux, entre de longs cils noirs. Le malheur des autres, leurs luttes et leurs drames devaient sûrement la réjouir.

« C'est la nièce de Thierry, dit Mahaut à Robert, en la désignant. J'en ai fait ma première demoiselle de parage. »

Béatrice d'Hirson dévisageait Robert d'Artois avec une sournoise impudeur. Elle était visiblement curieuse de connaître ce géant dont elle avait tant entendu parler comme d'un être malfaisant.

« Béatrice, reprit Mahaut, fais atteler ma litière et seller six chevaux. Nous partons pour Pontoise. »

Béatrice continuait de regarder Robert dans les yeux, et l'on eût pu croire qu'elle n'avait pas écouté. Il y avait chez cette belle fille quelque chose d'irritant et de trouble. Elle établissait avec les hommes, dès le premier abord, une relation d'immédiate complicité, comme si elle ne devait leur opposer aucune résistance. Mais en même temps, elle leur faisait se demander si elle était complètement stupide ou si elle se moquait paisiblement d'eux.

« Belle gueuse... J'en ferais bien mon passe-temps d'un soir », pensa Robert tandis qu'elle sortait sans hâte.

Du faisan, il ne restait qu'un os qu'il jeta dans le feu. A présent, Robert avait soif. Il prit sur une crédence l'aiguière dont Mahaut s'était servie, et se versa une grande rasade dans la gorge.

La comtesse marchait de long en large, retroussant ses manches.

« Je ne vous laisserai pas seule de ce jour, ma tante, dit d'Artois. Je vous accompagne. C'est un devoir de famille. »

Mahaut leva les yeux vers lui, encore un peu soupçonneuse. Puis elle se décida enfin à lui tendre les mains.

« Tu m'as été souvent à nuisance, Robert, et je gage que tu me le seras encore. Mais aujourd'hui, je dois le reconnaître, tu te conduis comme un brave garçon. »

IX

LE SANG DES ROIS

Dans la cave longue et basse du vieux château de Pontoise, où Nogaret venait d'interroger les frères d'Aunay, le jour commençait à pénétrer faiblement. Un coq chanta, puis deux, et un vol de passereaux fila au ras des soupiraux que l'on avait ouverts pour renouveler l'air. Une torche fixée au mur grésillait, ajoutant son odeur âcre à celle des corps torturés. Guillaume de Nogaret dit, d'une voix lasse :

« La torche. »

L'un des bourreaux se détacha du mur où il s'appuyait pour se reposer, et alla prendre dans un coin de la cave une torche neuve ; il l'enflamma aux braises d'un trépied où rougissaient les fers, maintenant inutiles, de la torture. Il ôta de son support la torche usée qu'il éteignit, et la remplaça par la torche neuve. Puis il regagna sa

place, auprès de son compagnon. Les deux « tourmenteurs », comme on les appelait, avaient les
yeux cernés de rouge par la fatigue. Leurs avant-
bras musclés et velus, maculés de sang, pendaient le long de leurs tabliers de cuir. Ils sentaient fort.

Nogaret se leva du tabouret sur lequel il était
resté assis pendant l'interrogatoire, et sa silhouette maigre se doubla d'une ombre tremblante
sur les pierres grisâtres.

De l'extrémité de la cave venait un halètement
coupé de sanglots ; les frères d'Aunay gémis-
saient d'une seule voix.

Nogaret se pencha sur eux. Les deux visages
avaient une étrange ressemblance. La peau était
du même gris, avec des traînées humides, et les
cheveux, collés par la sueur et le sang, révélaient
la forme des crânes. Un tressaillement accompagnait la plainte continue qui sortait des lèvres
déchirées.

Gautier et Philippe d'Aunay avaient été des enfants, puis de jeunes hommes heureux. Ils avaient
vécu pour leurs désirs et leurs plaisirs, leurs ambitions, leurs vanités. Ils s'étaient, comme tous
les garçons de leur rang, entraînés au métier des
armes ; mais ils n'avaient jamais souffert que
de petits maux ou de ceux que s'invente l'esprit. Hier encore, ils faisaient partie du cortège
de la puissance, et toutes les espérances leur
semblaient légitimes. Une seule nuit avait
passé ; ils n'étaient plus rien maintenant que des
bêtes brisées, et, s'ils pouvaient encore souhai-
ter quelque chose, ils souhaitaient l'anéantisse-
ment.

Sans qu'aucune pitié non plus qu'aucun dégoût

se marquassent sur ses traits, Nogaret observa un moment les deux jeunes gens, se redressa. La souffrance des autres, le sang des autres, les insultes de ses victimes, leur haine ou leur désespoir, ne l'atteignaient pas. Cette insensibilité qui était une disposition naturelle l'aidait à servir les intérêts supérieurs du royaume. Il avait la vocation du bien public comme d'autres ont la vocation de l'amour.

Une vocation, c'est le nom noble d'une passion. Cette âme de plomb et de fer ne connaissait ni doute ni limites lorsqu'il s'agissait de satisfaire à la raison d'État. Les individus comptaient pour rien à ses yeux, et lui-même se comptait pour peu.

Il y a dans l'Histoire une singulière lignée, toujours renouvelée, de fanatiques de l'ordre. Voués à une idole abstraite et absolue, pour eux les vies humaines ne sont d'aucune valeur si elles attentent au dogme des institutions ; et l'on dirait qu'ils ont oublié que la collectivité qu'ils servent est composée d'hommes.

Nogaret torturant les frères d'Aunay n'entendait pas leurs plaintes ; il réduisait des causes de désordre.

« Les Templiers ont été plus durs », dit-il seulement.

Encore n'avait-il eu pour l'assister que les tourmenteurs locaux et non ceux de l'Inquisition de Paris.

Ses reins étaient lourds et une douleur lui barrait le dos. « C'est le froid », pensa-t-il.

Il fit fermer les soupiraux et s'approcha du trépied où la braise vivait encore. Il étendit les mains, les frotta l'une contre l'autre, puis se massa les reins en grognant.

Les deux tourmenteurs, toujours appuyés au mur, semblaient somnoler.

A la table étroite, où il avait écrit lui-même toute la nuit — car le roi avait souhaité qu'il n'eût pas de secrétaire ni de greffier — il collationna les feuillets de l'interrogatoire, les rangea dans une chemise de vélin. Puis, avec un soupir, il se dirigea vers la porte et sortit.

Alors les tourmenteurs vinrent à Gautier et à Philippe d'Aunay qu'ils essayèrent de mettre debout. Comme ils ne pouvaient y parvenir, ils prirent dans leurs bras, ainsi qu'on prend des enfants malades, ces corps qu'ils avaient torturés et les portèrent jusqu'au cachot voisin.

Le vieux château de Pontoise, qui ne servait plus que de capitainerie et de prison, se trouvait à une demi-lieue environ de la résidence royale de Maubuisson. Nogaret franchit cette distance à pied, escorté de deux sergents de la prévôté. Il marchait rapidement, dans l'air froid du matin chargé des parfums de la forêt humide.

Sans répondre au salut des archers, il traversa la cour de Maubuisson et pénétra dans le logis, n'accordant attention ni aux chuchotements sur son passage, ni aux airs de veillée mortuaire des chambellans et des gentilshommes dans la salle des gardes.

« Le roi », demanda-t-il.

Un écuyer se précipita pour le guider vers les appartements, et le garde des Sceaux se trouva face à face avec la famille royale.

Philippe le Bel était assis, le coude appuyé au bras de son siège, le menton dans la main. Des poches bleues se dessinaient sous ses yeux. Auprès de lui se tenait Isabelle ; les deux nattes do-

rées qui encadraient son visage en accentuaient
la dureté. Elle était l'ouvrière du malheur. Elle
partageait au regard des autres la responsabilité
du drame et, par cet étrange lien qui unit le délateur au coupable, elle se sentait presque en accusation.

Mgr de Valois tapotait nerveusement le bord
d'une table et balançait la tête comme si quelque
chose l'eût gêné au col. Le second frère du roi,
ou plus précisément son demi-frère, Mgr Louis de
France, comte d'Evreux, au maintien calme, aux
vêtements sans éclat, était présent également.

Enfin se trouvaient groupés, dans leur commune infortune, les principaux intéressés, les
trois fils du roi, les trois époux, sur lesquels venait de s'abattre la catastrophe en même temps
que le ridicule : Louis de Navarre, secoué de
quintes nerveuses ; Philippe de Poitiers roidi par
l'effort de calme qu'il s'imposait ; Charles enfin,
ses beaux traits adolescents ravagés par le premier chagrin.

« Est-ce chose avouée, Nogaret ? demanda Philippe le Bel.

— Hélas ! Sire, c'est chose honteuse, affreuse
et avouée.

— Faites-nous lecture. »

Nogaret ouvrit la chemise de vélin et commença :

« — Nous, Guillaume de Nogaret, chevalier,
« secrétaire général du royaume et gardien des
« Sceaux de France par la grâce de notre bien-
« aimé Sire, le roi Philippe quatrième, avons, sur
« l'ordre d'icelui, ce jour, vingt-cinquième d'avril
« mille trois cent quatorze, entre minuit et prime,
« au château de Pontoise, ouï sous la question

« donnée avec l'assistance des tourmenteurs de
« la prévôté de ladite ville les sires Gautier d'Au-
« nay, bachelier de Mgr Philippe, comte de Poi-
« tiers, et Philippe d'Aunay, écuyer de Mgr Char-
« les, comte de Valois... »

Nogaret aimait le travail bien fait. Certes, les
deux d'Aunay avaient d'abord nié ; mais le garde
des Sceaux avait une manière de conduire les interrogatoires devant laquelle les scrupules de galanterie ne pouvaient tenir longtemps. Il avait
obtenu des jeunes gens des aveux complets et
circonstanciés. Le temps où les aventures des
princesses avaient commencé, les dates des rencontres, les nuits à la tour de Nesle, les noms des
serviteurs complices, et tout ce qui, pour les coupables, avait représenté passion, fièvre et plaisir,
était énuméré, consigné, détaillé, étalé dans les
minutes de l'interrogatoire.

Isabelle osait à peine regarder ses frères, et
eux-mêmes hésitaient à se regarder entre eux.
Pendant près de quatre ans, ils avaient été ainsi
bernés, roulés, enfarinés ; chaque parole de Nogaret les accablait de malheur et de honte.

L'énoncé des dates posait à Louis de Navarre
une question terrible : « Pendant les six premières années de notre mariage, nous n'avons pas
eu d'enfant. Il ne nous en est venu qu'après que
ce d'Aunay est entré dans le lit de Marguerite...
Alors la petite Jeanne... » Et il n'entendait plus
rien, parce qu'il ne faisait que se répéter, dans
un grand bourdonnement de sang qui lui bruissait aux oreilles : « Ma fille n'est pas de moi...
Ma fille n'est pas de moi... »

Le comte de Poitiers, lui, s'efforçait de ne rien
perdre de la lecture. Nogaret n'avait pu faire dire

aux frères d'Aunay que la comtesse de Poitiers ait eu un amant, ni leur arracher un nom. Or, après tout ce qu'ils avaient avoué, on pouvait bien penser que ce nom, s'ils l'avaient connu, cet amant, s'il avait existé, ils l'eussent livré. Que la comtesse Jeanne ait joué un rôle de complicité assez infâme n'était pas douteux... Philippe de Poitiers réfléchissait.

« — Considérant avoir suffisamment éclairé la « cause, et la voix des prisonniers devenant inau- « dible, nous avons décidé de clore la question, « pour en faire rapport au roi notre Sire. »

Le garde des Sceaux avait achevé. Il rangea ses feuillets et attendit.

Au bout de quelques instants, Philippe le Bel souleva le menton de dessus sa paume.

« Messire Guillaume, dit-il, vous nous avez clairement instruit de choses douloureuses. Quand nous aurons jugé, vous détruirez ceci... »

Il désigna la chemise de vélin.

« ... afin qu'il n'en demeure trace que dans le secret de nos mémoires. »

Nogaret s'inclina et sortit.

Il y eut un long silence, puis quelqu'un, soudain, cria :

« Non ! »

C'était le prince Charles qui s'était levé. Il répéta : « Non ! » comme si la vérité lui était impossible à admettre. Ses mains tremblaient ; ses joues étaient marbrées de rose, et il n'arrivait pas à retenir ses larmes.

« Les Templiers... dit-il, l'air égaré.

— Que dites-vous, Charles ? » demanda Philippe le Bel.

Il n'aimait pas qu'on rappelât ce souvenir trop

récent. Il avait encore dans l'oreille, comme chacun ici à l'exception d'Isabelle, la voix du grand-
maître... « Maudits jusqu'à la treizième génération de vos races... »

Mais Charles ne songeait pas à la malédiction.

« Cette nuit-là, bredouilla-t-il, cette nuit-là, ils
étaient ensemble.

— Charles, dit le roi, vous avez été un bien
faible époux ; feignez au moins d'être un prince
fort. »

Ce fut le seul mot de soutien que le jeune
homme reçut de son père.

Mgr de Valois n'avait encore rien dit, et c'était
pour lui une pénitence que de rester si longtemps silencieux. Il profita de l'instant pour ex-
ploser.

« Par le sang Dieu, s'écria-t-il, il se passe
d'étranges choses dans le royaume, et jusque sous
le toit du roi ! La chevalerie se meurt, Sire mon
frère, et tout honneur avec elle... »

Sur quoi il se lança dans une grande diatribe
dont l'enflure brouillonne était nourrie d'assez
de perfidie. Pour Valois, tout se tenait. Les
conseillers du roi, Marigny en tête, avaient voulu
abattre les ordres chevaleresques ; mais la bonne
morale s'écroulait du même coup. Les légistes
« nés dans le tout-venant » inventaient on ne sait
quel nouveau droit, tiré des institutes romaines,
pour remplacer le bon vieux droit féodal. Le résultat ne se laissait point attendre. Au temps des
croisades, les femmes demeuraient esseulées pendant de longues années ; elles savaient garder
l'honneur, et nul vassal ne se fût hasardé à le leur
ravir. Maintenant, tout n'était que honte et li-
cence. Comment ? Deux écuyers...

« L'un de ces écuyers appartient à votre hôtel, mon frère, dit sèchement le roi.

— Tout comme l'autre, mon frère, est bachelier [18] de votre fils », répliqua Valois en montrant le comte de Poitiers.

Celui-ci écarta ses longues mains.

« Chacun de nous, dit-il, peut être dupe de la créature à laquelle il a accordé foi.

— C'est bien pour ce, s'écria Valois qui tirait argument de tout, c'est bien pour ce qu'il n'est pire crime de vassal que d'entreprendre séduction et rapt d'honneur sur la femme de son suzerain. Les d'Aunay ont failli...

— Considérez-les pour morts, mon frère », interrompit le roi.

Il eut de la main un geste à la fois négligent et tranchant qui valait la plus longue sentence, et poursuivit :

« Ce qu'il nous faut régler, c'est le sort des princesses adultères... Souffrez, mon frère, que j'interroge d'abord mes fils... Parlez, Louis. »

Au moment d'ouvrir la bouche, Louis de Navarre fut pris d'une quinte de toux et deux plaques rouges lui vinrent aux pommettes. On respecta son étouffement. Lorsqu'il eut enfin repris souffle, il s'écria :

« On va dire bientôt que ma fille est une bâtarde. Voilà ce qu'on va dire ! Une bâtarde !

— Si vous êtes le premier à le clamer, Louis, répondit le roi, certes d'autres ne se priveront point de le répéter.

— En vérité... dit Charles de Valois qui n'avait pas encore songé à la chose, et dont le gros œil bleu brilla brusquement d'une bizarre lumière.

— Et pourquoi ne pas le crier, si cela est vrai ? reprit Louis, perdant tout contrôle.

— Taisez-vous, Louis... dit le roi de France en frappant sur l'accoudoir de son siège. Veuillez seulement dire votre conseil sur le châtiment qu'il faut réserver à votre épouse.

— Qu'on lui ôte la vie ! répondit le Hutin. A elle, et aux deux autres. Toutes trois. La mort, la mort, la mort ! »

Il répéta : « La mort », les dents serrées, et sa main dans le vide abattait des têtes.

Alors Philippe de Poitiers, ayant du regard demandé la parole à son père, dit :

« La douleur vous égare, Louis. Jeanne n'a point sur l'âme si gros péché que Marguerite et Blanche. Certes, elle est grandement coupable d'avoir servi leurs entraînements, et par cela elle a fort démérité. Mais messire de Nogaret n'a point obtenu de preuves qu'elle ait trahi le mariage.

— Faites-la donc tourmenter par lui, et vous verrez si elle n'avoue pas ! cria Louis. Elle a aidé à souiller mon honneur et celui de Charles ; si vous nous aimez, vous lui ferez même mesure qu'aux deux autres trompeuses. »

Philippe de Poitiers prit un temps.

« Votre honneur m'est cher, Louis, dit-il ; mais la Comté-Franche ne me l'est pas moins. »

Les assistants se regardèrent, et Philippe enchaîna :

« Vous avez la Navarre en propre, Louis, qui vous vient de notre mère ; vous êtes déjà roi, et vous aurez, le plus tard possible, à Dieu plaise, la France. Devers moi, je n'ai que Poitiers, que notre père m'a fait grâce de me donner, et je ne suis même pas pair de France. Mais par Jeanne ma

femme, je suis comte palatin de Bourgogne, et
sire de Salins dont les mines de sel produisent
le plus gros de mes revenus. Que donc Jeanne soit
close dans un couvent, pour le temps que se fasse
l'oubli, et pour toujours s'il est nécessaire à votre
honneur, c'est là ce que je propose ; mais qu'on
n'attente point à sa vie. »

Mgr Louis d'Evreux, qui s'était tu jusque-là,
approuva Philippe.

« Mon neveu a raison, et tant devant Dieu que
devant le royaume, dit-il d'une voix pénétrée mais
sans emphase. La mort est chose grave, dont
nous avons grand tourment, pour nous-mêmes,
et que nous ne devons pas décider pour autrui
dans la colère. »

Louis de Navarre lui jeta un mauvais regard.

Il y avait deux clans dans la famille, et cela de
longue date. Valois possédait l'affection de ses
neveux Louis et Charles, qui étaient faibles, in-
fluençables, et béaient un peu devant sa faconde,
sa vie d'aventures, et ses trônes perdus. Philippe
de Poitiers, en revanche, tenait du côté de son
oncle d'Evreux, personnage calme, droit, réfléchi,
qui n'encombrait pas le siècle avec ses ambitions,
et se contentait fort bien de ses terres normandes
qu'il administrait sagement.

Les assistants ne furent donc pas étonnés de le
voir appuyer son neveu préféré ; on connaissait
leurs affinités.

Plus surprenante fut l'attitude de Valois qui,
après le discours furibond qu'il venait de faire,
laissa Louis de Navarre sans soutien, et se prononça, lui aussi, contre la peine de mort. Le couvent lui paraissait un châtiment trop doux pour
les coupables ; mais la prison, la forteresse à vie,

et il insista bien sur ce dernier mot, voilà ce qu'il conseillait.

Une telle mansuétude, chez l'ex-empereur titulaire de Constantinople, n'était pas l'expression d'une disposition naturelle. Elle ne pouvait résulter que d'un calcul, calcul qui s'était immédiatement opéré quand Louis de Navarre avait prononcé le mot de bâtarde. En effet...

En effet, quel était l'état actuel de la descendance royale ? Louis de Navarre n'avait d'autre héritière que cette petite Jeanne, depuis un instant entachée d'un grave soupçon d'illégitimité, ce qui pouvait mettre obstacle à son accession éventuelle au trône. Charles était sans postérité, sa femme Blanche n'ayant mis au monde que des enfants mort-nés. Philippe de Poitiers avait trois filles, mais sur lesquelles le scandale pourrait éventuellement rejaillir... Or, si l'on exécutait les épouses coupables, les trois princes se hâteraient de reprendre femme, avec ainsi toutes chances d'avoir d'autres enfants. Tandis que si l'on enfermait leurs épouses *à vie*, ils allaient demeurer mariés, empêchés de contracter d'autres unions, et donc de mieux assurer leur lignée.

Charles de Valois était un prince imaginatif. Pareil à ces capitaines qui, partant pour la guerre, rêvent de l'éventualité où tous les officiers, au-dessus d'eux, seraient tués, et se voient déjà portés à la tête de l'armée, le frère du roi, regardant la poitrine creuse de son neveu Louis Hutin et la maigreur de son neveu Philippe de Poitiers, pensait que la maladie pouvait faire des ravages bien imprévus. Il y avait aussi les accidents de chasse, les lances qui se rompent dans les tournois, les chevaux qui se renversent ; et il n'était pas rare que des oncles survécussent à leurs neveux...

« Charles ! » dit l'homme aux paupières immobiles qui, pour l'instant, était le seul et vrai roi de France.

Valois tressaillit, comme s'il craignait d'avoir été deviné. Mais ce n'était pas à lui, c'était à son troisième fils que Philippe le Bel s'adressait.

Le jeune prince écarta les mains de devant sa figure. Il pleurait.

« Blanche, Blanche ! Comment est-il possible, mon père ? Comment a-t-elle pu ?... gémit-il. Elle me disait si fort qu'elle m'aimait ; elle me le prouvait si bellement... »

Isabelle eut un mouvement d'impatience et de mépris. « Cet amour des hommes pour les corps qu'ils ont possédés, pensa-t-elle, et cette aisance avec laquelle ils croient le mensonge, pourvu qu'ils aient le ventre qu'ils désirent ! »

« Charles... insista le roi, comme s'il parlait à un faible d'esprit. Que conseillez-vous qu'on fasse de votre épouse ?

— Je ne sais, mon père, je ne sais. Je veux me cacher, je veux partir, je veux entrer dans un couvent. »

C'était lui bientôt qui allait demander châtiment parce que sa femme l'avait trompé.

Philippe le Bel comprit qu'il n'en tirerait rien de plus. Il regardait ses enfants comme s'il ne les avait jamais vus ; il réfléchissait sur l'ordre de primogéniture, et se disait que la nature, parfois, servait bien mal le trône. Que de sottises pourrait accomplir à la tête du royaume cet irréfléchi, impulsif et cruel, qu'était Louis, son aîné ? Et de quel soutien pourrait lui être le puîné, qui s'effondrait dès son premier drame ? Le mieux doué pour régner était à coup sûr Philippe de Poitiers. Mais Louis ne l'écouterait guère, cela se devinait.

« Ton conseil, Isabelle ? demanda-t-il à sa fille, assez bas, en se penchant vers elle.

— Femme qui a failli, répondit-elle, doit être à jamais écartée de transmettre le sang des rois. Et le châtiment doit être connu du peuple, afin qu'on sache que le crime est puni sur femme ou fille de roi plus durement que sur la femme d'un serf.

— C'est bien pensé », dit le roi.

De tous ses enfants, c'était elle, en vérité, qui eût fait le meilleur souverain.

« Justice sera rendue avant vêpres », dit le roi en se levant.

Et il se retira pour aller, comme toujours, consulter sa décision dernière avec Marigny et Nogaret.

X

LE JUGEMENT

DURANT tout le trajet de Paris à Pontoise, la comtesse Mahaut, dans sa litière, chercha des argu-
ments propres à fléchir le courroux du roi. Mais
elle parvenait mal à fixer ses idées. Trop de pensées l'habitaient, trop de craintes, trop de colère
aussi contre la folie de ses filles, contre la bêtise
de leurs maris, contre l'imprudence de leurs
amants, contre tous ceux qui, par légèreté, aveu-
glement ou quête sensuelle, risquaient de ruiner
le laborieux édifice de sa puissance. Mère de
princesses répudiées, que deviendrait Mahaut ?
Elle était bien décidée à noircir autant qu'elle le
pourrait la reine de Navarre, et à rejeter sur
celle-ci toute la culpabilité. Marguerite n'était pas
sa fille. Pour ses propres enfants Mahaut plaide-
rait l'entraînement, le mauvais exemple...

Robert d'Artois avait mené la troupe bon train,

comme s'il voulait faire montre de zèle. Il prenait plaisir à voir le chanoine-chancelier rebondir sur sa selle, et surtout à entendre les gémissements de sa tante. Chaque fois que de la grande litière secouée par les mules s'échappait une plainte, Robert, comme par hasard, faisait forcer l'allure. Aussi, la comtesse eut-elle un râle de soulagement quand apparurent enfin au-dessus d'une ligne d'arbres, les tourelles de Maubuisson.

Bientôt, l'équipage pénétra dans la cour du château. Un grand silence y régnait, rompu seulement par le pas des archers.

Mahaut descendit de litière et, à l'officier de garde, demanda où était le roi.

« Il rend justice, Madame, dans la salle capitulaire. »

Suivie de Robert, de Thierry d'Hirson et de Béatrice, Mahaut se dirigea vers l'abbaye. En dépit de sa fatigue, elle marchait vite et ferme.

La salle capitulaire offrait ce jour-là un spectacle inhabituel. Sous les voûtes froides qui abritaient d'ordinaire des assemblées de nonnes, toute la cour de France se tenait figée devant son roi.

Quelques rangs de visages se tournèrent, à l'entrée de la comtesse Mahaut, et un murmure courut. Une voix, qui était celle de Nogaret, s'arrêta de lire.

Mahaut vit le roi, couronne en tête et sceptre en main, l'œil grand ouvert, immobile.

Dans la terrible fonction de justice qu'il remplissait, Philippe le Bel semblait absent du monde, ou plutôt il semblait communiquer avec un univers plus vaste que le monde visible.

La reine Isabelle, Marigny, Charles de Valois, Louis d'Evreux, ainsi que les trois princes et plusieurs grands barons, étaient assis à ses côtés. Au pied de l'estrade, trois petits moines agenouillés inclinaient vers les dalles leurs crânes rasés. Alain de Pareilles se tenait un peu en retrait, debout, les mains croisées sur la garde de son épée.

« Dieu soit loué, pensa Mahaut. J'arrive à temps. On juge quelque affaire de sorcellerie ou de sodomie. » Elle s'apprêtait à gagner l'estrade où son rang de pair du royaume lui donnait place. Soudain, elle sentit ses jambes se dérober. L'un des pénitents agenouillés avait levé la tête ; Mahaut reconnut sa fille Blanche. Les trois princesses avaient été rasées et vêtues de bure. Mahaut chancela sous le coup avec un cri sourd, comme si on l'avait frappée au ventre. Machinalement, elle s'accrocha au bras de son neveu, parce que c'était le premier bras qui se trouvait là.

« Trop tard, ma tante. Hélas ! nous arrivons trop tard », dit Robert d'Artois qui savourait pleinement sa vengeance.

Le roi fit un signe au garde des Sceaux qui reprit la lecture du jugement.

— « ... et par lesdits témoignages et aveux ayant « été prouvées adultères, lesdites dames Margue- « rite, épouse de Mgr le roi de Navarre, et Blanche, « épouse de Mgr Charles, seront emprisonnées « dans la forteresse de Château-Gaillard, et ce, « pour le restant des jours qu'il plaira à Dieu de « leur accorder. »

— A vie, murmura Mahaut, elles sont condamnées à vie.

— « Aussi dame Jeanne, comtesse palatine de « Bourgogne et épouse de Mgr de Poitiers, étant « considéré qu'elle n'a point été convaincue « d'avoir forfait le mariage et que ce crime ne

« peut lui être imputé, mais étant établies les
« complaisances coupables qu'elle eut, sera en-
« fermée en le donjon de Dourdan, pour autant
« qu'il sera nécessaire à sa repentance et qu'il
« plaira au roi. »

Il y eut un temps de silence pendant lequel Mahaut pensa, en regardant Nogaret :
« C'est lui, c'est ce chien qui a tout fait, avec
sa rage d'épier, de dénoncer et de tourmenter.
Il me le paiera. Il me le paiera de sa peau. »
Mais le garde des Sceaux n'avait pas achevé sa
lecture.

— « Aussi les sires Gautier et Philippe d'Aunay,
« ayant forfait à l'honneur et trahi le lien féodal
« en commettant l'adultère avec personnes de ma-
« jesté royale, seront roués, écorchés vifs, châtrés,
« décapités et pendus au gibet public de Pontoise,
« au matin du jour à suivre celui-ci. Ainsi notre
« très sage, très puissant et très aimé roi notre
« Sire en a jugé. »

Les épaules des princesses avaient frissonné pendant l'énoncé des supplices qui attendaient leurs
amants. Nogaret roula son parchemin, et le roi
se leva. La salle commença de se vider, dans un
long murmure qui résonnait entre ces murs habi-
tués à la prière. La comtesse Mahaut vit qu'on
s'écartait d'elle et qu'on évitait son regard. Elle
voulut aller vers ses filles, mais Alain de Pareilles
lui barra le passage.

« Non, Madame, dit-il. Le roi n'autorise que
ses fils, s'ils le désirent, à entendre l'adieu de
leurs épouses, et leur repentir. »

Elle chercha aussitôt à se retourner vers le roi,
mais celui-ci était déjà sorti, de même que Louis
de Navarre et Philippe de Poitiers.

Seul des trois époux, Charles était resté. Il s'approcha de Blanche.

« Je ne savais pas... Je ne voulais pas... Charles ! » dit celle-ci en éclatant en sanglots.

Le rasoir avait laissé sur sa tête chauve de petites plaques rouges.

Mahaut se tenait à quelques pas, soutenue par son chancelier et sa demoiselle de parage.

« Ma mère, lui cria Blanche, dites à Charles que je ne savais pas, et qu'il m'accorde pitié ! »

Jeanne de Poitiers se passait les mains sur les oreilles, qu'elle avait un peu décollées, comme si elle ne s'habituait pas à les sentir nues.

Adossé contre un pilier près de la porte, Robert d'Artois, les bras croisés, contemplait son œuvre.

« Charles, Charles ! » répétait Blanche.

A ce moment s'éleva la voix dure d'Isabelle d'Angleterre.

« Point de faiblesse, Charles. Restez prince », dit-elle.

Ces mots provoquèrent un sursaut de fureur chez la troisième condamnée, Marguerite de Bourgogne.

« Point de faiblesse, Charles ! Point de pitié ! s'écria-t-elle. Imitez votre sœur Isabelle qui ne peut comprendre les élans d'amour. Elle n'a que haine et fiel dans le cœur. Sans elle, vous n'auriez jamais rien appris. Mais elle me hait, elle vous hait, elle nous hait tous. »

Isabelle considéra Marguerite avec une colère froide.

« Dieu vous pardonne vos crimes, dit-elle.

— Il me pardonnera plus vite mes crimes qu'il

ne fera de toi une femme heureuse, lui lança Marguerite.

— Je suis reine, répliqua Isabelle. Si je n'ai pas le bonheur, au moins j'ai un sceptre et un royaume, que je respecte.

— Moi, si je n'ai pas eu le bonheur, au moins j'ai eu le plaisir, qui vaut toutes les couronnes du monde, et je ne regrette rien. »

Dressée en face de sa belle-sœur qui portait diadème, Marguerite, le crâne dénudé, le visage ravagé par l'angoisse et les larmes, trouvait encore la force d'insulter, de blesser, et de plaider pour son corps.

« Il y avait le printemps, dit-elle d'une voix pressée, haletante, il y avait l'amour d'un homme, la chaleur et la force d'un homme, la joie de prendre et d'être prise... tout ce que tu ne connais pas, que tu crèves de connaître et que tu ne connaîtras jamais. Ah ! tu ne dois guère être attirante au lit pour que ton mari préfère chercher son plaisir auprès des garçons ! »

Blême, mais incapable de répondre, Isabelle fit un signe à Alain de Pareilles.

« Non, cria Marguerite. Tu n'as rien à dire à messire de Pareilles. Je l'ai déjà commandé, et je le commanderai peut-être de nouveau quelque jour. Il souffrira bien encore une fois de partir à mon ordre. »

Elle tourna le dos et indiqua d'un signe au chef des archers qu'elle était prête. Les trois condamnées sortirent, traversèrent sous escorte la cour de Maubuisson, et regagnèrent la chambre qui leur servait de cellule.

Quand Alain de Pareilles eut refermé la porte

sur elles, Marguerite courut au lit et s'y jeta en mordant les draps.

« Mes cheveux, mes beaux cheveux », sanglotait Blanche.

Jeanne de Poitiers cherchait à se rappeler l'aspect du donjon de Dourdan.

XI

LE SUPPLICE

L'AUBE fut lente à venir pour ceux qui avaient
traversé la nuit sans repos, sans espérance et
sans oubli.

Couchés côte à côte sur une brassée de paille,
dans une cellule de la prévôté de Pontoise, les
frères d'Aunay attendaient la mort. Sur l'ordre du
garde des Sceaux, ils avaient été soignés ; ainsi
leurs plaies ne saignaient plus, leur cœur battait
mieux, et dans leurs chairs écrasées il était revenu
un peu de force afin qu'ils pussent mieux éprou-
ver les supplices auxquels ils étaient promis.

A Maubuisson, ni les princesses condamnées, ni
leurs époux, ni Mahaut, ni le roi lui-même n'avaient
pu trouver le sommeil. Et Isabelle non plus n'avait
dormi, obsédée par les paroles de Marguerite.

En revanche, Robert d'Artois, après ses vingt
grandes lieues de chevauchée, s'était écroulé sans

même ôter ses bottes sur la première couche venue, dans le logis d'accueil. Lormet, un peu avant
prime, dut le secouer pour qu'il ne manquât pas
le plaisir d'assister au départ de ses victimes.

Dans la cour de l'abbaye, trois grands chariots
bâchés de noir venaient de se ranger, et messire
Alain de Pareilles faisait aligner, sous la clarté
rose du petit matin, les soixante cavaliers en
gambison de cuir, cotte de mailles et chapeau de
fer, qui formeraient l'escorte du convoi, vers
Dourdan d'abord, puis la Normandie.

Derrière l'une des fenêtres du château, la comtesse Mahaut regardait, le front appuyé au vitrail,
et ses larges épaules secouées de soubresauts.

« Pleurez-vous... Madame ?... demanda Béatrice
d'Hirson, de sa voix traînante.

— Cela peut m'arriver aussi », répondit rudement Mahaut.

Puis, comme Béatrice était déjà tout habillée,
robe, coiffe et chape, elle ajouta :

« Sors-tu donc ?

— Oui, Madame ; je vais voir le supplice... si
vous le permettez... »

La place du Martroy, à Pontoise, où allait avoir
lieu l'exécution des frères d'Aunay, était emplie
par la foule lorsque Béatrice y arriva. Bourgeois,
paysans et soldats y affluaient depuis l'aube. Les
propriétaires des maisons qui donnaient sur la
place avaient loué à bon prix leurs fenêtres de
façade, où les têtes se pressaient sur plusieurs
rangs.

Les crieurs publics, la veille, avaient publié le
jugement aux quatre coins de la ville... « roués,
écorchés vifs, châtrés, décapités... ». Le fait que les
condamnés fussent jeunes, qu'ils fussent nobles

et riches, et surtout que leur crime fût un grand scandale d'amour éclaté dans la famille royale, excitait les curiosités et les imaginations.

L'échafaud avait été monté dans la nuit. Il s'élevait à une toise du sol et supportait deux roues placées horizontalement, ainsi qu'un billot de chêne. En arrière se dressait le gibet.

Deux bourreaux, ceux-là mêmes qui avaient infligé la question aux d'Aunay, mais à présent vêtus de bonnets et de surcots rouges, escaladèrent la petite échelle qui menait à la plate-forme. Deux aides les suivaient, chargés des coffres noirs qui contenaient leurs outils. L'un des bourreaux fit tourner les roues qui grincèrent. Alors la foule se mit à rire, comme devant un tour de bateleur. On lança des plaisanteries ; on se cogna du coude ; on fit circuler de bras en bras une cruche de vin qu'on tendit aux bourreaux. Ils y burent, et la foule applaudit.

Lorsque apparut, entourée d'archers, la charrette qui amenait les frères d'Aunay, un grand tumulte monta de la place, et s'amplifia à mesure qu'on distinguait mieux les condamnés. Ni Gautier ni Philippe ne bougeaient. Des cordes les liaient aux montants de la charrette, sans lesquelles ils eussent été incapables de tenir debout. Les aumônières brillaient à leur ceinture, sur leurs chausses déchirées.

Un prêtre, venu recueillir leur confession bredouillée et leurs dernières volontés, les accompagnait. Epuisés, pantelants, hébétés, ils semblaient n'avoir plus vraiment conscience de ce qui se passait. Les aides-bourreaux les hissèrent sur la plate-forme et les dévêtirent.

A les voir nus entre les mains des bourreaux, la

foule, alors, fut prise de transe et poussa des hurlements. Quolibets et remarques obscènes s'échangeaient à travers la place. Les deux gentilshommes furent couchés et liés sur les roues, la face tournée vers le ciel. Puis on attendit.

De longues minutes passèrent ainsi. L'un des bourreaux s'était assis sur le billot ; l'autre éprouvait du pouce le tranchant de la hache. La foule s'impatientait, posait des questions, commençait à devenir houleuse.

Soudain l'on comprit la raison de cette attente. Trois chariots dont on avait à demi relevé les bâches noires se présentaient à l'entrée de la grand-rue. Par un suprême raffinement dans le châtiment, Nogaret, en accord avec le roi, avait ordonné que les princesses assistassent au supplice.

L'intérêt des spectateurs se trouva partagé entre les deux condamnés nus sous les nuages, et les princesses royales prisonnières et rasées. Il s'ensuivit quelques mouvements de masse que les archers durent contenir.

En apercevant l'échafaud, Blanche s'était évanouie.

Jeanne, agrippée aux ridelles de son chariot, criait aux gens :

« Dites à mon époux, dites à Mgr Philippe que je suis innocente ! »

Jusque-là, elle avait tenu ferme ; mais sa résistance venait de céder. Les badauds se la montraient en riant, telle une bête de ménagerie dans sa cage. Des mégères l'insultaient.

Seule, Marguerite de Bourgogne avait le courage de regarder, et ceux qui l'observaient d'assez près purent se demander si elle n'éprouvait pas un atroce, un affreux plaisir à voir exposé aux

yeux de tous l'homme qui allait mourir de l'avoir
possédée.

Lorsque les bourreaux levèrent leurs masses
pour rompre les os des condamnés, elle hurla :
« Philippe ! » d'un ton qui n'était point celui de
la douleur.

On entendit des craquements, et le ciel, pour
les frères d'Aunay, s'éteignit. D'abord leurs jambes et leurs cuisses furent brisées ; ensuite les
bourreaux firent pivoter les roues d'un demi-tour,
et les masses frappèrent les avant-bras et les bras
des condamnés. Les rayons et les moyeux réper-
cutaient les coups, et les bois craquaient autant
que les os.

Puis les bourreaux, appliquant les peines dans
l'ordre prescrit, se munirent d'instruments de fer
à plusieurs crocs et arrachèrent par grands lambeaux la peau des deux corps.

Le sang giclait, ruisselait sur la plate-forme ; l'un des bourreaux dut s'essuyer les yeux.
Cette sorte de supplice prouvait assez que
la couleur rouge, réglementaire pour le vêtement des exécuteurs, répondait à une nécessité.

« ... roués, écorchés vifs, châtrés, décapités... »
S'il restait encore quelque vie dans les deux frères
d'Aunay, tout sentiment, toute conscience s'était
retirée d'eux.

Une vague d'hystérie agita l'assistance lorsque
les bourreaux, à l'aide de longs couteaux de boucher que leur tendirent leurs aides, mutilèrent
les amants coupables. Les gens se bousculaient
pour mieux voir. Des femmes criaient à leurs
maris :

« Tu en mériterais bien autant, gros paillard ! »

— Tu vois ce qui t'arrivera, si tu me fais la pareille ! »

Les bourreaux avaient rarement l'occasion de donner si complète démonstration de leurs talents, et devant un si chaleureux public. Ils échangèrent un coup d'œil et, ensemble, d'un mouvement bien réglé de jongleurs, ils lancèrent en l'air les objets de la faute.

Un plaisantin cria, montrant les princesses du doigt :

« C'est à elles qu'il faut les donner ! »

Et la foule éclata de rire.

Les suppliciés furent descendus des roues et traînés vers le billot. La lueur de la hache brilla, par deux fois. Puis les aides portèrent jusqu'aux potences ce qui restait de Gautier et de Philippe d'Aunay, de ces deux beaux écuyers qui, l'autre avant-veille, caracolaient sur la route de Clermont, deux corps rompus, sanguinolents, sans tête et sans sexe, qui furent hissés et accrochés par les aisselles aux fourches du gibet.

Aussitôt après, sur un ordre d'Alain de Pareilles, les trois chariots noirs, encadrés par les cavaliers en chapeau de fer, se remirent en marche ; et les sergents de la prévôté commencèrent à faire évacuer la place.

La foule s'écoula lentement, chacun voulant passer au plus près de l'échafaud afin d'y jeter un dernier regard. Puis les gens, par petits groupes et se livrant leurs commentaires, s'en retournèrent, qui vers sa forge ou son étal, qui vers son échoppe, qui vers son jardin, pour y reprendre, avec tranquillité, le travail quotidien.

Car, en ces siècles où la moitié des femmes mouraient en couches, et les deux tiers des enfants au berceau, où les épidémies ravageaient l'âge adulte, où l'enseignement de l'Eglise préparait surtout à quitter la vie, et où les œuvres d'art, crucifixions, martyres, mises au tombeau, jugements derniers offraient constamment la représentation du trépas, l'idée de la mort était familière aux esprits, et seule une manière exceptionnelle de mourir pouvait, un moment, les émouvoir.

Devant une poignée de badauds obstinés, et tandis que les aides lavaient les outils du supplice, les deux exécuteurs se partageaient les dépouilles de leurs victimes. En effet, ils avaient droit, par coutume, à tout ce qu'ils trouvaient sur les condamnés, de la ceinture aux pieds. Cela faisait partie des profits de leur charge.

Ainsi les aumônières envoyées par la reine d'Angleterre allaient finir, aubaine rare, aux mains des bourreaux de Pontoise.

Une belle créature brune, vêtue en fille de noblesse, s'approcha de ces derniers et, à mi-voix, d'un ton un peu traînant, leur demanda la langue de l'un des suppliciés.

« On dit que c'est bon pour les maux de femme... expliqua-t-elle. La langue de n'importe lequel des deux... cela m'est égal... »

Les bourreaux la regardèrent d'un air soupçonneux. N'y avait-il pas quelque tour de sorcellerie là-dessous ? Car il était bien connu que la langue d'un pendu, surtout un pendu du jour de vendredi, servait à évoquer le Diable. Mais une langue de décapité pouvait-elle faire même usage ?

Comme Béatrice d'Hirson avait une belle pièce d'or brillante dans le creux de la main, ils acceptèrent, et, feignant de mieux assujettir l'une des têtes fichées sur le gibet, y prélevèrent ce qui leur était demandé.

« C'est seulement la langue que vous voulez ? dit, goguenard, le plus gras des deux bourreaux. Parce que, pour marché égal, on pourrait aussi bien vous fournir le reste. »

Rien, décidément, n'était ordinaire dans cette exécution...

Sur la route de Poissy, trois chariots noirs s'en allaient lentement. Dans le dernier, une femme au crâne rasé, en chaque village traversé, s'obstinait à crier aux paysans surgis sur leurs portes :

« Dites à Mgr Philippe que je suis innocente ! Dites-lui que je ne l'ai pas honni ! »

XII

LE CHEVAUCHEUR DU CRÉPUSCULE

CEPENDANT que le sang des frères d'Aunay séchait sur la terre jaune de la place du Martroy où les chiens venaient renifler en grognant, Maubuisson sortait lentement du drame.

Les trois fils du roi restèrent invisibles pendant tout le jour. Personne ne leur fit visite, hors les gentilshommes attachés à leur service.

Mahaut avait tenté vainement d'être reçue par Philippe le Bel. Nogaret vint lui déclarer que le roi travaillait et souhaitait n'être pas troublé. « C'est lui, c'est ce dogue, pensa Mahaut, qui a tout machiné et qui maintenant m'empêche d'arriver à son maître. » Tout persuadait à la comtesse de voir dans le garde des Sceaux le principal artisan de la perte de ses filles et de sa disgrâce personnelle.

« A la pitié de Dieu, messire de Nogaret, à la

pitié de Dieu », lui dit-elle d'un ton de menace, avant de remonter en litière pour regagner Paris.

D'autres passions, d'autres intérêts s'agitaient à Maubuisson. Les familiers des princesses exilées cherchaient à renouer les fils invisibles de la puissance et de l'intrigue, fût-ce en reniant les amitiés dont la veille ils se paraient. Les navettes de la peur, de la vanité et de l'ambition s'étaient mises en marche pour retisser, sur un nouveau dessin, la toile brutalement déchirée.

Robert d'Artois avait l'habileté de ne pas afficher son triomphe ; il attendait d'en récolter les fruits. Mais déjà les égards qu'on avait d'ordinaire pour le clan de Bourgogne se déplaçaient vers lui.

Le soir, il fut convié au souper du roi ; et l'on vit bien à cela qu'il remontait en faveur.

Petit souper, presque souper de deuil, et qui réunissait seulement les frères de Philippe le Bel, sa fille, Marigny, Nogaret et Bouville. Le silence pesait dans la salle étroite et longue où le repas était servi. Charles de Valois lui-même se taisait ; et le lévrier Lombard, comme s'il ressentait la gêne des convives, avait quitté les pieds de son maître pour aller s'allonger devant la cheminée.

Robert d'Artois cherchait avec insistance à rencontrer les yeux d'Isabelle ; mais celle-ci mettait la même persévérance à dérober son regard. Elle ne voulait donner aucun signe à son géant cousin, ayant avec lui pourchassé des passions coupables, d'être accessible aux mêmes tentations. Elle n'acceptait de complicité que dans la justice.

« L'amour n'est pas mon lot, se disait-elle. Je m'y dois résigner. » Mais il lui fallait s'avouer qu'elle se résignait mal.

Au moment où les écuyers, entre deux services, changeaient les tranches de pain, Lady Mortimer entra, portant le petit prince Edouard, pour qu'il donnât à sa mère le baiser de bonsoir.

« Madame de Joinville, dit le roi en appelant Lady Mortimer par son nom de naissance, approchez-moi mon seul petit-fils. »

Les assistants notèrent la façon dont il avait prononcé le mot « seul ».

Philippe le Bel prit l'enfant et le tint un grand moment devant ses yeux, étudiant ce petit visage innocent, rond et rose, où les fossettes marquaient des ombres. De qui montrerait-il les traits et la nature ? De son père, changeant, influençable et débauché, ou de sa mère Isabelle ? « Pour l'honneur de mon sang, pensait le roi, j'aimerais que tu sois à la semblance de ta mère ; mais pour le bonheur de la France, fasse le Ciel que tu sois seulement le fils de ton faible père ! » Car les questions successorales se posaient forcément à lui. Qu'arriverait-il si un prince d'Angleterre se trouvait un jour en position de réclamer le trône de France ?

« Edouard ! Souriez à Sire votre grand-père », dit Isabelle.

Le petit prince ne paraissait avoir aucune peur du regard royal. Soudain, avançant son poing minuscule, il le plongea dans les cheveux dorés du souverain, et tira sur une mèche qui bouclait. Ce fut Philippe le Bel qui sourit.

Alors, il y eut chez tous les convives un soupir de soulagement ; chacun s'empressa de rire, et l'on osa enfin parler.

Le repas achevé, le roi congédia ses hôtes, à l'exception de Marigny et de Nogaret. Il vint s'asseoir près de la cheminée, et fut un grand moment sans rien dire. Ses conseillers respectèrent son silence.

« Les chiens sont créatures de Dieu. Mais ont-ils conscience de Dieu ? demanda-t-il subitement.

— Sire, répondit Nogaret, nous savons beaucoup des hommes parce que nous sommes hommes nous-mêmes ; mais nous connaissons bien peu du reste de la nature... »

Philippe le Bel se tut à nouveau, interrogeant les yeux fauves cernés de noir du grand lévrier allongé devant lui, le museau sur les pattes. Le chien battait par instants des paupières ; le roi pas.

Comme il arrive souvent aux hommes de pouvoir, lorsqu'ils viennent d'assumer de tragiques responsabilités, le roi Philippe méditait autour de problèmes universels et vagues, quêtant dans l'invisible la certitude d'un ordre où s'inscrivissent sans erreur sa vie et ses actions.

Enfin, il se redressa et dit :

« Enguerrand, je pense que nous avons bien jugé. Mais où va le royaume ? Mes fils n'ont point d'héritiers. »

Marigny répondit :

« Ils en auront s'ils reprennent femme, Sire.

— Ils ont femme devant Dieu.

— Dieu peut les en délivrer.

— Dieu n'obéit pas aux seigneurs de la terre.

— Le pape peut délier », dit Marigny.

Le regard du roi se tourna vers Nogaret.

« L'adultère n'est point motif d'annulation du mariage, dit aussitôt le garde des Sceaux.

— Nous n'avons pourtant pas d'autre recours, dit Philippe le Bel. Et je n'ai point à considérer la loi commune, fût-elle aux mains du pape. Un roi doit prévoir qu'il peut mourir à toute heure. Je ne puis m'en remettre à d'éventuels veuvages pour assurer la lignée royale. »

Nogaret leva sa grande main maigre et plate.

« Alors, Sire, dit-il, que n'avez-vous fait exécuter vos brus, deux tout au moins ?

— Je l'eusse fait à coup sûr, répondit froidement Philippe le Bel, si par cela je ne me fusse, d'évidence, aliéné les deux Bourgognes. La succession au trône. est certes chose importante ; mais l'unité du royaume ne l'est pas moins. »

Marigny approuva du front, silencieusement.

« Messire Guillaume, poursuivit le roi, vous allez donc vous rendre auprès du pape Clément, et vous saurez lui représenter qu'une union de roi n'est pas union d'homme ordinaire. Mon fils Louis est mon successeur ; il doit être le premier délié.

— J'y emploierai mon zèle, Sire, répondit Nogaret. Mais ne doutez pas que la duchesse de Bourgogne ne mette tout en œuvre pour nous faire obstacle auprès du Saint-Père. »

On entendit un bruit de galop aux abords du château, puis les grincements des barres et des ferrures de la porte principale. Marigny s'approcha de la fenêtre, tout en disant :

« Le Saint-Père nous doit trop, et d'abord sa tiare, pour ne pas entendre nos raisons. Le droit canon offre assez de motifs... »

Les fers d'un cheval sonnèrent sur les pavés de la cour.

« Un chevaucheur, Sire, dit Marigny. Il semble avoir parcouru un long chemin.

— De qui vient-il ? dit le roi.

— Je ne sais ; je ne distingue point ses armes [19]... Il conviendrait aussi, continua Marigny, de chapitrer un peu Mgr Louis, pour qu'il n'allât pas, par quelque démarche mal ordonnée, gâcher sa propre affaire.

— J'y veillerai, Enguerrand », dit le roi.

A ce moment Hugues de Bouville entra.

« Sire, un messager de Carpentras. Il demande à être reçu par vous-même.

— Qu'il vienne.

— Le courrier du pape », dit Nogaret.

La coïncidence n'avait rien qui dût les surprendre. Entre le Saint-Siège et la cour, la correspondance était fréquente, sinon quotidienne.

Le chevaucheur, un garçon de vingt-cinq ans environ, de grande taille et large d'épaules, était couvert de poussière et de boue. La croix et la clef, largement brodées sur sa cotte jaune et noire, désignaient un serviteur de la papauté. Il tenait à la main gauche son couvre-chef et son bâton de fonction. Il s'avança vers le roi, mit le genou en terre et détacha de sa ceinture la boîte d'ébène et d'argent qui contenait le message.

« Sire, dit-il, le pape Clément est mort. »

Les assistants eurent le même sursaut. Le roi et Nogaret, particulièrement, se regardèrent et pâlirent. Le roi ouvrit la boîte d'ébène, sortit une lettre dont il brisa le sceau qui était celui du cardinal Arnaud d'Auch. Il lut avec attention, comme pour bien s'assurer de la vérité de la nouvelle.

« Le pape que nous avions fait est maintenant

à Dieu, murmura-t-il en tendant le parchemin à Marigny.

— Quand a-t-il passé ? demanda Nogaret.

— Voilà six jours francs, répondit Marigny. Dans la nuit du 19 au 20.

— Un mois après, dit le roi.

— Oui, Sire, un mois après... » dit Nogaret.

Ils avaient fait, ensemble, le même calcul. Le 18 mars, au milieu des flammes, le grand-maître des Templiers leur avait crié : « Pape Clément, chevalier Guillaume, roi Philippe, avant un an, je vous cite à paraître au tribunal de Dieu... » Et voici que le premier déjà était mort.

« Dis-moi, reprit le roi s'adressant au chevaucheur et lui faisant signe de se relever ; comment est mort notre Saint-Père ?

— Sire, le pape Clément était chez son neveu, messire de Got, à Carpentras, quand il fut saisi de fièvres et d'angoisses. Alors il dit qu'il voulait retourner en Guyenne, pour y mourir au lieu de sa naissance, à Villandraut. Mais il ne put aller plus loin que la première étape, et dut se fermer à Roquemaure, près Châteauneuf. Ses physiciens ont tout essayé pour le garder en vie, jusques à lui faire manger des émeraudes pilées en poudre, qui sont remède le meilleur, à ce qu'il paraît, pour le mal qu'il avait. Mais rien n'a fait. L'étouffement l'a pris. Les cardinaux étaient autour de lui. Je ne sais rien d'autre. »

Il se tut.

« Va », dit le roi.

Le chevaucheur sortit. Il n'y eut plus, dans la salle, d'autre bruit que le souffle du grand lévrier qui dormait devant le feu.

Le roi et Nogaret n'osaient se regarder. « Serait-il possible vraiment, pensaient-ils, que nous soyons maudits ?... Auquel de nous deux, maintenant ? »

Le monarque était d'une pâleur impressionnante, et il avait, dans sa longue robe royale, la raideur glacée des gisants.

TROISIÈME PARTIE

LA MAIN DE DIEU

I

LA RUE DES BOURDONNAIS

Le peuple de Paris ne mit que huit jours à construire, autour de la condamnation des princesses adultères, une légende de débauche et de cruauté. Imaginations de carrefours et vantardises de boutiques : tel affirmait tenir la vérité, de première bouche, d'un sien compère qui livrait les épices à l'hôtel de Nesle ; tel autre avait un cousin à Pontoise... L'affabulation populaire s'était surtout emparée de Marguerite de Bourgogne et lui faisait tenir un rôle extravagant. Ce n'était plus un amant qu'on attribuait à la reine de Navarre, mais dix, mais cinquante ; un par soirée... On se montrait, avec force récits et une sorte de fascination craintive, la tour de Nesle devant laquelle des gardes veillaient à présent, de jour et de nuit, afin d'écarter les curiosités. Car l'affaire n'était pas terminée. Plusieurs cadavres avaient été repêchés dans les parages. On affirmait que l'héritier du trône, enfermé dans son hôtel, tourmentait ses serviteurs pour leur faire avouer ce qu'ils savaient de l'inconduite de sa femme, et ensuite expédiait leurs corps à la Seine.

Un matin, vers tierce, la belle Béatrice d'Hirson sortit de l'hôtel d'Artois. On était au début de mai et le soleil jouait sur les vitres des maisons. Sans se hâter, Béatrice avançait, satisfaite de sentir le vent tiède lui caresser le front. Elle savourait l'odeur du printemps naissant, et prenait plaisir à provoquer le regard des hommes, surtout lorsqu'ils étaient de petite condition.

Elle gagna le quartier Saint-Eustache et s'engagea dans la rue des Bourdonnais. Les écrivains publics y avaient leurs échoppes, et aussi les marchands de cire qui fabriquaient les tablettes à écrire, en même temps que les chandelles et encaustiques. Mais il s'y pratiquait d'autres trafics. Au fond de certaines maisons, on cédait à prix d'or, avec des précautions extrêmes, les ingrédients nécessaires à toutes sorcelleries : poudre de serpent, crapauds pilés, cervelles de chats, poils de ribaudes, ainsi que les plantes, cueillies au juste temps de la lune, avec lesquelles on fabriquait les philtres d'amour ou les poisons destinés à « enherber » un ennemi. Et l'on appelait souvent la « rue aux Sorcières » cette voie étroite où le Diable tenait marché autour de la cire d'abeille, matière première des envoûtements.

L'air détaché, le regard glissant, Béatrice d'Hirson entra dans une boutique qui avait pour enseigne un grand cierge de tôle peinte.

La boutique, étroite de façade, était longue et sombre. Au plafond pendaient des cierges de toutes tailles et, sur les casiers qui garnissaient les murs, des chandelles étaient empilées, ainsi que les pains bruns, rouges ou verts utilisés pour les sceaux. L'air sentait fortement la cire, et tout objet était un peu collant sous le doigt.

Le marchand, vieil homme coiffé d'un gros bonnet de laine écrue, faisait ses comptes à l'aide d'un boulier. A l'arrivée de Béatrice, son visage s'ouvrit d'un sourire édenté.

« Maître Engelbert... dit Béatrice, je viens vous payer la dépense de l'hôtel d'Artois...

— Ah ! c'est une bonne action, ma noble dame, c'est une bonne action. Car l'argent, ces temps-ci, court plus vite à sortir qu'à rentrer. Chacun qui nous fournit veut être payé sur l'heure. Et puis surtout, c'est la maltôte qui nous étrangle ! Quand je vous vends pour une livre, je dois verser un denier. Le roi gagne plus que moi sur mon travail [20]. »

Il chercha parmi ses tablettes de comptes celle qui concernait l'hôtel d'Artois, et l'approcha de ses yeux de souris.

« Alors nous avons quatre livres huit sous, sauf à m'être trompé. Et quatre deniers, se hâta-t-il d'ajouter, car il avait pris l'habitude de faire supporter à l'acheteur cette maltôte dont il se plaignait tant.

— Moi... j'ai compté six livres... dit doucement Béatrice en posant deux écus sur le comptoir.

— Ah ! voilà une bonne pratique, comme il nous en faudrait grand nombre ! »

Il porta les pièces à ses lèvres, puis ajouta, la mine complice :

« Vous voulez sans doute voir votre protégé ?

J'en suis bien satisfait. Il est fort serviable ; il parle peu... Maître Evrard ! »

L'homme qui entra, venant de l'arrière-boutique, boitait. Il avait une trentaine d'années ; il était maigre, mais solidement bâti, avec le visage osseux, la paupière creuse et sombre.

Aussitôt, maître Engelbert se souvint d'une livraison urgente.

« Mettez la clenche derrière moi. Je serai absent une petite heure », dit-il au boiteux.

Celui-ci, dès qu'il fut seul avec Béatrice, la prit par les poignets.

« Venez », dit-il.

Elle le suivit vers le fond de la boutique, passa sous un rideau qu'il souleva, et se trouva dans la resserre où l'on entreposait les pains de cire brute, les tonnelets de suif, les paquets de mèches. On y voyait aussi une étroite paillasse coincée entre un vieux coffre et le mur salpêtré.

« Mon château, mes domaines, la commanderie du chevalier Evrard ! dit le boiteux avec une ironie amère en désignant ce misérable habitacle. Mais cela vaut mieux que la mort, n'est-ce pas ? »

Et, saisissant Béatrice aux épaules :

« Et toi, souffla-t-il, tu vaux mieux que l'éternité. »

Autant la voix de Béatrice était lente et calme, autant celle d'Evrard était précipitée.

Béatrice souriait, de cet air qu'elle avait de toujours se moquer vaguement des choses et des gens. Elle éprouvait une délectation perverse à sentir les êtres dépendre d'elle. Or, cet homme était doublement à sa merci.

Elle l'avait découvert un matin, et pareil à une bête traquée, dans un coin d'écurie à l'hôtel d'Ar-

tois. Il tremblait et défaillait de peur et de faim.
Ancien Templier d'une commanderie du nord de
la France, cet Evrard était parvenu à s'évader de
prison, la veille d'être brûlé. Il avait échappé au
bûcher, mais non aux tortures. De la question
trois fois appliquée, il gardait la jambe à jamais
tordue, et aussi la raison un peu dérangée. Parce
qu'on lui avait brisé les os pour lui faire confesser des pratiques démoniaques dont il était innocent, il avait décidé, par représailles, de se
convertir au Diable. En apprenant la haine, il
avait désappris la foi.

Il ne rêvait que sorcellerie, sabbats et hosties
profanées. La rue des Bourdonnais, pour cela,
était une résidence de choix. Béatrice l'avait placé
chez Engelbert qui le nourrissait, le logeait,
et surtout lui fournissait un alibi au regard
de la prévôté. Ainsi Evrard, dans son an-
tre suiffé, se prenant pour une véritable in-
carnation des puissances sataniques, s'entre-
tenait d'espoirs de vengeance et de visions de
luxure.

Sans un tic qui, par instants, lui déformait brusquement le visage, il n'eût pas été dépourvu d'une
certaine et rude séduction. Son regard avait de l'ardeur et de l'éclat. Tandis qu'il parcourait Béatrice
des mains, fébrilement, et qu'elle le laissait faire,
toujours placide, elle dit :

« Tu dois être content... Le pape est mort...

— Oui ! oui ! dit Evrard avec une joie méchante.
Ses physiciens lui ont fait digérer des émeraudes
pilées. Bon remède, qui tranche les boyaux. Quels
qu'ils soient, ces médecins-là sont de mes amis.
La malédiction de maître Jacques commence à
s'accomplir. Un de crevé déjà ! La main de Dieu

frappe vite, quand la main des hommes y aide.

— Et aussi celle du Diable », dit-elle en souriant.

Il avait relevé sa jupe sans qu'elle eût le moins du monde protesté. Les doigts gantés de cire de l'ancien Templier caressaient une belle cuisse ferme, lisse et chaude.

« Veux-tu l'aider à frapper encore ? reprit-elle.

— Qui ?

— Ton pire ennemi... à qui tu dois ton pied brisé...

— Nogaret... », murmura Evrard.

Il recula un peu, et son tic par trois fois lui tordit le visage.

Ce fut elle qui se rapprocha.

« Tu peux te venger... si tu le désires... N'est-ce point ici qu'il se fournit en lumière ? Vous lui vendez ses chandelles ?

— Oui, dit-il.

— Comment sont-elles faites ?

— Des chandelles très longues, en cire blanche, avec des mèches traitées à part qui donnent peu de fumée. Pour son hôtel il use de grands cierges jaunes qu'il ne prend pas chez nous. Ces chandelles-là, qu'on appelle des chandelles à légistes, il les emploie seulement lorsqu'il est à écrire dans son cabinet, et il en brûle deux douzaines la semaine.

— En es-tu sûr ?

— Son concierge les vient querir par grosses. »

Il désigna un casier.

« Sa prochaine provision est déjà apprêtée, et celle de Marigny à côté, et celle de Maillard, le secrétaire du roi. C'est avec cela qu'ils éclairent tous les crimes que fabriquent leurs cervelles. Je voudrais pouvoir cracher dessus le venin du Diable. »

Béatrice continuait de sourire.

« Je peux te donner aussi bien... dit-elle. Moi, je sais le moyen d'empoisonner une chandelle...

— Est-ce possible ? demanda Evrard.

— Si on en respire la flamme une heure, on n'en regarde plus jamais d'autre... sinon celle de l'Enfer. C'est un moyen qui ne laisse point de trace et n'a pas de remède.

— Comment le connais-tu ?

— Ah... voilà... fit Béatrice en ondulant des épaules et en baissant les paupières. Une poudre qu'il suffit de mêler à la cire...

— Et pourquoi désires-tu frapper Nogaret ? » demanda Evrard.

Toujours se dandinant comme par coquetterie, elle répondit :

« Peut-être parce que d'autres gens que toi veulent aussi s'en venger. Tu ne risques rien... »

Evrard réfléchit un instant. Son regard se faisait plus aigu, plus luisant.

« Alors, il ne faudrait pas tarder, dit-il en précipitant ses mots. Il se pourrait que j'aie à partir bientôt. Ne le répète point, surtout ; mais le neveu du grand-maître, messire Jean de Longwy, a commencé de nous compter. Il a juré, lui aussi, de venger messire de Molay. Nous ne sommes point tous morts, malgré le maudit qui nous occupe. J'ai reçu l'autre jour un de mes anciens frères, Jean du Pré, qui me portait un message, m'informant de me tenir prêt à m'en aller vers Langres. Ce serait belle chose que d'amener en présent à messire de Longwy l'âme de Nogaret... Quand pourrai-je avoir cette poudre ?

— Je l'ai là... », dit calmement Béatrice en ouvrant son aumônière.

Elle tendit à Evrard un sachet, qu'il ouvrit avec prudence, et qui contenait deux matières mal mêlées, l'une grise, l'autre cristalline et blanchâtre.

« C'est de la cendre, dit Evrard en montrant la poudre grise.

— Oui... la cendre de la langue d'un homme que Nogaret a fait périr... Je l'ai mise à dessécher dans un four, à la minuit... C'est pour appeler le Diable... »

Puis elle désigna la poudre blanche :

« Et là, c'est du serpent de Pharaon [21]... Cela ne tue qu'en brûlant.

— Et tu dis qu'en mettant les deux dans une chandelle ?... »

Béatrice abaissa le front avec assurance. Evrard fut un moment hésitant ; son regard allait du sachet à Béatrice.

« Mais il faut que ce soit fait devant moi », ajouta-t-elle.

L'ancien Templier alla chercher un réchaud dont il attisa les charbons. Puis il tira une chandelle de la provision préparée pour le garde des Sceaux, la plaça dans un moule et la mit à mollir. Ensuite il la fendit avec une lame et versa le long de la mèche le contenu du sachet.

Béatrice tournait autour de lui, en marmonnant des paroles de conjuration où revint trois fois le prénom de Guillaume. Le moule fut remis au feu, puis refroidi dans un bac rempli d'eau.

La chandelle ressoudée ne gardait aucune trace de l'opération.

« Pour un homme qu'on a plutôt habitué à manier l'épée, ce n'est point mauvais travail », dit Evrard, l'air cruel et content de lui.

Et il alla remettre la chandelle où il l'avait prise, en ajoutant :

« Qu'elle soit bonne messagère d'éternité. »

La chandelle empoisonnée, au milieu du paquet, et sans qu'on pût la distinguer des autres, était maintenant comme le gros lot d'une abominable loterie. Quel jour le valet chargé de garnir les chandeliers du garde des Sceaux la tirerait-il ? Béatrice eut un petit rire. Mais déjà Evrard revenait vers elle et la saisissait à pleins bras.

« Il se peut que nous nous voyions pour la dernière fois.

— Peut-être oui... peut-être non... », dit-elle.

Il l'entraîna vers le grabat.

« Comment faisais-tu... quand tu étais Templier... pour rester chaste ? demanda-t-elle.

— Je n'ai jamais pu le demeurer », répondit-il d'une voix sourde.

Alors, la belle Béatrice leva les yeux vers les solives, où pendaient les cierges d'église, et elle se laissa pénétrer de l'illusion d'être prise par le Diable. Au reste, Evrard n'était-il pas boiteux ?

II

LE TRIBUNAL DES OMBRES

CHAQUE nuit, messire de Nogaret, chevalier, légiste et garde des Sceaux, travaillait fort tard en son cabinet, comme il l'avait fait toute sa vie. Et chaque matin la comtesse d'Artois apprenait que son ennemi avait été vu en parfaite santé, semblait-il, et se rendant d'un bon pied, ses portefeuilles sous le bras, à l'hôtel du roi. La comtesse posait alors un regard lourd sur sa demoiselle de parage.

« Patientez, Madame... Une grosse, cela fait douze douzaines. A raison de deux douzaines la semaine... »

Mais la patience n'était pas le fort de Mahaut, qui commençait à prendre très petite opinion des vertus mortifères du serpent de Pharaon. A savoir seulement si la chandelle empoisonnée était bien allée chez son destinataire, s'il n'y avait pas eu échange ou erreur, ou si quelque valet n'avait pas laissé choir précisément cette chandelle-là. Pour être certain de réussir, il eût fallu pouvoir la planter soi-même dans le candélabre.

« La langue ne peut pas se tromper, Madame... », assurait Béatrice.

Mahaut croyait peu à la sorcellerie.

« Coûteuses manigances, pour piètres résultats. D'abord un bon poison, décrétait-elle, s'administre par la bouche et non par fumée. »

Néanmoins, lorsque Béatrice lui portait son bougeoir, le soir, elle ne manquait pas de lui demander avec un peu d'inquiétude :

« Ce ne sont point des chandelles à légiste ?

— Mais non... Madame... » répondait Béatrice.

Or, un matin de la fin mai, Nogaret, contrairement à ses habitudes, arriva en retard au Conseil ; il pénétra dans la salle alors que déjà le roi était assis.

Nogaret s'inclina très bas en offrant ses excuses ; ce faisant, un vertige le saisit et il dut se rattraper à la table.

La plus urgente affaire était l'élection papale.

Le siège pontifical était vacant maintenant depuis quatre semaines, et les cardinaux, réunis en conclave, à Carpentras, selon les instructions dernières de Clément V, se livraient un combat qui ne paraissait pas près de finir.

On connaissait fort bien la position et la pensée du roi de France. Philippe le Bel voulait que la papauté restât en Avignon, là où il l'avait installée, à portée de sa main ; il voulait que le pape, si possible, fût français ; il voulait que l'énorme organisation politique que constituait l'Eglise ne pût jouer, comme elle l'avait fait souvent, contre le royaume.

Les vingt-trois cardinaux assemblés à Carpentras, et qui venaient de partout, d'Italie, de France, d'Espagne, de Sicile, d'Allemagne étaient déchirés en presque autant de camps qu'il y avait de chapeaux.

Les disputes théologiques, les rivalités d'intérêt, les rancunes de famille alimentaient leurs luttes. Chez les cardinaux italiens surtout, entre les Caëtani, les Colonna et les Orsini, existaient des haines inexpiables.

« Ces huit cardinaux italiens, dit Marigny, ne sont accordés que dans leur volonté de ramener à Rome la papauté. Par bonheur, ils ne le sont sur le nom d'aucun papable.

— Cet accord peut se faire avec le temps, remarqua Mgr de Valois.

— C'est pourquoi il ne faut point leur en donner », répondit Marigny.

Nogaret sentit à ce moment comme une nausée qui lui alourdissait l'estomac et gênait sa respiration. Il voulut se redresser sur son siège et il éprouva de la difficulté pour commander à ses muscles. Puis, son malaise disparut ; il respira largement et s'essuya le front.

« Rome est la ville du pape pour tous les chrétiens, dit Charles de Valois. Le centre du monde est à Rome.

— Chose qui convient aux Italiens, sans doute, mais non au roi de France, dit Marigny.

— Vous ne pouvez tout de même refaire l'œuvre des siècles, messire Enguerrand, et empêcher que le trône de saint Pierre ne soit là où il l'a fondé.

— Mais quand le pape veut se tenir à Rome, il ne peut y rester ! s'écria Marigny. Il est forcé de fuir devant les factions qui déchirent la ville, et doit s'aller réfugier dans quelque château sous la protection de troupes qui ne lui appartiennent point. Il se trouve beaucoup mieux veillé par notre bonne forteresse de Villeneuve, de l'autre côté du Rhône.

— Le pape demeurera en son établissement d'Avignon, dit le roi.

— Je connais bien Francesco Caëtani, reprit Charles de Valois. C'est un homme de grand savoir et de grand mérite sur qui je puis avoir de l'influence.

— Je ne souhaite point ce Caëtani, dit le roi. Il est de la famille de Boniface, et reprendrait les errements de la bulle *Unam Sanctam*[22]. »

Philippe de Poitiers, penchant son long buste, montra qu'il approuvait pleinement son père.

« Je pense qu'il y a dans cette affaire, dit-il, assez d'intrigues pour qu'elles s'anéantissent l'une l'autre. A nous d'être les plus tenaces et les plus fermes. »

Après un instant de silence, Philippe le Bel se tourna vers Nogaret. Celui-ci, le visage très pâle, respirait avec peine.

« Votre conseil, Nogaret ?

— Oui... Sire », dit le garde des Sceaux avec effort.

Il passa une main tremblante sur son front.

« Veuillez me pardonner... Cette lourde chaleur...

— Mais il ne fait pas chaud », dit Hugues de Bouville.

Nogaret, à grand effort, prononça d'une voix lointaine :

« L'intérêt du royaume et celui de la foi commandent d'agir en ce sens. »

Puis il se tut ; on s'étonna qu'il eût parlé si peu, et pour exprimer une pensée si vague.

« Votre conseil, Marigny ?

— Je proposerais, Sire, qu'on prît prétexte de ramener en Guyenne les restes du pape Clément, selon la volonté qu'il en a montrée, pour aller presser un peu le conclave. Messire de Nogaret pourrait être chargé de cette pieuse mission, nanti des pouvoirs nécessaires, et accompagné d'une bonne escorte, armée comme il convient. L'escorte garantira les pouvoirs. »

Charles de Valois détourna la tête ; il désapprouvait cette épreuve de force.

« Mon annulation en sera-t-elle hâtée ? demanda Louis de Navarre.

— Taisez-vous, Louis... dit le roi. C'est aussi à cela que nous travaillons.

— Oui, Sire... », dit Nogaret sans même avoir conscience de parler.

Sa voix était rauque et basse. Il éprouvait un grand trouble dans l'esprit, et les choses se déformèrent devant ses yeux. Les voûtes de la salle lui parurent devenir hautes comme celles de la Sainte-Chapelle ; puis, soudain, elles se rapprochèrent jusqu'à devenir aussi basses que celles des caveaux où il avait coutume d'interroger les prisonniers.

« Qu'advient-il ? » demanda-t-il en essayant de desserrer son surcot.

Il s'était brusquement ramassé sur lui-même, les genoux contre le ventre, la tête baissée, les mains crispées sur la poitrine. Le roi se leva, imité de tous les assistants... Nogaret poussa un cri étouffé et s'écroula en vomissant.

Ce fut Hugues de Bouville, le grand chambellan, qui le ramena à son hôtel où il fut aussitôt visité par les médecins du roi.

Ceux-ci consultèrent longuement. Rien ne fut révélé de leur rapport au souverain. Mais bientôt, à la cour et dans toute la ville, on parla d'une maladie inconnue. Le poison ? On affirmait avoir essayé des plus puissants antidotes.

Les affaires du royaume, ce jour-là, restèrent comme suspendues.

Lorsque la comtesse Mahaut apprit la nouvelle, elle dit seulement :

« Bon ! Il paie. »

Et elle se mit à table. Mais elle promit à Béatrice une robe complète, c'est-à-dire les six pièces, chemise, robe de dessous, robe de dessus, surcot, manteau et chape, le tout de la plus fine étoffe, avec en plus une belle bourse pendue à la ceinture, si le garde des Sceaux trépassait.

Nogaret, effectivement, payait. Depuis plusieurs heures, il ne reconnaissait plus personne. Il était sur son lit, le corps secoué de spasmes, et il crachait du sang. Il n'avait même plus la force de se pencher au-dessus d'un bassin ; le sang coulait de sa bouche sur un gros drap plié qu'un valet changeait de temps en temps.

La chambre était pleine. Amis et serviteurs se relayaient auprès du malade. Dans un coin, petit groupe sournois et chuchotant, quelques parents pensaient à la curée en évaluant le mobilier.

Nogaret ne les distinguait que comme de vagues spectres qui s'agitaient très loin, sans raison et sans but. D'autres présences, visibles de lui seul, étaient en train de l'assaillir.

Au curé de la paroisse, qui vint l'administrer, il ne confessa que des râles ou des paroles inintelligibles.

« Arrière, arrière ! » hurla-t-il d'une voix épouvantée quand on l'oignit des saintes huiles.

Les médecins se précipitèrent. Nogaret, hagard, se tordait sur sa couche, les yeux révulsés, repoussant des ombres... Il était entré dans les affres.

Sa mémoire, qui n'aurait plus à lui faire de service, se vidait d'un coup comme une bouteille retournée qu'on va jeter, et lui présentait toutes les agonies auxquelles il avait assisté, tous les trépas qu'il avait ordonnés. Morts pendant les interrogatoires, morts dans les prisons, morts dans les flammes, morts sur la roue, morts aux cordes des gibets se bousculaient en lui et venaient y mourir une deuxième fois.

Les mains à la gorge, il s'efforçait d'écarter les fers rougis dont il avait vu brûler tant de poitrines nues. Ses jambes furent saisies de crampes ; on l'entendit crier :

« Les tenailles ! Otez-les, par pitié ! »

L'odeur du sang qu'il vomissait lui semblait l'odeur du sang de ses victimes.

Il arrivait à Nogaret, pour sa dernière heure, de se sentir enfin à la place des autres ; et c'était cela son châtiment.

« Je n'ai rien fait en mon nom ! Le roi seul... j'ai servi le roi... »

Ce légiste, devant le tribunal de l'agonie, tentait une ultime procédure.

Les assistants, avec moins d'émotion que de curiosité, et plus de dégoût que de compassion, regardaient s'enfoncer dans l'au-delà l'un des vrais maîtres du royaume.

Vers le soir la chambre se vida. Un barbier et un frère de saint Dominique restèrent seuls auprès de Nogaret. Les serviteurs se couchèrent à même le sol, dans l'antichambre, et la tête sous leurs manteaux.

Bouville eut à les enjamber, lorsqu'il vint dans la nuit, de la part du roi. Il interrogea le barbier.

« Rien n'a pu agir, dit celui-ci à voix basse. Il vomit moins, mais ne cesse de délirer. Nous n'avons plus qu'à attendre que Dieu le prenne ! »

Râlant faiblement, Nogaret était seul à voir les Templiers morts qui l'attendaient au fond des ténèbres. La croix cousue sur l'épaule, ils se tenaient le long d'une route nue, bordée de précipices, et qu'éclairait la lueur des bûchers.

« Aymon de Barbonne... Jean de Furnes... Pierre Suffet... Brintinhiac... Ponsard de Gizy... »

Les morts se servaient de sa voix, qu'il ne reconnaissait plus, pour se faire reconnaître de lui.

« Oui, Sire... Je partirai demain... »

Bouville, vieux serviteur de la couronne, eut le cœur serré en percevant ce murmure qu'il se promit de rapporter au roi.

Mais soudain Nogaret se dressa, le menton en avant, le cou tendu, et lui cria, effrayant :

« Fils de Cathare ! »

Bouville regarda le dominicain, et tous deux se signèrent.

« Fils de Cathare ! » répéta Nogaret.

Et il retomba sur ses oreillers. Dans l'immense, le tragique paysage de montagnes et de vallées qu'il portait en lui et qui le conduisait vers le jugement dernier, Nogaret était reparti pour sa grande expédition. Il chevauchait, un jour de septembre, sous l'éblouissant soleil d'Italie, à la tête de six cents cavaliers et d'un millier de fantassins, vers le rocher d'Anagni. Sciarra Colonna, l'ennemi mortel du pape Boniface VIII, l'homme qui avait préférer ramer trois ans au banc d'une galère barbaresque plutôt que risquer d'être rendu à la papauté, marchait à côté de lui. Et Thierry d'Hirson était de l'expédition. La petite cité d'Anagni ouvrait d'elle-même ses portes ; les assaillants, passant par l'intérieur de la cathédrale, envahissaient le palais Caëtani et les appartements pontificaux. Là, le vieux pape de quatre-vingt-huit ans, tiare en tête, croix en main, seul dans une immense salle désertée, voyait entrer cette horde en armures. Sommé d'abdiquer, il répondait : « Voilà mon cou, voilà ma tête ; je mourrai, mais je mourrai pape. » Sciarra Colonna le giflait de son gantelet de fer. Et Boniface lançait à Nogaret : « Fils de Cathare ! Fils de Cathare ! »

« J'ai empêché qu'on ne le tuât », gémit Nogaret.

Il plaidait encore. Mais bientôt il se mit à sangloter, comme avait sangloté Boniface jeté à bas de son trône ; il était de nouveau à la place de *l'autre*...

La raison du vieux pape n'avait pas résisté à l'attentat et à l'outrage. Tandis qu'on le ramenait à Rome, Boniface continuait de pleurer comme un enfant. Puis il était tombé dans une démence furieuse, insultant quiconque l'approchait, et se traînant à quatre pattes dans la chambre où on le gardait. Un mois plus tard il mourait en repoussant, dans une crise de rage, les derniers sacrements...

Penché sur Nogaret et multipliant les signes de croix, le frère dominicain ne comprenait pas pourquoi l'ancien excommunié s'obstinait à refuser une extrême-onction qu'il avait reçue quelques heures plus tôt.

Bouville partit. Le barbier, se sachant inutile jusqu'au moment où il aurait à procéder à la toilette funéraire, s'était endormi sur son siège et dodelinait la tête. Le dominicain, de temps à autre, abandonnait son chapelet pour moucher la chandelle.

Vers quatre heures du matin, les lèvres de Nogaret articulèrent faiblement :

« Pape Clément... chevalier Guillaume... roi Philippe... »

Ses grands doigts bruns et plats grattaient le drap.

« Je brûle », dit-il encore.

Puis les fenêtres devinrent grises de la timide lueur de l'aube, et une cloche tinta, grêle, de l'autre côté de la Seine. Les serviteurs remuèrent dans le vestibule. L'un d'eux entra, traînant les pieds, et vint ouvrir une croisée. Paris sentait le printemps et les feuilles. La ville s'éveillait dans une rumeur confuse.

Nogaret était mort et un filet de sang séchait sous ses narines. Le frère de saint Dominique dit :

« Dieu l'a pris ! »

III

LES DOCUMENTS D'UN REGNE

UNE heure après que Nogaret eut rendu l'âme, messire Alain de Pareilles, accompagné de Maillard, le secrétaire du roi, vint se saisir de tous les documents, pièces et dossiers qui se trouvaient en la demeure du garde des Sceaux.

Puis le roi lui-même fit une dernière visite à son ministre. Il ne resta devant le corps qu'un temps assez bref. Ses yeux pâles fixaient le mort, sans ciller, comme lorsqu'il lui posait sa question habituelle : « Votre conseil, Nogaret ? » Et il semblait déçu de ne plus avoir réponse.

Philippe le Bel, ce matin-là, n'accomplit point sa quotidienne promenade à travers les rues et les marchés. Il rentra directement au Palais où il commença, aidé de Maillard, l'examen des dossiers pris chez Nogaret et qu'on avait déposés dans son cabinet.

Bientôt, Enguerrand de Marigny se présenta chez le roi. Le souverain et son coadjuteur se regardèrent, et le secrétaire sortit.

« Le pape, au bout d'un mois... dit le roi. Et un mois après, Nogaret... »

Il y avait de l'angoisse, presque de la détresse, dans la façon dont il avait prononcé ces mots. Marigny s'assit sur le siège que le souverain lui désignait. Il resta un moment silencieux, puis dit :

« Certes, ce sont d'étranges coïncidences, Sire. Mais de semblables choses arrivent sans doute chaque jour, dont nous ne sommes pas frappés parce que nous les ignorons.

— Nous avançons en âge, Enguerrand. C'est une malédiction suffisante. »

Il avait quarante-six ans, Marigny quarante-neuf. Peu d'hommes, à cette époque, atteignaient la cinquantaine.

« Il faut faire tri de tout ceci », reprit le roi en montrant les dossiers.

Ils se mirent au travail. Une partie des pièces seraient déposées aux Archives du royaume, dans le Palais même [23]. D'autres, qui concernaient des affaires en cours, seraient conservées par Marigny ou remises à ses légistes ; d'autres enfin, par prudence, iraient au feu.

Le silence régnait dans le cabinet, à peine troublé par les cris lointains des marchands et la rumeur de Paris.

Le roi se penchait sur les liasses ouvertes. C'était tout son règne qu'il voyait repasser devant lui, vingt-neuf années pendant lesquelles il avait administré le sort de millions d'hommes, et imposé son influence à l'Europe entière.

Et brusquement cette suite d'événements, de problèmes, de conflits, de décisions lui parut comme étrangère à sa propre vie, à son propre destin. Une autre lumière éclairait ce qui avait fait le travail de ses jours et le souci de ses nuits.

Car il découvrait soudain ce que les autres pensaient et écrivaient de lui ; il se voyait de l'extérieur. Nogaret avait gardé des lettres d'ambassadeurs, des minutes d'interrogatoires, des rapports de police. Toutes ces lignes faisaient apparaître un portrait du roi que celui-ci ne reconnaissait pas, l'image d'un être lointain, dur, étranger à la peine des hommes, inaccessible aux sentiments, une figure abstraite incarnant l'autorité au-dessus et à l'écart de ses semblables. Plein d'étonnement, il lisait deux phrases de Bernard de Saisset, cet évêque qui avait été à l'origine de la grande querelle avec Boniface VIII : « Il a beau être le plus bel homme du monde, il ne sait que regarder les gens sans rien dire. Ce n'est ni un homme ni une bête, c'est une statue. »

Et il lut aussi ces mots, d'un autre témoin de son règne : « Rien ne le fera ployer, c'est un roi de fer. »

« Un roi de fer, murmura Philippe le Bel. Ai-je donc su si bien cacher mes faiblesses ? Comme les autres nous connaissent peu, et comme je serai mal jugé ! »

Un nom rencontré le fit se souvenir de l'extraordinaire ambassade qu'il avait reçue tout au début de son règne. Rabban Kaumas, évêque nestorien chinois, était venu lui proposer de la part du grand Khan de Perse, descendant de Gengis Khan, la conclusion d'une alliance, une armée de cent mille hommes et la guerre contre les Turcs.

Philippe le Bel avait alors vingt ans. Quelle griserie, pour un jeune homme, que la perspective d'une croisade où participeraient l'Europe et l'Asie, quelle entreprise digne d'Alexandre ! Ce jour-là pourtant, il avait choisi une autre voie. Plus de croisades, plus d'aventures guerrières ; c'était sur la France et la paix qu'il avait résolu d'exercer ses efforts. Avait-il eu raison ? Quelle eût été sa vie, et quel empire eût-il fondé s'il avait accepté l'alliance avec le Khan de Perse ? Il rêva, un instant, d'une gigantesque reconquête des terres chrétiennes qui aurait assuré sa gloire dans la suite des siècles... Mais Louis VII, mais saint Louis avaient poursuivi de semblables rêves, qui s'étaient tournés en désastres.

Il revint au réel, souleva une nouvelle pile de parchemins. Sur le dossier, il lisait une date : 1305. C'était l'année de la mort de son épouse la reine Jeanne, qui avait apporté la Navarre au royaume, et à lui le seul amour qu'il eût connu. Il n'avait jamais désiré d'autre femme ; depuis neuf ans qu'elle était disparue, il n'en avait plus regardé d'autre. Or, à peine avait-il dépouillé l'habit de deuil, qu'il devait affronter les émeutes. Paris, soulevé contre ses ordonnances, le forçait à se réfugier au Temple. Et l'année suivante, il faisait arrêter ces mêmes Templiers qui lui avaient fourni asile et protection... Nogaret avait conservé ses notes concernant la conduite du procès.

Et maintenant ? Après tant d'autres, le visage de Nogaret allait s'effacer du monde. Il ne restait de lui que ces liasses d'écriture, témoignages de son labeur.

« Que de choses promises à l'oubli dorment ici, pensa le roi. Tant de procédures, de tortures, de morts... »

Les yeux fixes, il méditait.

« Pourquoi ? se demandait-il encore. Pour quelle fin ? Où sont mes victoires ? Gouverner est une œuvre qui ne connaît point d'achèvement. Peut-être n'ai-je que quelques semaines à vivre. Et qu'ai-je fait qui soit assuré de durer après moi... »

Il ressentait la grande vanité d'agir qu'éprouve l'homme assailli par l'idée de sa propre mort.

Marigny, le poing sous son large menton, restait immobile, inquiet de la gravité du roi. Tout était relativement aisé au coadjuteur dans l'exercice de ses charges et tâches, sauf de comprendre les silences du souverain.

« Nous avons fait canoniser mon grand-père le roi Louis par le pape Boniface, dit Philippe le Bel ; mais était-il vraiment un saint ?

— Sa canonisation était utile au royaume, Sire, répondit Marigny. Une famille de rois est mieux respectée si elle compte un saint.

— Mais fallait-il, dans la suite, employer la force contre Boniface ?

— Il était sur le point de vous excommunier, Sire, parce que vous ne pratiquiez point dans vos Etats la politique qu'il voulait. Vous n'avez pas manqué au devoir des rois. Vous êtes resté à la place où Dieu vous avait mis, et vous avez proclamé que vous ne teniez votre royaume de personne, fors de Dieu. »

Philippe le Bel désigna un long parchemin.

« Et les Juifs ? N'en avons-nous pas brûlé trop ?
Ils sont créatures humaines, souffrantes et mor-
telles comme nous. Dieu ne l'ordonnait pas.

— Vous avez suivi l'exemple de saint Louis,
Sire ; et le royaume avait besoin de leurs riches-
ses. »

Le royaume, le royaume, sans cesse le royaume.
« Il le fallait, pour le royaume... Nous le devons,
pour le royaume... »

« Saint Louis aimait la foi et la grandeur de
Dieu. Moi, qu'ai-je donc aimé ? dit Philippe le Bel
à voix basse.

— La justice, Sire, la justice qui est nécessaire
au commun bien, et qui frappe tous ceux qui ne
suivent pas le train du monde.

— Ceux qui ne suivent pas le train du monde
ont été nombreux le long de mon règne, et ils
seront nombreux encore si tous les siècles se ressemblent. »

Il soulevait les dossiers de Nogaret et les repo-
sait sur la table, l'un après l'autre.

« Le pouvoir est chose amère, dit-il.

— Rien n'est grand, Sire, qui n'ait sa part de
fiel, répondit Marigny, et le Seigneur Christ l'a su.
Vous avez régné grandement. Songez que vous
avez réuni à la couronne Chartres, Beaugency, la
Champagne, la Bigorre, Angoulême, la Marche,
Douai, Montpellier, la Comté-Franche, Lyon, et
une part de Guyenne. Vous avez fortifié vos villes,
comme votre père Mgr Philippe III le souhaitait,
pour qu'elles ne soient plus à la merci d'autrui,
du dehors comme du dedans... Vous avez refait
la loi d'après les lois de l'ancienne Rome. Vous
avez donné au Parlement sa règle pour qu'il rende
de meilleurs arrêts. Vous avez octroyé à beaucoup

de vos sujets la bourgeoisie du roi [24]. Vous avez affranchi des serfs dans maints bailliages et séné-chaussées. Non, Sire, c'est à tort que vous craignez d'avoir erré. D'un royaume partagé, vous avez fait un pays qui commence à n'avoir qu'un seul cœur. »

Philippe le Bel se leva. La conviction sans faille de son coadjuteur le rassurait, et il s'appuyait sur elle pour lutter contre une faiblesse qui n'était pas dans sa nature.

« Peut-être dites-vous vrai, Enguerrand. Mais si le passé vous satisfait, que dites-vous du présent ? Hier des gens ont dû être tenus au calme par les archers, rue Saint-Merri. Lisez ce qu'écrivent les baillis de Champagne, de Lyon et d'Orléans. Partout on crie, partout on se plaint du renchérissement du blé et des maigres salaires. Et ceux-là qui crient, Enguerrand, ne peuvent comprendre que ce qu'ils réclament, et que je voudrais leur donner, dépend du temps et non de ma volonté. Ils oublieront mes victoires pour ne se souvenir que de mes impôts, et l'on m'accablera de ne point les avoir nourris, du temps qu'ils vivaient... »

Marigny écoutait, plus inquiet maintenant des paroles du roi que de ses silences. Jamais il ne l'avait entendu avouer de semblables incertitudes, ni manifester un tel découragement.

« Sire, dit-il, il faut que nous décidions en plusieurs matières. »

Philippe le Bel regarda encore un instant, épars sur la table, les documents de son règne. Puis il se redressa, comme s'il venait de se donner un ordre.

« Oui, Enguerrand, dit-il, il faut. »

Le propre des hommes forts n'est pas d'ignorer les hésitations et les doutes qui sont le fonds commun de la nature humaine, mais seulement de les surmonter plus rapidement.

IV

L'ÉTÉ DU ROI

Avec la mort de Nogaret, Philippe le Bel parut
avoir pénétré dans un pays où personne ne pouvait le rejoindre. Le printemps réchauffait la terre
et les maisons ; Paris vivait dans le soleil ; mais
le roi était comme exilé dans un hiver intérieur.
La prophétie du grand-maître ne quittait plus
guère son esprit.

Souvent, il partait pour l'une de ses résidences
de campagne, où il suivait de longues chasses, sa
seule distraction apparente. Mais il était vite rappelé à Paris par des rapports alarmants. La situation alimentaire, dans le royaume, était mauvaise.
Le coût des vivres augmentait ; les régions pros-
pères n'acceptaient pas de diriger leurs excédents
vers les régions pauvres. On disait volontiers :
« Trop de sergents, et pas assez de froment. » On
refusait de payer les impôts, et l'on se révoltait

contre les prévôts et les receveurs de finances.
A la faveur de cette crise, les ligues de barons,
en Bourgogne et en Champagne, se reconstituaient
pour soutenir de vieilles prétentions féodales. Robert d'Artois, mettant à profit le scandale des princesses royales et le mécontentement général, recommençait à fomenter des troubles sur les terres de la comtesse Mahaut.

« Mauvais printemps pour le royaume, dit un
jour Philippe le Bel devant Mgr de Valois.

— Nous sommes dans la quatorzième année du
siècle, mon frère, répondit Valois, une année que
le sort a toujours marquée pour le malheur. »

Il rappelait par là une troublante constatation
faite à propos des années 14, au cours des âges :
714, invasion des musulmans d'Espagne ; 814,
mort de Charlemagne et déchirement de son empire ; 914, invasion des Hongrois, accompagnée de
la grande famine ; 1114, perte de la Bretagne ;
1214, la coalition d'Othon IV, vaincue de justesse
à Bouvines... une victoire au bord de la catastrophe. Seule, l'année 1014 manquait à l'appel des
drames.

Philippe le Bel regarda son frère comme s'il
ne le voyait pas. Il laissa tomber la main sur le
cou du lévrier Lombard, qu'il caressa à rebrousse-
poil.

« Or, le malheur cette fois, mon frère, est le
produit de votre mauvais entourage, reprit Charles de Valois. Marigny ne connaît plus de mesure.
Il use de la confiance que vous lui faites pour vous
tromper, et vous engager toujours plus avant dans
la voie qui le sert mais qui nous perd. Si vous aviez
écouté mon conseil dans la question de Flandre... »

Philippe le Bel haussa les épaules, d'un mouvement qui voulait dire : « A cela, je ne puis rien. »

Les difficultés avec la Flandre resurgissaient, périodiquement. Bruges la riche, irréductible, encourageait les soulèvements communaux. Le comté de Flandre, de statut mal défini, refusait d'appliquer la loi générale. De traités en dérobades, de négociations en révoltes, cette affaire flamande était une plaie inguérissable à l'épaule du royaume. Que restait-il de la victoire de Mons-en-Pévèle ? Une fois encore, il allait falloir employer la force.

Mais la levée d'une armée exigeait des fonds. Et si l'on repartait en campagne, le compte du Trésor dépasserait sans doute celui de 1299, demeuré dans les mémoires comme le plus élevé que le royaume eût connu : 1 642 649 livres de dépenses, accusant un déficit de près de 70 000 livres. Or, depuis quelques années, les recettes ordinaires s'équilibraient autour de 500 000 livres. Où trouver la différence ?

Marigny, contre l'avis de Charles de Valois, fit alors convoquer une assemblée populaire pour le 1er août 1314, à Paris. Il avait déjà eu recours à de pareilles consultations, mais surtout à l'occasion des conflits avec la papauté. C'était en aidant le pouvoir royal à se dégager de l'obédience au Saint-Siège que la bourgeoisie avait conquis son droit de parole. Maintenant, on demandait son approbation en matière de finances.

Marigny prépara cette réunion avec le plus grand soin, envoyant dans les villes messagers et secrétaires, multipliant entrevues, démarches, promesses.

L'Assemblée se tint dans la Galerie mercière dont les boutiques, ce jour-là, furent fermées. Une grande estrade avait été dressée où s'installèrent le roi, les membres de son Conseil, ainsi que les pairs et les principaux barons.

Marigny prit la parole, debout, non loin de son effigie de marbre, et sa voix semblait plus assurée encore qu'à l'accoutumée, plus certaine d'exprimer la vérité du royaume. Il était sobrement vêtu ; il avait, de l'orateur, la prestance et le geste. Son discours, dans la forme, s'adressait au roi ; mais il le prononçait tourné vers la foule qui, de ce fait, se sentait un peu souveraine. Dans l'immense nef à deux voûtes, plusieurs centaines d'hommes, venus de toute la France, écoutaient.

Marigny expliqua que si les vivres se faisaient rares, donc plus chers, on ne devait point s'en montrer trop surpris. La paix qu'avait maintenue le roi Philippe favorisait l'accroissement en nombre de ses sujets. « Nous mangeons le même blé, mais nous sommes plus à le partager. » Il fallait donc semer davantage ; et pour semer, il fallait la tranquillité dans l'Etat, l'obéissance aux ordonnances, la participation de chaque région à la prospérité de toutes.

Or, qui menaçait la paix ? La Flandre. Qui refusait de contribuer au bien général ? La Flandre. Qui gardait ses blés et ses draps, préférant les vendre à l'étranger plutôt que de les diriger vers l'intérieur du royaume où sévissait la pénurie ? La Flandre. En refusant d'acquitter les tailles et droits de « traites », les villes flamandes aggravaient forcément la proportion des charges, pour les autres sujets du roi. La Flandre devait céder ; on l'y contraindrait par la force. Mais pour cela, il fallait des subsides ; toutes les villes, ici représentées par leurs bourgeois, devaient donc, dans

leur propre intérêt, accepter une levée exceptionnelle d'impôts.

« Ainsi se feront voir, acheva Marigny, ceux qui
donneront aide à aller contre les Flamands. »

Une rumeur s'éleva, bientôt dominée par la voix
d'Etienne Barbette.

Barbette, maître de la Monnaie de Paris, échevin, prévôt des marchands, et fort riche d'un
commerce de toiles et de chevaux, était l'allié de
Marigny. Son intervention avait été préparée. Au
nom de la première ville du royaume, Barbette
promit l'aide requise. Il entraîna l'assistance, et
les députés de quarante-trois « bonnes villes » ac-
clamèrent d'une même voix le roi, Marigny, et
Barbette.

Si l'Assemblée avait été une victoire, les résultats financiers se montrèrent assez décevants.
L'armée fut mise sur pied avant que la subvention
ait été recouvrée.

Le roi et son coadjuteur souhaitaient faire une
démonstration rapide d'autorité plutôt que conduire une vraie guerre. L'expédition fut une im-
posante promenade militaire. Marigny, à peine
les troupes en marche, fit connaître à l'adversaire
qu'il était prêt à négocier, et se hâta de conclure,
les premiers jours de septembre, la convention de
Marquette.

Mais aussitôt l'armée partie, Louis de Nevers,
fils de Robert de Béthune, comte de Flandre,
dénonça la convention. Pour Marigny, c'était
l'échec. Valois, qui en venait à se réjouir d'une
défaite pour le royaume si cette défaite nuisait
au coadjuteur, accusait ce dernier, publique-
ment, de s'être laissé acheter par les Flamands.

La note de la campagne demeurait à payer ; et les officiers royaux continuaient donc de percevoir, à grand-peine et au vif mécontentement des provinces, l'aide exceptionnelle consentie pour une entreprise déjà close, et par l'insuccès.

Le Trésor s'épuisait et Marigny devait envisager de nouveaux expédients.

Les Juifs avaient été spoliés par deux fois ; les tondre à nouveau donnerait peu de laine. Les Templiers n'existaient plus, et leur or était depuis longtemps fondu. Restaient les Lombards.

Déjà, en 1311, on les avait décrétés d'expulsion, sans intention véritable d'exécuter l'ordonnance, mais pour les obliger de racheter, fort cher, leur droit de séjour. Cette fois, il ne pouvait s'agir de rachat ; c'était la saisie de tous leurs biens, et leur renvoi de France, que Marigny méditait. Le trafic qu'ils maintenaient avec la Flandre, au mépris des instructions royales, et l'appui financier qu'ils apportaient aux ligues seigneuriales, justifiaient la mesure en préparation.

Mais le morceau était de taille. Les banquiers et négociants italiens, bourgeois du roi, avaient réussi à très solidement s'organiser, en « compagnies », avec à leur tête un « capitaine général » élu. Ils contrôlaient le commerce vers l'étranger et régnaient sur le crédit. Les transports, le courrier privé et même certains recouvrements d'impôts passaient par leurs mains. Ils prêtaient aux barons, aux villes, aux rois. Ils faisaient même l'aumône, lorsqu'il le fallait.

Aussi Marigny passa-t-il plusieurs semaines à mettre au point son projet. Il était homme tenace, et la nécessité l'aiguillonnait.

Mais Nogaret n'était plus là. D'autre part, les Lombards de Paris, gens bien informés et instruits par l'expérience, payaient cher les secrets du pouvoir.

Tolomei, de son seul œil ouvert, veillait.

V

L'ARGENT ET LE POUVOIR

Un soir de la mi-octobre, une trentaine d'hommes tenaient réunion, toutes portes closes, chez messer Spinello Tolomei.

Le plus jeune, Guccio Baglioni, neveu de la maison, avait dix-huit ans. Le plus âgé en comptait soixante-quinze ; c'était Boccanegra, capitaine général des compagnies lombardes. Si différents qu'ils fussent d'âge et de traits, il y avait entre tous ces personnages une curieuse ressemblance dans l'attitude, la mobilité de visage et de geste, la manière de porter le vêtement.

Eclairés par de gros cierges fichés dans des candélabres forgés, ces hommes de teint brun formaient une famille au langage commun. Une tribu en guerre aussi, et dont la puissance était égale à celle des grandes ligues de noblesse ou des assemblées de bourgeois.

Il y avait là les Peruzzi, les Albizzi, les Guardi, les Bardi avec leur principal commis et voyageur Boccace, les Pucci, les Casinelli, tous originaires de Florence comme le vieux Boccanegra. Il y avait les Salimbene, les Buonsignori, les Allerani et les Zaccaria, de Gênes ; il y avait les Scotti, de Piacenza ; il y avait le clan siennois autour de Tolomei. Entre tous ces hommes existaient des rivalités de prestige, des concurrences commerciales, et même parfois des haines solides pour raisons de famille ou affaires d'amour. Mais dans le péril ils se retrouvaient comme frères.

Tolomei venait d'exposer la situation avec calme, sans en dissimuler la gravité. Ce n'était d'ailleurs pour personne une totale surprise. Il y avait peu d'imprévoyants parmi ces hommes de banque, et la plupart avaient déjà mis à l'abri, hors de France, une partie de leur fortune. Mais il est des choses qui ne se peuvent emporter et chacun songeait avec angoisse ou colère ou déchirement à ce qu'il allait devoir abandonner : la belle demeure, les biens fonciers, les marchandises en magasin, la situation acquise, la clientèle, les habitudes, les amitiés, la jolie maîtresse, le fils naturel...

« Je possède peut-être, dit alors Tolomei, un moyen d'enchaîner le Marigny, sinon même de l'abattre.

— Alors, n'hésite pas : *ammazzalo !* * dit Buonsignori, le chef de la plus grosse compagnie génoise.

— Quel est ton moyen ? » questionna le représentant des Scotti.

Tolomei secoua la tête :

---

* Assomme-le.

LE ROI DE FER 307

« Je ne puis le dire encore.

— Des dettes sans doute ? s'écria Zaccaria. Et après ? Est-ce que cela a jamais gêné cette sorte de gens ? Au contraire ! Ils auront, s'ils nous expulsent, une bonne occasion d'oublier ce qu'il nous doivent... »

Zaccaria était amer ; il ne possédait qu'une petite compagnie et enviait à Tolomei sa clientèle de grands seigneurs. Tolomei se tourna vers lui et, sur un ton de profonde conviction, répondit :

« Beaucoup plus que des dettes, Zaccaria ! Une arme empoisonnée, et dont je ne veux pas éventer le venin. Mais, pour l'utiliser, j'ai besoin de vous tous, mes amis. Car il me faudra traiter avec le coadjuteur de force à force. Je tiens une menace ; il me faut pouvoir l'assortir d'une offre... afin que Marigny choisisse ou l'entente ou le combat. »

Il développa son idée. Si l'on voulait spolier les Lombards, c'était pour combler le déficit des finances publiques. Marigny devait à tout prix remplir le Trésor. Les Lombards allaient feindre de se montrer bons sujets, et proposer spontanément un prêt très important à faible intérêt. Si Marigny refusait, Tolomei sortait l'arme du fourreau.

« Tolomei, il faut nous éclairer, dit l'aîné des Bardi. Quelle est cette arme dont tu parles tant ? »

Après un instant d'hésitation, Tolomei dit :

« Si vous y tenez, je puis la révéler à notre capitano, mais à lui seul. »

Un murmure courut, et l'on se consulta du regard.

« Si... d'accordo, facciamo cosi... * » entendit-on.

_____

* Oui... d'accord... faisons ainsi...

Tolomei attira Boccanegra dans un coin de la pièce. Les autres guettaient le visage au nez mince, aux lèvres rentrées, aux yeux usés, du vieux Florentin ; ils saisirent seulement les mots de *fratello*, et d'*arcivescovo* *.

« Deux mille livres, bien placées, n'est-ce pas ? murmura enfin Tolomei. Je savais qu'elles me serviraient un jour. »

Boccanegra eut un petit rire gargouillant au fond de sa vieille gorge ; puis il reprit sa place et dit simplement en désignant du doigt Tolomei :

« *Abbiate fiducia* ** ».

Alors Tolomei, tablette et stylet en mains, commença d'interroger chacun sur le chiffre de la subvention qu'il pouvait consentir.

Boccanegra s'inscrivit le premier pour une somme considérable : dix mille et treize livres.

« Pourquoi les treize livres ? lui demanda-t-on.

— *Per portar loro scarogna* ***.

— Peruzzi, combien peux-tu faire ? » demanda Tolomei.

Peruzzi calculait.

« Je vais te dire... dans un moment, répondit-il.

— Et toi, Salimbene ? »

Les Génois, autour de Salimbene et de Buonsignori, avaient la mine d'hommes à qui l'on arrache un morceau de chair. Ils étaient connus pour être les plus retors en affaires. On disait d'eux : « Si un Génois te regarde seulement la bourse, elle est déjà vide. » Pourtant, ils s'exécutèrent. Certains des assistants se confiaient :

---

* Frère... archevêque.
** Ayez confiance.
*** Pour leur porter malheur.

« Si Tolomei réussit à nous tirer de là, c'est lui un jour qui succédera à Boccanegra. »

Tolomei s'approcha des deux Bardi qui parlaient bas avec Boccace.

« Combien faites-vous, pour votre compagnie ? »

L'aîné des Bardi sourit :

« Autant que toi, Spinello. »

L'œil gauche du Siennois s'ouvrit.

« Alors, ce sera le double de ce que tu pensais.

— Ce serait encore bien plus lourd de tout perdre, dit le Bardi en haussant les épaules. N'est-ce pas vrai, Boccacio ? »

Celui-ci inclina la tête. Mais il se leva pour prendre Guccio à part. Leur rencontre sur la route de Londres avait établi entre eux des liens d'amitié.

« Est-ce que ton oncle a vraiment le moyen de briser le cou d'Enguerrand ? »

Guccio, de son air le plus sérieux, répondit :

« Je n'ai jamais entendu mon oncle faire une promesse qu'il ne pouvait tenir. »

Quand on leva la séance, le Salut était achevé dans les églises, et la nuit tombait sur Paris. Les trente banquiers sortirent de l'hôtel Tolomei. Eclairés par les torches que tenaient leurs valets, ils se raccompagnèrent de porte en porte, à travers le quartier des Lombards, formant dans les rues sombres une étrange procession de la fortune menacée, la procession des pénitents de l'or.

Dans son cabinet, Spinello Tolomei, seul avec Guccio, faisait le total des sommes promises, comme on compte des troupes avant une bataille. Quand il eut terminé, il sourit. L'œil mi-clos, les mains nouées sur les reins, regardant le feu où les bûches devenaient cendre, il murmura :

« Messire de Marigny, vous n'avez pas encore vaincu. »

Puis, à Guccio :

« Et si nous réussissons, nous demanderons de nouveaux privilèges en Flandre. »

Car, si près du désastre, Tolomei songeait déjà, s'il l'évitait, à en tirer profit. Il se dirigea vers son coffre, l'ouvrit.

« La décharge signée par l'archevêque, dit-il en prenant le document. Si l'on venait à nous faire ce qu'on fit aux Templiers, je préférerais que les sergents de messire Enguerrand ne la puissent trouver ici. Tu vas sauter sur le meilleur cheval, et partir aussitôt pour Neauphle, où tu mettras ceci en cache, dans notre comptoir. Tu resteras là-bas. »

Il regarda Guccio bien en face, et ajouta gravement :

« S'il m'arrivait quelque malheur... »

Tous deux firent les cornes avec leurs doigts, et touchèrent du bois.

« ... tu remettrais cette pièce à Mgr d'Artois, pour qu'il la remette au comte de Valois, lequel en saurait faire bon usage. Sois défiant, car le comptoir de Neauphle ne sera pas non plus à l'abri des archers...

— Mon oncle, mon oncle, dit vivement Guccio, j'ai une idée. Plutôt que de loger au comptoir, je pourrais aller à Cressay dont les châtelains restent nos obligés. Je leur ai naguère été fort secourable, et nous avons toujours créance sur eux. J'imagine que la fille, si les choses n'ont point changé, ne refusera pas de m'aider.

— C'est bien pensé, dit Tolomei. Tu mûris, mon garçon ! Chez un banquier, le bon cœur doit tou-

jours servir à quelque chose... Fais donc ainsi.
Mais puisque tu as besoin de ces gens, il te faut
arriver avec des cadeaux. Emporte quelques au-
nes d'étoffe, et de la dentelle de Bruges, pour les
femmes. Il y a aussi deux garçons, m'as-tu dit ?
Et qui aiment à chasser ? Prends les deux faucons qui nous sont arrivés de Milan. »

Il retourna au coffre.

« Voici quelques billets souscrits par Mgr d'Artois, reprit-il. Je pense qu'il ne refuserait pas de
t'aider, si le besoin s'en faisait sentir. Mais son
appui sera encore plus sûr si tu lui présentes ta
requête d'une main et ses comptes de l'autre...
Et voici la créance du roi Edouard... Je ne sais
pas, mon neveu, si tu seras riche avec tout cela,
mais au moins tu pourras te rendre redoutable.
Allons ! Ne t'attarde plus maintenant. Va faire
seller ton cheval, et préparer ton bagage. Ne
prends qu'un seul valet d'escorte, pour n'être
point remarqué. Mais dis-lui de s'armer. »

Il glissa les documents dans un étui de plomb
qu'il remit à Guccio, en même temps qu'un sac
d'or.

« Le sort de nos compagnies est à présent moitié entre tes mains, moitié entre les miennes,
ajouta-t-il. Ne l'oublie pas. »

Guccio embrassa son oncle avec émotion. Il
n'avait pas besoin, cette fois, de se créer un personnage ni de s'inventer un rôle ; le rôle venait
à lui.

Une heure plus tard, il quittait la rue des Lombards.

Alors, messer Spinello Tolomei mit son manteau
doublé de fourrure, car l'octobre était frais ; il
appela un serviteur auquel il fit prendre tor-

che et dague, et se rendit à l'hôtel de Marigny.

Il attendit un long moment, d'abord dans la conciergerie, puis dans une salle des gardes qui servait d'antichambre. Le coadjuteur menait train royal, et il y avait grand mouvement en sa demeure, jusque fort tard. Messer Tolomei était homme patient. Il rappela sa présence, à plusieurs reprises, en insistant sur la nécessité qu'il avait d'entretenir le coadjuteur en personne.

« Venez, messer », lui dit enfin un secrétaire.

Tolomei traversa trois grandes salles et se trouva en face d'Enguerrand de Marigny qui, seul dans son cabinet, finissait de souper tout en travaillant.

« Voici une visite imprévue, dit Marigny froidement. Quelle est votre affaire ? »

Tolomei répondit d'une voix aussi froide :

« Affaire du royaume, Monseigneur. »

Marigny lui désigna un siège.

« Eclairez-moi, dit-il.

— Il est bruit depuis quelques jours, Monseigneur, d'une certaine mesure qui se préparerait en Conseil du roi, et qui toucherait aux privilèges des compagnies lombardes. Le bruit, à se répandre, nous inquiète, et gêne fort le commerce. La confiance est suspendue, les acheteurs se font rares ; les fournisseurs exigent paiement sur l'heure : nos débiteurs diffèrent de s'acquitter.

— Cela n'est point affaire du royaume, répondit Marigny.

— A voir, Monseigneur, à voir. Beaucoup de gens, ici et ailleurs, s'émeuvent. On en parle même hors de France... »

Marigny se frotta le menton et la joue.

« On parle trop. Vous êtes un homme raisonnable, messer Tolomei, et vous ne devez pas ac-

corder foi à ces bruits, dit-il en regardant tranquillement un des hommes qu'il s'apprêtait à
abattre.

— Si vous me l'affirmez, Monseigneur... Mais la
guerre flamande a coûté fort cher, et le Trésor
peut se trouver en nécessité d'or frais. Aussi
avons-nous préparé un projet...

— Votre commerce, je le répète, n'est point
affaire qui me concerne. »

Tolomei leva la main comme pour dire : « Patience, vous ne savez pas tout... » et poursuivit :

« Si nous n'avons pas pris parole à la grande
Assemblée, nous n'en sommes pas moins désireux
de fournir aide à notre roi bien-aimé. Nous sommes disposés à un gros prêt auquel participeraient
toutes les compagnies lombardes, sans limite de
temps, et au plus faible intérêt. Je suis ici pour
vous en donner avis. »

Puis Tolomei se pencha et murmura un chiffre.
Marigny tressaillit, mais aussitôt pensa : « S'ils
sont prêts à s'amputer de cette somme, c'est qu'il
y a vingt fois plus à prendre. »

A lire beaucoup et à veiller ainsi qu'il le faisait,
ses yeux se fatiguaient et il avait les paupières
rouges.

« C'est bonne pensée et louable intention dont
je vous sais gré, dit-il après un silence. Il convient
toutefois que je vous témoigne ma surprise... Il
m'est venu aux oreilles que certaines compagnies
auraient dirigé vers l'Italie des convois d'or...
Cet or ne saurait être en même temps ici et là-
bas. »

Tolomei ferma tout à fait l'œil gauche.

« Vous êtes un homme raisonnable, Monseigneur, et vous ne devez pas accorder foi à ces bruits-là, dit-il en reprenant les propres paroles du coadjuteur. Notre offre n'est-elle pas la preuve de notre bonne foi ?

— Je souhaite pouvoir donner croyance à ce que vous m'assurez. Car, si cela n'était, le roi ne saurait souffrir ces brèches à la fortune de la France, et il lui faudrait y mettre terme... »

Tolomei ne broncha pas. La fuite des capitaux lombards avait commencé du fait de la menace de spoliation, et cet exode allait servir à Marigny pour justifier la mesure. C'était le cercle vicieux.

« Je vois qu'en cela au moins, vous considérez notre négoce comme affaire du royaume, répondit le banquier.

— Nous nous sommes dit, je crois, ce qu'il fallait, messer Tolomei, conclut Marigny.

— Certes, Monseigneur... »

Tolomei se leva et fit un pas. Puis, soudain, comme si quelque chose lui revenait en mémoire :

« Mgr l'archevêque de Sens est-il en la ville ? demanda-t-il.

— Il y est. »

Tolomei hocha la tête, pensivement.

« Vous avez plus que moi occasion de le voir. Votre Seigneurie aurait-elle l'obligeance de lui faire savoir que je souhaiterais l'entretenir dès demain, et quelle que soit l'heure, du sujet qu'il sait. Mon avis lui importera.

— Qu'avez-vous à lui dire ? J'ignorais qu'il eût affaire avec vous !

— Monseigneur, dit Tolomei en s'inclinant, la première vertu d'un banquier, c'est de savoir se taire. Toutefois, comme vous êtes frère de Mgr de

Sens, je puis vous confier qu'il s'agit de son bien, du nôtre... et de celui de notre Sainte-Mère l'Eglise. »

Puis, comme il allait sortir, il répéta sèchement :

« Dès demain, s'il lui plaît. »

VI

TOLOMEI GAGNE

Tolomei, cette nuit-là, ne dormit pour ainsi dire
pas. « Marigny aura-t-il averti son frère ? se demandait-il. Et l'archevêque lui aura-t-il avoué ce
qu'il a laissé en mes mains ? Ne vont-ils pas se
hâter d'obtenir dans la nuit le seing du roi, afin
de me devancer ? Ou bien ne vont-ils pas se con-
certer pour m'assassiner ? »

Se retournant dans son insomnie, Tolomei pensait avec amertume à sa seconde patrie qu'il considérait avoir si bien servie de son travail et de
son argent. Parce qu'il s'y était enrichi, il tenait
à la France plus qu'à sa Toscane natale et l'aimait
vraiment, à sa manière. Ne plus sentir sous ses
semelles le pavé de la rue des Lombards, ne plus
entendre à midi le bourdon de Notre-Dame, ne
plus respirer l'odeur de la Seine, ne plus se rendre aux réunions du Parloir aux Bourgeois [25], tous

ces renoncements lui déchiraient le cœur. « Aller recommencer une fortune ailleurs, à mon âge... si encore on me laisse la vie pour recommencer ! »

Il ne s'assoupit qu'avec l'aube, pour être bientôt réveillé par des coups de heurtoir et des bruits de pas dans sa cour. Il crut qu'on venait l'arrêter, et se jeta dans ses vêtements. Un valet tout effaré parut.

« Monseigneur l'archevêque est en bas, dit-il.

— Qui l'accompagne ?

— Quatre serviteurs en froc, mais qui ressemblent plus à des sergents de prévôté qu'à des clercs de chapitre. »

Tolomei fit une moue.

« Ote les volets de mon cabinet », dit-il.

Mgr Jean de Marigny montait déjà l'escalier. Tolomei l'attendit, debout sur le palier. Mince, une croix d'or lui battant la poitrine, l'archevêque affronta aussitôt le banquier.

« Que veut dire, messer, cet étrange message que mon frère m'a fait tenir dans la soirée ? »

Tolomei éleva ses mains grasses et pointues, d'un geste apaisant.

« Rien qui vous doive troubler, Monseigneur, ni qui méritait votre dérangement. Je me serais rendu à votre convenance au palais épiscopal... Voulez-vous entrer dans mon cabinet ? »

Le valet achevait de décrocher les volets intérieurs, ornementés de peintures. Il mit du bois menu sur les braises du foyer, et bientôt des flammes montèrent avec un pétillement. Tolomei avança un siège à son visiteur.

« Vous êtes venu en compagnie, Monseigneur, dit-il. Etait-ce bien utile ? N'avez-vous point confiance en moi ? Pensez-vous courir ici quelque péril ? Vous m'aviez, je dois dire, habitué à d'autres manières... »

Sa voix s'efforçait d'être cordiale, mais son accent toscan était plus prononcé que de coutume.

Jean de Marigny s'assit en face du feu vers lequel il tendit sa main baguée.

« Cet homme-là n'est pas sûr de lui et ne sait comment me prendre, pensa Tolomei. Il arrive avec un grand fracas, comme s'il allait tout briser, et puis maintenant il se regarde les ongles. »

« Votre hâte à me voir m'a donné sujet d'inquiétude, dit enfin l'archevêque. J'aurais préféré choisir le temps de ma visite.

— Mais vous l'avez choisi, Monseigneur, vous l'avez choisi... Vous vous rappelez avoir reçu de moi deux mille livres, en avance sur des... articles, fort précieux, qui provenaient des biens du Temple, et que vous m'avez confiés à la vente.

— Ont-ils été vendus ? demanda l'archevêque.

— En partie, Monseigneur, en bonne partie. Ils ont été envoyés hors de France, comme nous en étions convenus, puisque nous ne pouvions les écouler ici... J'attends l'avis de compte. J'espère qu'il y aura dessus argent à vous revenir. »

Tolomei, son gros corps bien campé, les mains croisées sur le ventre, hochait la tête avec bonhomie.

« La décharge que je vous ai signée ne vous est donc plus nécessaire ? » dit Jean de Marigny.

Il cachait son inquiétude, mais il la cachait mal.

« N'avez-vous pas froid, Monseigneur ? Vous avez le visage bien blanc », dit Tolomei qui se baissa pour mettre une bûche dans le feu.

Puis, comme s'il avait oublié la question posée par l'archevêque, il reprit :

« Que pensez-vous, Monseigneur, de la question dont on a cette semaine débattu en Conseil ? Est-il possible qu'on projette de nous voler nos biens, de nous réduire à la misère, à l'exil, à la mort ?...

— Je n'ai pas d'avis, dit l'archevêque. Ce sont affaires du royaume. »

Tolomei secoua le front.

« J'ai transmis, hier, à Monseigneur le coadjuteur, une proposition dont il ne me semble pas qu'il ait bien aperçu l'avantage. C'est regrettable. On se dispose à nous spolier parce que le royaume est à court de monnaie. Or, nous offrons de servir le royaume par un prêt énorme, Monseigneur, et votre frère reste muet. Ne vous en a-t-il point touché mot ? C'est regrettable, bien regrettable, en vérité ! »

Jean de Marigny se déplaça un peu sur son siège.

« Je n'ai pas titre à discuter les décisions du roi, dit-il.

— Ce ne sont point encore décisions, répliqua Tolomei. Ne pouvez-vous remontrer au coadjuteur que les Lombards, sommés de donner leur vie, qui est toute au roi, croyez-le, et leur or, qui est à lui tout également, voudraient, s'il se peut, garder la vie ? J'entends par la vie leur droit à demeurer en ce royaume. Ils offrent l'or, de bon gré, alors qu'on le leur veut prendre de force. Pourquoi ne pas les entendre ? C'est à cette fin, Monseigneur, que je souhaitais vous voir. »

Un silence se fit. Jean de Marigny, immobile, semblait regarder au-delà des murs.

« Que me disiez-vous tout à l'heure ? reprit Tolomei. Ah oui... cette décharge.

— Vous allez me la rendre », dit l'archevêque.

Tolomei se passa la langue sur les lèvres.

« Qu'en feriez-vous, Monseigneur, si vous étiez à ma place ? Imaginez un instant... ce n'est qu'étrange imagination, assurément... mais imaginez que l'on menace de vous ruiner, et que vous possédiez... quelque chose... un talisman, c'est cela, un talisman ! qui puisse vous servir à éviter cette ruine... »

Il alla vers la fenêtre, car il entendait du bruit dans la cour. Des porteurs délivraient des caisses et des ballots d'étoffes. Tolomei évalua machinalement le montant des marchandises qui allaient entrer chez lui ce jour-là, et soupira.

« Oui... un talisman contre la ruine, murmura-t-il.

— Vous ne voulez pas dire...

— Si, Monseigneur, je veux le dire et je le dis, prononça nettement Tolomei. Cette décharge témoigne que vous avez trafiqué des biens du Temple, qui étaient sous séquestre royal. Elle témoigne que vous avez volé, et volé le roi. »

Il regardait l'archevêque bien en face. « Cette fois, pensa-t-il, tout est fait. C'est à qui fléchira le premier. »

« Vous serez tenu pour mon complice ! dit Jean de Marigny.

— Alors, nous nous balancerons ensemble à Montfaucon, comme deux larrons, répondit Tolomei froidement. Mais je ne me balancerai pas seul...

— Vous êtes un bien fort coquin ! » s'écria Jean de Marigny.

Tolomei haussa les épaules.

« Je ne suis pas archevêque, Monseigneur, et ce n'est pas moi qui ai détourné les ostensoirs d'or

où les Templiers présentaient le corps du Christ.
Je ne suis qu'un marchand, et en ce moment nous
traitons un marché, que cela vous convienne ou
non. Voilà la seule vérité de toutes nos paroles.
Point de spoliation des Lombards, et point de
scandale sur vous. Mais si je tombe, Monseigneur,
vous tomberez aussi. Et de plus haut. Et votre
frère, qui a trop de fortune pour n'avoir que des
amis, sera entraîné à votre suite. »

L'archevêque s'était levé. Il avait les lèvres blanches ; son menton, ses mains et tout son corps
tremblaient.

« Rendez-moi la décharge », dit-il, en saisissant
le bras de Tolomei.

Celui-ci se dégagea doucement.

« Non, dit-il.

— Je vous rembourse les deux mille livres que
vous m'avez données, dit Jean de Marigny, et vous
gardez tous les fruits de la vente.

— Non.

— Je vous donne d'autres objets pour même
valeur.

— Non.

— Cinq mille livres ! Je vous donne cinq mille
livres contre cette décharge ! »

Tolomei sourit.

« Et où les prendriez-vous ? Il faudrait encore
que je vous les prête ! »

Jean de Marigny, les poings serrés, répéta :

« Cinq mille livres ! Je les trouverai. Mon frère
m'aidera.

— Mais qu'il vous aide donc comme je vous en
requiers, dit Tolomei en ouvrant les mains. J'offre
pour ma seule quote-part dix-sept mille livres au
Trésor royal ! »

L'archevêque comprit qu'il lui fallait changer de tactique.

« Et si j'obtiens de mon frère que vous soyez excepté de l'ordonnance ? On vous laisse emporter toute votre fortune, on vous rachète vos biens immeubles... »

Tolomei réfléchit un instant. On lui donnait le moyen de se sauver seul. Tout homme sensé, à qui l'on fait une proposition de cette sorte, la considère, et n'en a que plus de mérite lorsqu'il la repousse.

« Non, Monseigneur, répondit-il. Je subirai le sort qui sera fait à tous. Je ne veux point recommencer ailleurs, et n'ai point de raison de le faire. Je suis de France, maintenant, autant que vous l'êtes. Je suis bourgeois du roi. Je veux rester dans cette maison que j'ai construite, à Paris. J'y ai passé trente-deux ans de ma vie, Monseigneur, et, si Dieu veut, c'est ici que ma vie s'achèvera... Du reste, ajouta-t-il, eussé-je le désir de vous restituer la décharge, je ne le pourrais pas ; je ne l'ai plus en main.

— Vous mentez ! s'écria l'archevêque.

— Non, Monseigneur. »

Jean de Marigny porta la main à sa croix pectorale et la serra comme s'il allait la briser. Il eut un regard vers la fenêtre, puis vers la porte.

« Vous pouvez appeler votre escorte et faire fouiller ma demeure, dit Tolomei. Vous pouvez même me mettre les pieds à rôtir dans la cheminée, ainsi que cela se pratique dans vos tribunaux d'Inquisition. Vous causerez grand tapage et scandale, mais vous repartirez tel que vous êtes venu, que je sois mort ou vif. Mais si d'aventure j'étais mort, sachez que cela ne vous rapporterait guère.

Car mes parents de Sienne ont ordre, s'il m'arrivait de trépasser trop tôt, d'avoir à faire connaître cette décharge au roi et aux grands barons. »

Dans son corps gras, le cœur battait vite, et la sueur lui coulait sur les reins.

« A Sienne ? dit l'archevêque. Mais vous m'aviez assuré que cette pièce ne sortirait pas de vos coffres ?

— Elle n'en est pas sortie, Monseigneur. Ma famille et moi, c'est tout un. »

L'archevêque fléchissait. Tolomei sentit en ce moment précis qu'il avait gagné, et que les choses allaient à présent s'enchaîner comme il le souhaitait.

« Alors ? demanda Marigny.

— Alors, Monseigneur, dit Tolomei calmement, je n'ai rien d'autre à vous dire que ce que je vous ai déclaré tout à l'heure. Parlez au coadjuteur et pressez-le d'accepter l'offre que je lui ai faite, pendant qu'il en est temps. Sinon... »

Le banquier, sans achever sa phrase, alla vers la porte et l'ouvrit.

La scène qui, le jour même, opposa l'archevêque à son frère, fut terrible. Mis brusquement face à face, dans la nudité de leurs natures, les deux Marigny qui, jusqu'alors, avaient marché d'un même pas, se déchiraient.

Le coadjuteur accabla son cadet de reproches et de mépris, et le cadet se défendit comme il put, avec lâcheté.

« Vous avez bonne mine de m'écraser ! s'écriat-il. D'où vous est venue votre richesse ? De quels Juifs écorchés ? De quels Templiers grillés ? Je n'ai fait que vous imiter. Je vous ai assez servi dans vos manœuvres ; servez-moi à votre tour.

— Si j'avais su qui vous étiez, je ne vous aurais point fait archevêque, dit Enguerrand.

— Vous ne trouviez personne qui acceptât de condamner le grand-maître ! »

Oui, le coadjuteur savait que l'exercice du pouvoir oblige à des collusions indignes. Mais il était écrasé soudain d'en voir l'effet dans sa propre famille. Un homme qui acceptait de vendre sa conscience contre une mitre pouvait aussi bien voler, aussi bien trahir. Cet homme était son frère, voilà tout...

Enguerrand de Marigny prit son projet d'ordonnance contre les Lombards et, de rage, le jeta dans le feu.

« Tant de travail pour rien, dit-il, tant de travail ! »

VII

LES SECRETS DE GUCCIO

CRESSAY, dans la lumière du printemps, avec ses arbres aux feuilles transparentes et le frémissement argenté de la Mauldre, était resté pour Guccio une vision heureuse. Mais quand, ce matin d'octobre, le jeune Siennois, qui se retournait sans cesse pour s'assurer qu'il n'avait pas d'archers à ses trousses, arriva sur les hauteurs de Cressay, il se demanda un instant s'il ne s'était pas trompé. Il semblait que l'automne eût rapetissé le manoir. « Les tourelles étaient-elles donc si basses ? se disait Guccio. Et suffit-il d'une demi-année pour vous changer à ce point la mémoire ? » La cour était devenue une mare boueuse où son cheval enfonçait jusqu'au paturon. « Au moins, pensa Guccio, il y a peu de chances qu'on me vienne trouver ici. » Il jeta les rênes à son valet.

« Qu'on bouchonne les chevaux et qu'on leur donne à manger ! »

La porte du manoir s'ouvrit et Marie de Cressay apparut.

L'émotion la força de s'appuyer au chambranle.

« Comme elle est belle ! pensa Guccio ; et elle n'a point cessé de m'aimer. » Alors les lézardes des murs s'effacèrent, et les tours du manoir reprirent pour Guccio les proportions du souvenir.

Mais déjà Marie criait vers l'intérieur de la maison :

« Mère ! C'est messire Guccio qui est revenu ! »

Dame Eliabel fit grande fête au jeune homme, le baisa aux joues et le serra contre sa forte poitrine. L'image de Guccio avait souvent peuplé ses nuits. Elle le prit par les mains, le fit asseoir, commanda qu'on lui apportât du cidre et des pâtés.

Guccio accepta de bon cœur cet accueil, et il expliqua sa venue de la façon qu'il avait méditée. Il arrivait à Neauphle pour remettre en ordre le comptoir qui souffrait d'une mauvaise gestion. Les commis ne faisaient pas rentrer à temps les créances... Aussitôt dame Eliabel s'inquiéta.

« Vous nous aviez donné toute une année, dit-elle. L'hiver vient après une bien chétive récolte et nous n'avons pas encore... »

Guccio resta dans le vague. Les châtelains de Cressay étant de ses amis, il ne permettait pas qu'on les inquiétât. Mais il se rappelait leur invitation à séjourner... Dame Eliabel s'en réjouit. Nulle part au bourg, assura-t-elle, il ne trouverait plus d'aises ni meilleure compagnie. Guccio réclama son portemanteau, qui chargeait le cheval de son valet.

« J'ai là, dit-il, quelques étoffes qui vous plairont, j'espère... Quant à Pierre et Jean, j'ai pour eux deux faucons bien dressés, qui leur feront faire meilleures chasses, s'il est possible. »

Les étoffes, les dentelles, les faucons éblouirent la maison et furent reçus avec des cris de gratitude. Pierre et Jean, leurs vêtements toujours imprégnés d'une forte odeur de terre, de cheval et de gibier, posèrent à Guccio cent questions. Ce compagnon miraculeusement surgi, alors qu'ils se préparaient au long ennui des mauvais mois, leur parut encore plus digne d'affection qu'à son premier passage. On eût dit qu'ils se connaissaient depuis toujours.

« Et notre ami le prévôt Portefruit, que devient-il ? demanda Guccio.

— Il continue de piller autant qu'il peut, mais plus chez nous, grâce à Dieu... et grâce à vous. »

Marie glissait dans la pièce, ployant le buste devant le feu qu'elle attisait, ou disposant de la paille fraîche sur le bat-flanc à courtine où dormaient ses frères. Elle ne parlait pas, mais ne cessait de regarder Guccio. Celui-ci, au premier instant qu'il fut seul avec elle, la prit doucement par les coudes et l'attira vers lui.

« N'y a-t-il rien dans mes yeux pour vous rappeler le bonheur ? dit-il, empruntant sa phrase à un récit de chevalerie qu'il avait lu récemment.

— Oh ! si, messire ! répondit Marie d'une voix tremblante. Je n'ai point cessé de vous voir ici, aussi loin que vous fussiez. Je n'ai rien oublié, ni rien défait. »

Il se chercha une excuse à n'être pas revenu de six mois, et à n'avoir donné aucun message. Mais, à sa surprise, Marie, loin de lui faire reproche, le remercia d'un retour plus prompt qu'elle ne le prévoyait.

« Vous aviez dit que vous reviendriez au bout de l'an, pour les intérêts, dit-elle. Je ne vous espérais point avant. Mais vous ne seriez point venu que je vous aurais attendu toute ma vie. »

Guccio avait emporté de Cressay le léger regret d'une aventure inachevée à laquelle, pour être bien franc, il avait peu songé pendant tous ces mois. Or, il retrouvait un amour ébloui, qui avait grandi, pareil à une plante, au long du printemps et de l'été. « Que j'ai de chance ! pensait-il. Elle pourrait m'avoir oublié, s'être mariée... »

Les hommes de nature infidèle, si infatués qu'ils paraissent, sont souvent assez modestes en amour, parce qu'ils imaginent les autres d'après eux-mêmes. Guccio s'émerveillait d'avoir inspiré, l'entretenant si peu, un sentiment aussi puissant, et aussi rare.

« Moi non plus, Marie, je n'ai cessé de vous voir, et rien ne m'a délié de vous », dit-il avec toute la chaleur que réclamait un si gros mensonge.

Ils se tenaient l'un devant l'autre, également émus, également embarrassés de leurs paroles et de leurs gestes.

« Marie, reprit Guccio, je ne suis point venu ici pour le comptoir, ni pour aucune créance. Mais à vous je ne veux ni ne puis rien cacher. Ce serait offenser l'amour qui nous lie. Le secret que je vais vous confier engage la vie de beaucoup, et la mienne propre... Mon oncle et des amis puissants m'ont chargé de dissimuler en lieu sûr des pièces écrites qui importent au royaume et à leur propre salut... A cette heure, des archers sont sûrement à ma recherche. »

Cédant à son penchant, il recommençait à gonfler un peu son personnage.

« J'avais vingt places où chercher un refuge, mais c'est vers vous, Marie, que je suis venu. Ma vie dépend de votre silence.

— C'est moi, dit Marie, qui dépends de vous, mon seigneur. Je n'ai foi qu'en Dieu, et en celui qui le premier m'a tenue dans ses bras. Ma vie est votre vie. Votre secret est le mien. Je cèlerai ce que vous voudrez celer, je tairai ce que vous voudrez taire, et le secret mourra avec moi. »

Des larmes embuaient ses prunelles bleu sombre.

« Ce que je dois cacher, dit Guccio, est contenu dans un coffret de plomb à peine grand comme les deux mains. Y a-t-il quelque place ici ? »

Marie réfléchit un instant.

« Dans le four de la vieille étuve, peut-être... répondit-elle. Non ; je sais un meilleur endroit. Dans la chapelle. Nous irons demain matin. Mes frères quittent la maison à l'aube, pour la chasse. Demain, ma mère les suivra de peu, car elle doit se rendre au bourg. Si elle voulait m'emmener, je me plaindrais de douleurs au gosier. Feignez de dormir longtemps. »

Guccio fut logé à l'étage, dans la grande pièce propre et froide qu'il avait déjà occupée. Il se coucha, sa dague au flanc, et la boîte de plomb sous la tête. Il ignorait qu'à la même heure les deux frères Marigny avaient déjà eu leur dramatique entrevue, et que l'ordonnance contre les Lombards n'était plus que cendre.

Il fut réveillé par le départ des deux frères. S'étant approché de la croisée, il vit Pierre et Jean de Cressay, montés sur de mauvais bidets, qui passaient le porche, leurs faucons sur le poing. Puis des portes battirent. Un peu plus tard, une jument grise, assez fatiguée par l'âge, fut amenée à dame Eliabel qui s'éloigna à son tour, escortée du valet boiteux. Alors Guccio enfila ses bottes et attendit.

Quelques instants après, Marie l'appela du rez-de-chaussée. Guccio descendit, le coffret glissé sous sa cotte.

La chapelle était une petite pièce voûtée, à l'intérieur du manoir, et dans la partie tournée vers l'est. Les murs en étaient blanchis à la chaux.

Marie alluma un cierge à la lampe à huile qui brûlait devant une statue de bois, assez grossière, de saint Jean l'Evangéliste. Dans la famille Cressay, l'aîné des fils portait toujours le prénom de Jean.

Elle amena Guccio sur le côté de l'autel.

« Cette pierre se soulève », dit-elle en désignant une dalle de petite dimension, munie d'un anneau rouillé.

Guccio eut quelque peine à déplacer la dalle. A la lueur du cierge, il aperçut un crâne et quelques débris d'ossements.

« Qui est-ce ? demanda-t-il en faisant les cornes avec les doigts.

— Un aïeul, dit Marie. Je ne sais pas lequel. »

Guccio déposa dans le trou, près du crâne blanchâtre, la boîte de plomb. Puis la pierre fut remise en place.

« Notre secret est scellé auprès de Dieu », dit Marie.

Guccio la prit dans ses bras et voulut l'embrasser.

« Non, pas ici, dit-elle avec un accent de crainte, pas dans la chapelle. »

Ils regagnèrent la grand-salle où une servante achevait de placer sur la table le lait et le pain du premier repas. Guccio se mit dos à la cheminée jusqu'à ce que, la servante partie, Marie vînt auprès de lui.

Alors ils nouèrent leurs mains ; Marie posa la tête sur l'épaule de Guccio, et elle demeura ainsi un long moment à apprendre, à deviner ce corps d'homme, auquel il était décidé, entre elle et Dieu, qu'elle appartiendrait.

« Je vous aimerai toujours, même si vous deviez ne plus m'aimer », dit-elle.

Puis elle alla verser le lait chaud dans les écuelles, et y rompit le pain. Chacun de ses gestes était un geste heureux.

Quatre jours passèrent. Guccio accompagna les frères à la chasse et n'y fut pas maladroit. Il fit au comptoir de Neauphle plusieurs visites, afin de justifier son séjour. Une fois, il rencontra le prévôt Portefruit qui le reconnut et le salua avec servilité. Ce salut rassura Guccio. Si quelque mesure avait été décrétée contre les Lombards, messire Portefruit n'eût pas usé de tant de politesse. « Et si c'est lui qui doit un prochain jour venir m'arrêter, pensa Guccio, l'or que j'ai emporté m'aidera bien à lui fourrer la paume. »

Dame Eliabel, apparemment, ne soupçonnait rien de l'aventure de sa fille avec le jeune Siennois. Guccio en fut convaincu par une conversation qu'il surprit, un soir, entre la châtelaine et son fils cadet. Guccio était dans sa chambre à l'étage ; dame Eliabel et Pierre de Cressay parlaient auprès du feu, dans la grand-salle, et leurs voix montaient par la cheminée.

« Il est dommage en vérité que Guccio ne soit point noble, disait Pierre. Il fournirait un bon époux à ma sœur. Il est bien fait, instruit, et placé avantageusement dans le monde... Je me demande si ce n'est point chose à considérer. »

Dame Eliabel prit fort mal la suggestion.

« Jamais ! s'écria-t-elle. L'argent te fait perdre la tête, mon fils. Nous sommes pauvres présentement, mais notre sang nous donne droit aux meilleures alliances, et je n'irai point donner ma fille à un garçon de roture qui, par surcroît, n'est même pas de France. Ce damoiseau, certes, est plaisant, mais qu'il ne s'avise point de fleureter avec Marie. J'y mettrais bon ordre... Un Lombard ! D'ailleurs il n'y songe. Si l'âge ne me rendait modeste, je t'avouerais qu'il a plus d'yeux pour moi que pour elle, et que c'est la raison pour laquelle le voilà installé ici comme un greffon sur l'arbre. »

Guccio, s'il sourit des illusions de la châtelaine, fut blessé du mépris dans lequel elle tenait et sa naissance et son métier. « Ces gens-là vous empruntent de quoi manger, ne vous paient point ce qu'ils vous doivent, mais ils vous considèrent pour moins que leurs manants. Et comment feriez-vous, bonne dame, sans les Lombards ? se disait Guccio, fort agacé. Eh bien ! essayez donc de marier votre fille à un grand seigneur et voyez comment elle acceptera. »

Mais en même temps, il se sentait assez fier d'avoir si bien séduit une fille de noblesse ; et ce fut ce soir-là qu'il décida de l'épouser, en dépit de tous les obstacles qu'on pourrait y mettre.

Au repas qui suivit, il regardait Marie en pensant : « Elle est à moi ; elle est à moi ! » Tout dans ce visage, les beaux cils relevés, les lèvres entrouvertes, tout semblait lui répondre : « Je suis à vous. » Et Guccio se demandait : « Mais comment les autres ne voient-ils pas ? »

Le lendemain, Guccio reçut à Neauphle un message de son oncle où celui-ci lui faisait savoir que le péril était pour l'heure conjuré, et l'invitait à rentrer aussitôt.

Le jeune homme dut donc annoncer qu'une affaire importante le rappelait à Paris. Dame Eliabel, Pierre et Jean montrèrent de vifs regrets. Marie ne dit rien et continua l'ouvrage de broderie auquel elle était occupée. Mais, lorsqu'elle fut seule avec Guccio, elle laissa paraître son angoisse. Etait-il arrivé un malheur ? Guccio était-il menacé ?

Il la rassura. Au contraire, grâce à lui, grâce à elle, les hommes qui voulaient la perte des financiers italiens étaient vaincus.

Alors Marie éclata en sanglots parce que Guccio allait partir.

« Vous me quittez, dit-elle, et c'est comme si je mourais.

— Je reviendrai, aussitôt que je pourrai », dit Guccio.

En même temps, il couvrait de baisers le visage de Marie. Le salut des compagnies lombardes ne le réjouissait qu'à moitié. Il eût voulu que le danger durât encore.

« Je reviendrai, belle Marie, répéta-t-il, je vous le jure, car je n'ai point au monde plus grand désir que de vous. »

Et cette fois il était sincère. Il était arrivé cherchant un refuge ; il repartait avec un amour au cœur.

Comme son oncle, dans le message, ne lui parlait point des documents cachés, Guccio feignit de comprendre qu'il devait les laisser à Cressay. Il ménageait ainsi le prétexte à un retour.

VIII

LE RENDEZ-VOUS
DE PONT-SAINTE-MAXENCE

Le 4 novembre, Philippe le Bel devait chasser en forêt de Pont-Sainte-Maxence. Avec son premier chambellan, Hugues de Bouville, son secrétaire Maillard et quelques familiers, il avait dormi au château de Clermont, à deux lieues du rendez-vous.

Le roi semblait détendu et de meilleure humeur qu'on ne l'avait vu depuis longtemps. Les affaires du royaume le laissaient en repos. Le prêt consenti par les Lombards avait remis le Trésor à flot. L'hiver allait ramener au calme les seigneurs agités de Champagne ainsi que les communaux de Flandre.

La neige était tombée dans la nuit, première neige de l'année, précoce, presque insolite ; le gel de l'aube avait fixé cette poudre blanche sur les champs et les bois, transformant le paysage en une immense étendue givrée, et inversant les couleurs du monde.

Le souffle des hommes, des chiens et des chevaux s'épanouissait dans l'air gelé en grosses fleurs cotonneuses.

Lombard trottait derrière la monture du roi. Bien que ce fût un chien à lièvres, il participait aussi aux courres de cerf, travaillant à son compte, mais remettant souvent la meute sur la voie. Les lévriers, s'ils sont appréciés pour leur œil et leur train, sont généralement réputés pour ne sentir rien ; or, celui-là avait du nez comme un chien poitevin.

Dans la clairière du rendez-vous, au milieu des aboiements, des hennissements, des claquements de fouets, le roi passa un bon moment à regarder sa magnifique meute, à demander des nouvelles des lices qui avaient mis bas, et à *parler* à ses chiens.

« Oh ! mes valets ! Holà, mes beaux ! Haoh, haoh ! »

Le maître des chasses vint lui faire le rapport. On avait rembuché plusieurs cerfs, dont un grand dix cors qui, au dire des valets de limiers, portait ses douze andouillers, un dix cors royal, le plus noble animal de forêt qui se pût rencontrer. De surcroît, il semblait que ce fût un de ces cerfs dits « pèlerins » qui vont, sans harde, de forêt en forêt, plus forts et plus sauvages d'être seuls.

« Qu'on l'attaque », dit le roi.

Les chiens, découplés, furent conduits à la brisée et mis à la voie ; les chasseurs s'égaillèrent vers les points où le cerf pouvait sauter.

« Taille-hors ! Taille-hors [26] ! » entendit-on bientôt crier.

Le cerf avait été aperçu ; la forêt s'emplit de la voix des chiens, des appels de cors, et de grands fracas de galopades et de branches rompues.

D'ordinaire, les cerfs se font chasser un certain temps autour de l'endroit où on les a levés, tournent en forêt, rusent, brouillent leurs voies, cherchent un cerf plus jeune pour faire change et tromper le nez des chiens, reviennent à l'enceinte d'attaque.

Celui-ci surprit son monde et, sans buissonner, courut droit vers le nord. Sentant le danger, il repartait d'instinct vers la lointaine forêt des Ardennes d'où sans doute il venait.

Il emmena ainsi la chasse une heure, deux heures, sans trop se hâter, maintenant juste le train qu'il fallait pour distancer les chiens. Puis, quand il sentit que la meute commençait à fléchir, il força brusquement son allure et disparut.

Le roi, fort animé, coupa à travers bois pour prendre les grands devants, gagner la lisière et attendre le cerf à sa sortie en plaine.

Or, rien ne se perd plus vite qu'une chasse. On se croit à cent toises des chiens et des autres veneurs qu'on entend clairement ; et l'instant d'après on se trouve dans un silence total, une solitude absolue, au milieu d'une cathédrale d'arbres, sans savoir où s'est évanouie cette meute qui criait si fort, ni quelle fée, quel sortilège a effacé vos compagnons.

De plus, ce jour-là, l'air portait mal les sons, et les chiens chassaient difficilement, à cause du givre partout répandu qui refroidissait les odeurs.

Le roi était perdu. Il contemplait une grande plaine blanche, où tout jusqu'à l'horizon, les prairies, les haies courtes, les chaumes de la récolte passée, les toits d'un village, les lointains moutonnements de la forêt suivante, tout était recouvert d'une même couche scintillante immaculée. Le soleil avait percé.

Le roi se sentit soudain comme étranger à l'univers ; il éprouva une sorte d'étourdissement, de vacillement sur sa selle. Il n'y prit pas garde, car il était robuste et ses forces ne l'avaient jamais trahi.

Tout préoccupé de savoir si son cerf avait débuché ou non, il suivit la lisière du bois, au pas, cherchant à distinguer sur le sol le pied de l'animal. « Dans ce givre, je le devrais voir aisément », se disait-il.

Il aperçut un paysan qui marchait non loin. « Holà, l'homme ! »

Le paysan se retourna et vint vers lui. C'était un manant d'une cinquantaine d'années ; il avait les jambes protégées par des guêtres de grosse toile et tenait un gourdin dans la main droite. Il ôta son bonnet, découvrant des cheveux grisonnants.

« N'as-tu pas vu un grand cerf fuyant ? » lui demanda le roi.

L'homme hocha la tête et répondit :

« Oui-da, mon Sire. Un animal comme vous le dites m'a passé au nez, tout à l'heure. Il portait la hotte et tirait la langue. C'est sûrement votre bête. Vous n'aurez point long à courir ; comme il était, il cherchait l'eau. N'en trouvera qu'aux étangs des Fontaines.

— Avait-il les chiens après lui ?

— Point de chien, mon Sire. Mais vous reprendrez sa voie, auprès de ce grand hêtre, là-bas. Il va aux étangs. »

Le roi s'étonna.

« Tu as l'air de savoir le pays et la chasse », dit-il.

Le visage du manant se fendit d'un bon sourire. De petits yeux marron et malins fixaient le roi.

« Je sais le pays et la chasse, un peu, dit l'homme, et je souhaite qu'un aussi grand roi que vous êtes y goûte longtemps son plaisir, tant que Dieu veuille.

— Tu m'as donc reconnu ? »

L'autre hocha la tête de nouveau et dit fièrement :

« Je vous ai vu passer, lors d'autres chasses, et aussi Mgr de Valois votre frère, quand il est venu affranchir les serfs du comté.

— Tu es homme libre ?

— Grâce à vous, mon Sire, et point serf comme je suis né. Je sais mes chiffres, et tenir le stylet pour compter s'il le faut.

— Es-tu content d'être libre ?

— Content... sûr qu'on l'est. C'est-à-dire qu'on se sent autrement, on cesse d'être comme des morts en notre vivant. Et nous savons bien, nous autres, que c'est à vous qu'on doit les ordonnances. On se les répète souvent, comme notre prière sur la terre : « *Attendu que toute créature humaine qui est formée à l'image de Notre-Seigneur doit généralement être franche par droit naturel...* » C'est bon d'entendre ça, quand on se croyait pour toujours ni plus ni moins que les bêtes.

— Combien as-tu payé ta franchise ?

— Soixante-cinq livres.

— Tu les possédais ?

— Le travail d'une vie, mon Sire.

— Comment te nommes-tu ?

— André... l'André du bois, on m'appelle, parce que c'est par là que j'habite. »

Le roi, qui n'était point ordinairement généreux, éprouva le désir de donner quelque chose à cet homme. Point une aumône, un présent.

« Sois toujours bon serviteur du royaume, André du bois, lui dit-il, et garde ceci qui te fera souvenir de moi. »

Il détacha son cor, un beau morceau d'ivoire sculpté, serti d'or, et d'un prix plus élevé que celui dont l'homme avait acheté sa liberté.

Les mains du paysan tremblèrent d'orgueil et d'émotion.

« Oh ! ça... oh ! ça... murmura-t-il. Je le mettrai sous la statue de Madame la Vierge, pour qu'il protège la maison... Que Dieu vous ait en garde, mon Sire. »

Le roi s'éloigna, empli d'une joie comme il n'en avait pas connu depuis bien des mois. Un homme lui avait parlé dans la solitude des champs, un homme qui, grâce à lui, était libre et heureux. La lourde traîne du pouvoir et des années s'en trouvait allégée d'un coup. Il avait bien fait son travail de roi. « On sait toujours, du haut d'un trône, qui l'on frappe, se disait-il ; mais on ne sait jamais si le bien qu'on a voulu est vraiment fait, ni à qui. » Cette approbation qui lui venait, inattendue, des profondeurs de son peuple, lui était plus précieuse et plus douce que toutes les louanges de cour. « J'aurais dû étendre la franchise à tous les bailliages... Cet homme que je viens de voir, si on l'avait instruit au jeune âge, aurait pu faire un prévôt ou un capitaine de ville meilleur que beaucoup. »

Il songeait à tous les André du bois, du val ou du pré, les Jean-Louis des champs, les Jacques du hamel ou bien du clos, dont les enfants, sortis de la condition serve, constitueraient une grande réserve d'hommes et de forces pour le royaume. « Je vais voir avec Enguerrand à reprendre les ordonnances. »

A ce moment, il entendit un « raou... raou... » rauque, bref, sur sa droite, et il reconnut la voix de Lombard.

« Beau, mon valet, beau ! Rallie là-haut, rallie là-haut ! » s'écria-t-il.

Lombard était sur la voie, courant d'une foulée longue, le nez à quelques pouces du sol. Ce n'était point le roi qui avait perdu la chasse, mais tout le reste de la compagnie. Philippe le Bel ressentit un plaisir de jeune homme à penser qu'il allait forcer le grand dix cors, seul avec son chien préféré.

Il remit son cheval au galop et, sans notion du temps, à travers champs et vallons, sautant les talus et les barrières, il suivit Lombard. Il avait chaud et la sueur lui ruisselait tout le long du dos.

Soudain, il aperçut une masse sombre qui fuyait sur la plaine blanche.

« Taille-hors ! hurla le roi. A la tête, mon Lombard, à la tête ! »

C'était bien le cerf d'attaque, un grand animal noir à ventre beige. Il n'avait plus son allure légère du début de la chasse ; son échine dessinait cette forme de hotte dont avait parlé le paysan, et qui décelait la fatigue ; il s'arrêtait, regardait en arrière, repartait d'un bond pesant.

Lombard aboyait plus fort de chasser à vue, et gagnait du terrain.

La ramure du dix-cors intriguait le roi. Quelque chose y brillait par instants, puis s'éteignait. Le cerf n'avait rien pourtant des bêtes fabuleuses dont les légendes étaient pleines, tel le cerf de saint Hubert, infatigable, avec sa croix d'église plantée sur le front. Celui-ci n'était qu'un grand animal épuisé, qui avait fait une chasse sans finesse, filant droit devant sa peur à travers la campagne, et qui serait bientôt aux abois.

Ayant Lombard aux jarrets, il pénétra dans un boqueteau de hêtres et n'en ressortit point. Et bientôt la voix de Lombard prit cette sonorité plus longue, plus haute, à la fois furieuse et poignante, que les chiens émettent quand l'animal qu'ils poursuivent est hallali.

Le roi à son tour entra dans le boqueteau ; à travers les branches passaient les rayons d'un soleil sans chaleur qui rosissait le givre.

Le roi s'arrêta, dégagea la poignée de sa courte épée ; il sentait entre ses jambes cogner le cœur de son cheval ; lui-même était haletant et aspirait l'air froid à grandes goulées. Lombard ne cessait de hurler. Le grand cerf était là, adossé à un arbre, la tête basse et le mufle presque à ras du sol ; son pelage ruisselait et fumait. Entre ses bois immenses, il portait une croix, un peu de travers, et qui brillait. Ce fut la vision qu'eut le roi l'espace d'un instant, car aussitôt sa stupeur tourna au pire effroi ; son corps avait cessé de lui obéir. Il voulait descendre, mais son pied ne quittait pas l'étrier ; ses jambes étaient devenues deux bottes de marbre. Ses mains, laissant échapper les rênes, restaient inertes. Il tenta d'appeler, mais aucun son ne sortit de sa gorge.

Le cerf, la langue pendante, le regardait de ses grands yeux tragiques. Dans ses ramures, la croix s'éteignit, puis brilla de nouveau. Les arbres, le sol et l'ensemble du monde se déformèrent devant les yeux du roi, qui ressentit comme un effroyable éclatement dans la tête ; puis un noir total se fit en lui.

Quelques moments plus tard, quand le reste de la chasse arriva, on découvrit le roi de France gisant aux pieds de son cheval. Lombard aboyait toujours le grand cerf pèlerin dont on remarqua que les andouillers étaient chargés de deux branches mortes, accrochées dans quelque sous-bois, et qui luisaient au soleil sous leur vernis de givre.

Mais on ne perdit point de temps à se soucier du cerf. Tandis que les piqueurs arrêtaient la meute, il prit la fuite, un peu reposé, suivi seulement de quelques chiens acharnés qui erreraient avec lui, jusqu'à la nuit, ou le conduiraient se noyer dans un étang.

Hugues de Bouville, penché sur Philippe le Bel, s'écria :

« Le roi vit ! »

Avec deux baliveaux taillés sur place à coups d'épée, et entre lesquels on noua ceintures et manteaux, on fabriqua une civière de fortune, où l'on étendit le roi. Celui-ci ne remua un peu que pour vomir et se vider de toutes parts comme un canard qu'on étouffe. Il avait les yeux vitreux et mi-clos.

On le porta ainsi jusqu'à Clermont où, dans la nuit, il recouvra partiellement l'usage de la parole. Les médecins, aussitôt mandés, l'avaient saigné.

A Bouville, qui le veillait, son premier mot péniblement articulé fut :

« La croix... la croix... »

Et Bouville, pensant que le roi voulait prier, alla lui chercher un crucifix.

Puis Philippe le Bel dit :

« J'ai soif. »

A l'aube, il demanda en bégayant d'être conduit à Fontainebleau, où il était né. Le pape Clément V lui aussi, se sentant mourir, avait voulu revenir vers le lieu de sa naissance.

On décida de faire voyager le roi par eau, pour qu'il fût moins secoué ; on l'installa dans une grande barque plate qui descendit l'Oise. Les familiers, les serviteurs et les archers d'escorte suivaient dans d'autres barques, ou bien à cheval le long des berges.

La nouvelle devançait l'étrange cortège, et les riverains accouraient pour voir passer la grande statue abattue. Les paysans ôtaient leurs coiffures, comme lorsque la procession des Rogations traversait leurs champs. A chaque village, des archers allaient querir des bassines de braises qu'on déposait dans la barque, pour réchauffer l'air autour du roi. Le ciel était uniformément gris, lourd de nuées neigeuses.

Le sire de Vauréal vint de son manoir, qui commandait une boucle de l'Oise, pour saluer le roi ; il lui trouva un teint de mort répandu sur le visage. Le roi ne lui répondit que des paupières. Où était l'athlète qui naguère faisait ployer deux hommes d'armes rien qu'en leur pesant sur les épaules ?

Le jour finissait tôt. On alluma de grandes torches, à l'avant des barques, dont la lumière rouge et dansante se projetait sur les berges ; et l'on eût dit du cortège une grotte de flammes qui traversait la nuit.

On arriva ainsi au confluent de la Seine et, de là, jusqu'à Poissy. Le roi fut porté au château.

Il demeura là une dizaine de jours, au bout desquels il parut un peu rétabli. La parole lui était revenue. Il pouvait se tenir debout, avec des gestes encore gourds. Il insista pour continuer vers Fontainebleau, et, faisant un grand effort de volonté, il exigea qu'on le mît à cheval. Il alla de la sorte, prudemment, jusqu'à Essonnes ; mais là, il dut abandonner ; le corps n'obéissait plus au vouloir.

Il acheva le trajet dans une litière. La neige tombait à nouveau, le pas des chevaux s'y étouffait.

A Fontainebleau, la cour était déjà rassemblée. Des feux flambaient dans toutes les cheminées du château.

Le roi, quand il entra, murmura :

« Le soleil, Bouville, le soleil... »

IX

UNE GRANDE OMBRE SUR LE ROYAUME

PENDANT une douzaine de jours, le roi erra en lui-même comme un voyageur perdu. Par moments, encore qu'il se fatiguât très vite, il paraissait reprendre son activité, s'inquiétait des affaires du royaume, exigeait de contrôler les comptes, demandait avec une impatience autoritaire qu'on présentât toutes les lettres et ordonnances à sa signature : il n'avait jamais montré un tel appétit de signer. Puis, brusquement, il retombait dans l'hébétude, prononçant de rares mots sans suite et sans objet. Il passait sur son front une main amollie dont les doigts pliaient mal.

On disait à la cour qu'il était absent de soi. En fait, il commençait d'être absent du monde.

De cet homme de quarante-six ans, la maladie, en trois semaines, avait fait un vieillard aux traits effondrés qui ne vivait plus qu'à demi au fond d'une chambre du château de Fontainebleau.

Et toujours cette soif qui le poignait et lui faisait réclamer à boire !

Les médecins assuraient qu'il n'en réchapperait pas, et l'astrologue Martin, en termes prudents, annonça une terrible épreuve à subir vers le bout du mois par un puissant monarque d'Occident, épreuve qui coïnciderait avec une éclipse de soleil. « Il se fera ce jour-là, écrivait maître Martin, une grande ombre sur le royaume... »

Et soudain, un soir, Philippe le Bel éprouva de nouveau sous le crâne ce terrible éclatement noir et cette chute dans les ténèbres qu'il avait connus dans la forêt de Pont-Sainte-Maxence. Cette fois, il n'y avait plus ni cerf ni croix. Il n'y avait qu'un grand corps prostré dans un lit, et sans aucun sentiment des soins qu'on lui prodiguait.

Lorsqu'il émergea de cette nuit de la conscience, dont il était incapable de savoir si elle avait duré une heure ou deux jours, la première chose que distingua le roi fut une large forme blanche surmontée d'une étroite couronne noire, et qui se penchait sur lui. Il entendit aussi une voix qui lui parlait.

« Ah ! Frère Renaud, dit le roi faiblement, je vous reconnais bien... Mais vous me paraissez comme entouré de brume. »

Et puis aussitôt, il ajouta :

« J'ai soif. »

Frère Renaud, des dominicains de Poissy, humecta les lèvres du malade d'un peu d'eau bénite.

« A-t-on mandé l'évêque Pierre ? Est-il arrivé ? » demanda alors le roi.

Par un de ces mouvements de l'esprit fréquents chez les mourants et qui les reportent vers leurs plus lointains souvenirs, ç'avait été l'obsession du roi dans les derniers jours que de réclamer à son chevet l'un de ses compagnons d'enfance, Pierre de Latille, évêque de Châlons et membre de son Conseil. On s'interrogeait sur ce désir, auquel on cherchait des motifs cachés, alors qu'on aurait dû n'y voir qu'un accident de la mémoire.

« Oui, Sire, on l'a fait mander », répondit frère Renaud.

Il avait effectivement dépêché un chevaucheur vers Châlons, mais le plus tard possible, avec l'espoir que l'évêque n'arriverait pas à temps.

Car frère Renaud avait un rôle à jouer dont il n'entendait se dessaisir au profit d'aucun autre ecclésiastique. En effet, le confesseur du roi était en même temps le grand inquisiteur de France ; leurs consciences partageaient les mêmes lourds secrets. Le monarque tout-puissant ne pouvait requérir l'ami de son choix pour l'assister au grand passage.

« Me parliez-vous depuis longtemps, frère Renaud ? » demanda le roi.

Frère Renaud, le menton effacé dans la chair, l'œil attentif, était chargé, à présent, sous le couvert des volontés divines, d'obtenir du roi ce que les vivants attendaient encore de lui.

« Sire, dit-il, Dieu vous saurait gré de laisser bien en ordre les affaires du royaume. »

Le roi resta un instant sans répondre.

« Frère Renaud, ai-je dit ma confession ? demanda-t-il.

— Mais oui, Sire, avant-hier, répondit le dominicain. Une belle confession, et qui a fait notre grande admiration et fera celle de tous vos sujets. Vous vous êtes repenti d'avoir harassé votre peuple, et surtout l'Eglise, de trop d'impôts ; et aussi vous avez déclaré que vous n'aviez point à implorer pardon des morts ordonnées par votre justice, parce que la Foi et la Justice se doivent assistance. »

Le grand inquisiteur avait élevé la voix pour que les assistants l'entendissent bien.

« Ai-je dit cela ? » demanda le roi.

Il ne savait plus. Avait-il vraiment prononcé ces paroles, ou bien frère Renaud était-il en train de lui inventer cette fin édifiante que doit faire tout grand personnage ? Il murmura simplement :

« Les morts...

— Il faudrait que vous nous instruisiez de vos volontés dernières, Sire », insista frère Renaud.

Il s'écarta un peu, et le roi s'aperçut que la chambre était pleine.

« Ah ! dit-il, je vous reconnais bien, vous tous qui êtes ici. »

Il paraissait surpris d'avoir conservé cette faculté d'identifier les visages.

Ils étaient tous là autour de lui, ses physiciens, son chambellan, son frère Charles à la stature avantageuse, son frère Louis un peu en retrait, le col penché, et Enguerrand, et Philippe le Convers, son légiste, et son secrétaire Maillard, le seul assis, à une petite table, contre les draps... tous immobiles, et tellement silencieux, et tellement estompés qu'ils semblaient arrêtés dans une irréalité éternelle.

« Oui, oui, répéta-t-il, je vous reconnais bien. »

Ce géant, au loin, dont la tête émergeait au-dessus de tous les fronts, c'était Robert d'Artois, son turbulent parent... Une haute femme, à quelque distance, retroussait ses manches d'une geste d'accoucheuse. La vue de la comtesse Mahaut rappela au roi les princesses condamnées.

« Le pape est-il élu ? demanda-t-il.

— Non, Sire. »

Plusieurs problèmes se bousculaient, s'enchevêtraient dans son esprit épuisé.

Chaque homme, parce qu'il croit un peu que le monde est né en même temps que lui, souffre, au moment de quitter la vie, de laisser l'univers inachevé. A plus forte raison un roi.

Philippe le Bel chercha du regard son fils aîné.

Louis de Navarre, Philippe de Poitiers, Charles de France se tenaient au chevet du lit, flanc à flanc, et comme soudés devant l'agonie de leur géniteur. Le roi dut renverser la tête pour les voir.

« Pesez, Louis, pesez, murmura-t-il, ce que c'est que d'être le roi de France ! Sachez au plus tôt l'état de votre royaume. »

La comtesse Mahaut manœuvrait pour se rapprocher, et l'on devinait bien quels pardons ou quelles grâces elle se disposait à arracher au mourant.

Frère Renaud adressa au comte de Valois un regard qui signifiait : « Monseigneur, intervenez. »

Louis de Navarre dans quelques moments serait roi de France, et nul n'ignorait que Valois le dominait complètement. Aussi l'autorité de ce dernier croissait-elle à proportion, et le grand inquisiteur se tournait vers lui comme vers la puissance véritable.

Valois, coupant la route à Mahaut, vint se placer entre elle et le lit.

« Mon frère, dit-il, n'avez-vous rien à changer dans votre testament de 1311 ?

— Nogaret est mort », répondit le roi.

Valois hocha le front, tristement, vers le grand inquisiteur, lequel, aussi tristement, écarta les mains comme pour déplorer qu'on eût trop attendu. Mais le roi ajouta :

« Il était exécuteur de mes volontés.

— Il vous faut alors dicter un codicille pour nommer à nouveau vos exécuteurs, mon frère, dit Valois.

— J'ai soif », murmura Philippe le Bel.

On lui remit un peu d'eau bénite sur les lèvres. Valois reprit :

« Vous désirez toujours, je pense, que je veille au respect de vos volontés.

— Certes... Et vous aussi, Louis, mon frère », dit le roi en regardant le comte d'Evreux.

Maillard avait commencé d'écrire, prononçant à mi-voix les formules rituelles des testaments royaux.

Après Louis d'Evreux, le roi désigna ses autres exécuteurs testamentaires, à mesure que ses yeux, plus impressionnants encore maintenant que leur large pâleur se troublait, rencontraient certains visages autour de lui. Il nomma ainsi Philippe le Convers, et puis Pierre de Chambly, qui était un familier de son second fils, et encore Hugues de Bouville.

Alors, Enguerrand de Marigny s'avança et fit en sorte que sa massive personne fût bien en vue du mourant.

Le coadjuteur savait que, depuis deux semaines, Charles de Valois ressassait devant le souverain affaibli ses griefs et ses accusations. « C'est Marigny, mon frère, qui est cause de votre souci... C'est Marigny qui a mis le Trésor au pillage... C'est Marigny qui a déshonnêtement marchandé la paix de Flandre... C'est Marigny qui vous a conseillé de brûler le grand-maître... »

Philippe le Bel allait-il, comme chacun d'évidence s'y attendait, citer Marigny parmi ses exécuteurs, lui donnant par là même une ultime confirmation de sa confiance ?

Maillard, la plume levée, observait le roi. Mais Valois dit très vite :

« Le nombre y est, je crois, mon frère. »

Et il eut pour Maillard un geste impératif qui signifiait de clore la liste. Marigny, blême, serra les poings sur sa ceinture et, forçant la voix, prononça :

« Sire !... Je vous ai toujours fidèlement servi. Je vous demande de me recommander à Monseigneur votre fils. »

Entre ces deux rivaux qui se disputaient son esprit, entre Valois et Marigny, entre son frère et son premier ministre, le roi eut un moment de flottement. Comme ils pensaient à eux-mêmes, et bien peu à lui !

« Louis, dit-il avec lassitude, qu'on ne lèse point Marigny s'il prouve qu'il a été fidèle. »

Alors Marigny comprit que les calomnies avaient porté. Devant un abandon si flagrant, il se demanda si Philippe le Bel l'avait jamais aimé.

Mais Marigny connaissait les pouvoirs dont il disposait. Il avait en main l'administration, les finances, l'armée. Il savait, lui, « l'état du royaume », et qu'on ne pouvait, sans lui, gouverner. Il croisa les bras, releva son large menton et, regardant Valois et Louis de Navarre de l'autre côté du lit où agonisait son souverain, il parut défier le règne suivant.

« Sire, avez-vous d'autres désirs ? » dit frère Renaud.

Hugues de Bouville replantait sur un candélabre un cierge qui menaçait de s'effondrer.

« Pourquoi fait-il si sombre ? demanda le roi. Est-ce encore la nuit, et le jour ne s'est-il point levé ? »

Bien qu'on fût au milieu de la journée, une obscurité rapide, anormale, angoissante, enveloppait le château. L'éclipse annoncée était en cours et, maintenant totale, couvrait de son ombre le royaume de France.

« Je rends à ma fille Isabelle, dit brusquement le roi, la bague dont elle me fit présent et qui porte le gros rubis qu'on nomme la Cerise. »

Il s'interrompit un instant, puis demanda une nouvelle fois :

« Pierre de Latille est-il arrivé ? »

Comme personne ne répondait, il ajouta :

« Je lui donne ma belle émeraude. »

Il continua en léguant à diverses églises, à Notre-Dame de Boulogne, parce que sa fille s'y était mariée, à Saint-Martin de Tours, à Saint-Denis, des fleurs de lis d'or, « d'un prix de mille livres », précisa-t-il pour chacune.

Frère Renaud se pencha et lui dit à l'oreille :

« Sire, n'oubliez point notre prieuré de Poissy. »

Sur le visage effondré de Philippe le Bel, on vit passer une expression d'agacement.

« Frère Renaud, dit-il, je donne à votre couvent

la belle bible que j'ai annotée de ma main. Elle vous sera bien utile, à vous et à tous les confesseurs des rois de France. »

Le grand inquisiteur, bien qu'il attendît davantage, sut cacher son dépit.

« A vos sœurs de saint Dominique, à Poissy, je lègue la grande croix des Templiers. Et mon cœur aussi y sera porté. »

Le roi avait terminé la liste de ses dons. Maillard relut à haute voix le codicille. Quand il arriva aux derniers mots : « de par le roi. », Valois attirant à lui l'héritier du trône et lui serrant fermement le bras, dit :

« Ajoutez : « et du consentement du roi de « Navarre. »

Philippe le Bel abaissa le menton, presque imperceptiblement, d'un mouvement d'approbation résignée. Son règne était clos.

Il fallut lui guider la main pour qu'il signât au bas du parchemin. Il murmura :

« Est-ce tout ? »

Non ; la dernière journée d'un roi de France n'était pas encore achevée.

« Il faut maintenant, Sire, que vous remettiez le miracle royal », dit frère Renaud.

Il invita l'assistance à se retirer afin que le roi transmît à son fils le pouvoir, mystérieusement attaché à la personne royale, de guérir les écrouelles.

Renversé sur ses coussins, Philippe le Bel gémit :

« Frère Renaud, regardez ce que vaut le monde. Voici le roi de France ! »

A l'instant qu'il mourait, on exigeait encore de lui un effort pour qu'il investît son successeur de la capacité, réelle ou supposée, de soulager une affection bénigne.

Ce ne fut point Philippe le Bel qui enseigna les formules et prières du miracle ; il les avait oubliées. Ce fut frère Renaud. Et Louis de Navarre, agenouillé auprès de son père, ses mains trop chaudes jointes aux mains glacées du roi, recueillit l'héritage secret.

Ce rite accompli, la cour fut à nouveau admise dans la chambre, et frère Renaud commença de réciter les prières des agonisants.

La cour reprenait le verset « *In manus tuas, Domine*... entre tes mains, Seigneur, je remets mon esprit... », lorsqu'une porte s'ouvrit ; l'évêque Pierre de Latille, l'ami d'enfance du roi, arrivait. Tous les regards se dirigèrent vers lui, tandis que toutes les lèvres continuaient de marmonner.

« *In manus tuas, Domine* », dit l'évêque Pierre reprenant avec les autres.

On se retourna vers le lit, et les prières s'arrêtèrent dans les gorges ; le roi de fer était mort.

Frère Renaud s'approcha pour lui fermer les yeux. Mais les paupières qui n'avaient jamais battu se relevèrent d'elles-mêmes. Par deux fois, le grand inquisiteur essaya vainement de les abaisser. On dut couvrir d'un bandeau le regard de ce monarque qui entrait les yeux ouverts dans l'Eternité.

NOTES HISTORIQUES
ET
RÉPERTOIRE BIOGRAPHIQUE

NOTES HISTORIQUES

1. — Premier en date des poètes français de langue romane, le duc Guillaume IX d'Aquitaine (22 octobre 1071-1127) est l'une des figures les plus importantes et les plus attachantes du Moyen Age.

Grand seigneur, grand amant, grand lettré, il eut une manière de vivre et de penser tout à fait exceptionnelle pour son époque. Le faste raffiné avec lequel il vivait en ses châteaux est à l'origine des fameuses « cours d'amour ».

Se voulant totalement affranchi de l'autorité de l'Eglise, il refusa au pape Urbain II, venu exprès le visiter dans ses Etats, de participer à la croisade. Il profita de l'absence de son voisin, le comte de Toulouse, pour mettre la main sur les terres de ce dernier. Mais les récits d'aventures l'incitèrent, un peu plus tard, à prendre le chemin de l'Orient, à la tête d'une armée de 30 000 hommes qu'il conduisit jusqu'à Jérusalem.

Ses *Vers*, dont onze poèmes seulement ont été conservés, introduisirent dans la littérature romane et, plus généralement, française, une conception idéalisée de la femme et de l'amour qui n'existait pas avant lui ; ils sont la source du grand courant de lyrisme amoureux qui traverse, irrigue et féconde toute notre littérature. Ce prince-troubadour n'était pas sans avoir subi quelque peu l'influence des poètes hispano-arabes.

2. — L'affaire de la succession d'Artois, l'un des plus grands drames d'héritage de l'histoire de France — et dont il sera souvent question dans ce volume et les suivants — se présentait de la manière que voici :

Saint Louis avait donné, en 1237, la comté-pairie d'Artois en apanage à son frère Robert. Ce Robert Ier d'Artois eut un fils, Robert II, qui épousa Amicie de Courtenay, dame de Conches. Robert II eut deux enfants : Philippe, mort en 1298 de blessures reçues à la bataille de Furnes, et Mahaut qui épousa Othon, comte palatin de Bourgogne.

A la mort de Robert II, tué en 1302 (donc quatre ans après son fils Philippe) à la bataille de Courtrai, l'héritage du comté fut réclamé à la fois par Robert III, fils de Philippe, — notre héros — et par Mahaut, sa tante, laquelle invoquait une disposition du droit coutumier artésien.

Philippe le Bel, en 1309, trancha en faveur de Mahaut. Celle-ci, devenue régente du comté de Bourgogne par la mort de son mari, avait marié ses deux filles, Jeanne et Blanche, au second et au troisième fils de Philippe le Bel, Philippe et Charles ; la décision qui la favorisa fut grandement inspirée par ces alliances qui apportaient notamment à la couronne la comté de Bourgogne, ou Comté-Franche, remise en dot à Jeanne. Mahaut devint donc comtesse-pair d'Artois.

Robert ne devait pas se tenir pour battu, et, pendant vingt ans, avec une âpreté rare, soit par action juridique, soit par action directe, il allait poursuivre contre sa tante une lutte où tous les procédés furent employés de part et d'autre : délation, calomnie, usage de faux, sorcellerie, empoisonnements, agitation politique, et qui, comme on le verra, se termina tragiquement pour Mahaut, tragiquement pour Robert, tragiquement pour l'Angleterre et pour la France.

D'autre part, en ce qui concerne la maison, ou plutôt les maisons de Bourgogne, liées comme à toutes les grandes affaires du royaume à cette affaire d'Artois, nous rappelons au lecteur qu'il y avait à l'époque deux Bourgognes absolument distinctes l'une de l'autre : la Bourgogne-Duché qui était terre vassale de la couronne de France, et la Bourgogne-Comté qui formait un palatinat relevant du Saint Empire. Le duché avait Dijon pour capitale, et le comté, Dole.

La fameuse Marguerite de Bourgogne appartenait à la famille ducale ; ses cousines et belles-sœurs, Jeanne et Blanche, à la maison comtale.

3. — On appelait au Moyen Age du terme imagé de *bougette* ou *bolgète* la bourse qu'on portait à la ceinture, ou le sac qu'on pendait à l'arçon de la selle, et qui y « bougeait ». Le mot, passé en Angleterre et prononcé « boudgett », désigna également le sac du trésorier du royaume, et par extension le contenu. Ceci est l'origine du terme « budget » qui nous est revenu d'Outre-Manche.

4. — L'Ordre souverain des Chevaliers du Temple de Jérusalem fut fondé en 1128 pour assurer la garde des Lieux saints de Palestine, et protéger les routes des pèlerinages. Sa règle, reçue de saint Bernard, était sévère. Elle imposait aux chevaliers la chasteté, la pauvreté, l'obéissance. Ils ne devaient « trop regarder face de femme..., ni ... baiser femelle, ni veuve, ni pucelle, ni mère, ni sœur, ni tante, ni nulle autre femme ». Ils étaient tenus, à la guerre, d'accepter le combat à un contre trois, et ne pouvaient pas se racheter par rançon. Il ne leur était permis de chasser que le lion.

Seule force militaire bien organisée, ces moines-soldats servirent d'encadrement aux bandes souvent désordonnées qui formaient les armées des croisades. Placés en avant-garde de toutes les attaques, en arrière-garde de toutes les retraites, gênés par l'incompétence ou les rivalités des princes qui commandaient ces armées d'aventure, ils perdirent en deux siècles plus de vingt mille des leurs sur les champs de batailles, chiffre considérable par rapport aux effectifs de l'Ordre. Ils n'en commirent pas moins, vers la fin, quelques funestes erreurs stratégiques.

Ils s'étaient montrés, pendant tout ce temps, bons administrateurs. Comme on avait grand besoin d'eux, l'or de l'Europe afflua dans leurs coffres. On remit à leur garde des provinces entières. Pendant cent ans, ils assurèrent le gouvernement effectif du royaume latin de Constantinople. Ils se déplaçaient en maîtres dans le monde, n'ayant à payer ni impôt, ni tribut, ni péage. Ils ne relevaient que du pape. Ils avaient des commanderies dans toute l'Europe et le Moyen-Orient ; mais le centre de leur organisation était à Paris. Ils furent amenés par la force des choses à faire de la grande banque. Le Saint-Siège et les principaux souverains d'Europe avaient chez eux leurs comptes courants. Ils prêtaient sur garantie, et avançaient les rançons des prisonniers. L'empereur Baudouin leur engagea « la vraie Croix ».

Expéditions, conquêtes, fortune, tout est démesuré dans l'histoire des Templiers, jusqu'à la procédure même qui fut employée pour parvenir à leur suppression. Le rouleau de parchemin qui contient la transcription des interrogatoires de 1307 mesure à lui seul 22,20 m.

Depuis ce prodigieux procès, les controverses n'ont jamais cessé ; certains historiens ont pris parti contre les accusés, d'autres contre Philippe le Bel. Il n'est pas douteux que les accusations portées contre les Templiers étaient, en grande partie, exagérées ou mensongères ; mais il n'est pas douteux non plus qu'il y ait eu chez eux d'assez profondes déviations dogmatiques. Leurs longs séjours en Orient les avaient mis en contact avec certains rites perpétués de la religion chrétienne primitive, avec la religion islamique qu'ils combattaient, voire avec les traditions ésotériques de l'Egypte ancienne. C'est à propos de leurs cérémonies initiatiques que se forma, par une confusion très habituelle à l'Inquisition médiévale, l'accusation d'adoration d'idoles, de pratiques démoniaques et de sorcellerie.

L'affaire des Templiers nous intéresserait moins si elle n'avait des prolongements jusque dans l'histoire du monde moderne. Il est connu que l'Ordre du Temple, aussitôt après sa destruction officielle, se reconstitua sous la forme d'une société secrète internationale, et l'on a les noms de grands-maîtres occultes jusqu'au XVIIIᵉ siècle.

Les Templiers sont à l'origine du Compagnonnage, institution qui existe encore aujourd'hui. Ils avaient besoin, dans leurs commanderies lointaines, d'ouvriers chrétiens. Ils les organisèrent et leur donnèrent une règle nommée « devoir ». Ces ouvriers, qui ne portaient pas l'épée, étaient vêtus de blanc ; ils firent les croisades et bâtirent au Moyen-Orient ces formidables citadelles, construites selon ce qu'on appelle en architecture « l'appareil des croisés ». Ils acquirent là-bas un certain nombre de méthodes de travail héritées de l'Antiquité et qui leur servirent à édifier en Occident les églises gothiques. A Paris, ces compagnons vivaient soit dans l'enceinte du Temple, soit dans le quartier avoisinant, où ils jouissaient de « franchises », et qui demeura pendant cinq cents ans le centre des ouvriers initiés.

Par le truchement des sociétés de compagnons, l'Ordre du Temple se rattache aux origines de la franc-maçonnerie. On retrouve en celle-ci les « épreuves » des cérémonies initiatiques et jusqu'à des emblèmes très précis qui non seulement sont ceux des anciennes compagnies d'ouvriers, mais, fait plus étonnant encore, figurent sur les murs de certaines tombes d'architectes de l'Egypte pharaonique. Tout donne donc à penser que ces rites, ces emblèmes, ces procédés de travail, furent rapportés en Europe par les Templiers.

5. — La datation utilisée au Moyen Age n'était pas la même que celle employée de nos jours, et en outre elle changeait d'un pays à l'autre.

L'année officielle commençait, en Allemagne, en Suisse, en Espagne et au Portugal, le jour de Noël ; à Venise, le 1er mars ; en Angleterre, le 25 mars ; à Rome, tantôt le 25 janvier et tantôt le 25 mars ; en Russie, à l'équinoxe de printemps.

En France, le début de l'année légale était le jour de Pâques. C'est ce qu'on appelle le « style de Pâques », ou « style français », ou « ancien style ». Cette singulière coutume de prendre une fête mobile comme point de départ de datation amenait à avoir des années qui variaient entre trois cent trente et quatre cents jours. Certaines années avaient deux printemps, l'un au début, l'autre à la fin.

Cet ancien style est la source d'une infinité de confusions, et il en surgit de grandes difficultés dans l'établissement d'une date exacte. Ainsi selon l'ancien style, la fin du procès des Templiers se plaçait en 1313, puisque Pâques, l'année 1314, tomba le 7 avril.

C'est seulement en décembre 1564, sous le règne de Charles IX, avant-dernier roi de la dynastie Valois, que le début de l'année légale fut fixé au premier janvier.

La Russie n'adopta le « nouveau style » qu'en 1725, l'Angleterre en 1752, et Venise, la dernière, à la conquête de Bonaparte.

Les dates données dans ce récit sont naturellement accordées sur le nouveau style.

6. — L'hôtel des Templiers, ses annexes, ses « cul-

tures », et toutes les rues avoisinantes formaient le
quartier du Temple dont le nom s'est perpétué jusqu'à nous. C'est dans la grande tour qui avait servi
de geôle pour Jacques de Molay que Louis XVI fut
enfermé quatre siècles et demi plus tard. Il n'en
sortit que pour être conduit à la guillotine. Cette
tour disparut en 1811.

7. — Les *sergents* étaient des fonctionnaires subal-
ternes chargés de différentes tâches d'ordre public
et de justice. Leur rôle se confondait sensiblement
avec celui des huissiers (gardiens des portes) et des
massiers. Il était parmi leurs attributions d'escorter
ou de précéder le roi, les ministres, les maîtres du
Parlement et de l'Université.

Le bâton de nos *sergents de ville* actuels est une
lointaine survivance du bâton des sergents d'autrefois, de même que la *masse* que portent encore les
massiers dans les cérémonies universitaires.

Il y avait, en 1254, soixante sergents spécialement
affectés à la police de Paris.

8. — Cette concession, faite à certaines corpora-
tions marchandes, de vendre aux abords ou dans la
demeure du souverain semble venir d'Orient. A Byzance, c'étaient les marchands de parfums qui
avaient droit de tenir boutique devant l'entrée du
palais impérial, leurs essences étant la chose la plus
agréable qui pût parvenir aux narines du *Basileus*.

9. — La *tour de Nesle*, d'abord tour Hamelin du
nom du prévôt de Paris qui avait présidé à sa construction, et *l'hôtel de Nesle* occupaient l'emplacement actuel de l'Institut de France et de la Monnaie. Le jardin était bordé au couchant par le rem-
part de Philippe Auguste, dont les fossés, qu'on appelait sur cette partie les « fossés de Nesle » ont
servi de tracé à la rue Mazarine. L'ensemble fut
scindé en Grand Nesle, Petit Nesle, et Séjour de

Nesle ; sur ses diverses parties s'élevèrent ultérieurement les hôtels de Nevers, de Guénégaud, de Conti, des Monnaies. La Tour ne fut détruite qu'en 1663 pour permettre la construction du collège Mazarin ou des Quatre Nations, affecté depuis 1805 à l'Institut.

10. — Le papier de coton, qu'on pense d'invention chinoise, et qui s'appela d'abord « parchemin grec » parce que les Vénitiens l'avaient trouvé en usage en Grèce, fit son apparition en Europe vers le Xᵉ siècle. Le papier de lin (ou de chiffre) fut importé d'Orient un peu plus tard par les Sarrasins d'Espagne. Les premières fabriques de papier s'établirent en Europe au cours du XIIIᵉ siècle. Pour des raisons de conservation et de résistance, le papier n'était jamais utilisé dans les documents officiels qui devaient supporter des « sceaux pendants ».

11. — C'est à partir de ces assemblées instituées sous Philippe le Bel que les rois de France prirent l'habitude de recourir à des consultations nationales qui, par la suite, reçurent le nom d'Etats généraux, et d'où sont issues, à leur tour, après 1789, nos premières institutions parlementaires.

12. — La notion du temps étant, au Moyen Age, beaucoup moins précise qu'aujourd'hui, on employait, pour désigner les différentes parties de la journée, la division ecclésiastique en *prime, tierce, none* et *vêpres*.

Prime commençait environ à six heures du matin. *Tierce* s'appliquait aux heures de la matinée. *None* au temps de midi et au milieu de la journée. Et *vêpres* ou la *vêprée* (avec une distinction entre haute et basse vêprée) à toute la fin du jour jusqu'au coucher du soleil.

13. — Primitivement appelé l'*île aux Chèvres*, cet

îlot, en aval et à la pointe de l'île de la Cité, avait
pris le nom d'*île aux Juifs* depuis qu'on y avait pro-
cédé aux exécutions de Juifs parisiens.

Réuni à un autre îlot voisin et à l'île même, pour
permettre la construction du Pont Neuf, il forme
aujourd'hui le jardin du Vert-Galant.

14. — Dans la répartition des juridictions religieuses établie au très haut Moyen Age, Paris ne figurait que comme évêché. De ce fait, il n'apparaît
pas dans la liste des vingt et une « métropoles » de
l'Empire énumérées au testament de Charlemagne.
Paris relevait, et continua de relever jusqu'au
XVIIᵉ siècle, de l'archidiocèse de Sens. L'évêque de
Paris était suffragant de l'archevêque de Sens, c'est-à-
dire que les décisions ou sentences prononcées par
le premier venaient en appel devant l'officialité du
second.

Paris ne prit rang d'archevêché que sous le règne
de Louis XIII.

15. — Les *prévôts* étaient des fonctionnaires royaux
qui cumulaient les fonctions aujourd'hui réparties
entre les préfets, les chefs de subdivisions militaires,
les commissaires divisionnaires, les agents du Trésor, du fisc et de l'enregistrement. C'est assez dire
qu'ils étaient rarement aimés. Mais déjà, à cette
époque, en certaines régions, ils commençaient de
partager leurs attributions avec des *receveurs de
finance.*

16. — La tenue des veuves de la noblesse, assez
semblable au vêtement des religieuses, se composait d'une longue robe noire, sans ornement ni bijoux, d'une guimpe blanche enfermant le cou et le
menton, et d'un voile blanc posé sur les cheveux.

17. — Depuis la fin du XIᵉ siècle et l'établissement
de la dynastie normande, la noblesse d'Angleterre

était en majeure partie de souche française. Constituée d'abord par les barons normands compagnons de Guillaume le Conquérant, renouvelée avec les Angevins et les Aquitains des Plantagenets, cette aristocratie conservait sa langue et ses habitudes d'origine.

Au XIV° siècle, le français était toujours le parler habituel de la cour, ainsi qu'en témoigne le *Honni soit qui mal y pense* prononcé par le roi Edouard III à Calais en rattachant la jarretière de la comtesse de Salisbury, parole qui devint la devise de l'ordre de la Jarretière.

La correspondance des rois était rédigée en français. De nombreux seigneurs anglais avaient d'ailleurs des fiefs dans les deux pays.

Notons aussi, à ce point de notre récit, que le roi Edouard III, dans les deux premières années de sa vie, vint deux fois en France. Au cours du premier voyage, en 1313, il avait failli périr étouffé dans son berceau par la fumée d'un incendie qui s'était déclaré à Maubuisson. C'est son second voyage, fait avec sa mère seule, que nous relatons ici.

18. — Le *bachelier*, dans la hiérarchie féodale, tenait le rang intermédiaire entre le chevalier et l'écuyer. Ce titre s'appliquait soit aux gentilshommes qui n'avaient pas les moyens de lever une bannière, c'est-à-dire une troupe personnelle, soit à de jeunes seigneurs en attente de recevoir la chevalerie. L'*écuyer*, au sens littéral, portait l'écu du chevalier, mais le mot était souvent employé comme terme générique pour désigner bacheliers et varlets.

19. — On appelait *chevaucheurs* les courriers chargés des messages officiels. Les princes souverains, les papes, les grands seigneurs et les principaux dignitaires civils ou ecclésiastiques avaient chacun leurs propres chevaucheurs qui portaient costume à leurs armes. Les chevaucheurs royaux avaient droit

de réquisition par priorité pour se procurer des montures de rechange en cours de route. Les chevaucheurs pouvaient facilement, en relayant, franchir cent kilomètres par jour.

20. — Le terme de *maltôte* — du bas latin *mala tolta*, mauvaise prise, mauvaise levée — fut adopté par le peuple pour désigner un impôt sur les transactions institué par Philippe le Bel, et qui consistait en une taxe d'un denier à la livre sur le prix des marchandises vendues. Ce fut cette taxe de 0,50 %, si l'on comptait en livres tournois, et de 0,33 %, si l'on comptait en livres parisis, qui déclencha de graves émeutes et laissa le souvenir d'une mesure financière écrasante.

21. — Le poison ainsi désigné était vraisemblablement le sulfo-cyanure de mercure. Ce sel donne, par combustion, de l'acide sulfureux, des vapeurs mercurielles et des composés cyanhydriques pouvant déclencher une intoxication à la fois cyanhydrique et mercurielle.

Presque tous les poisons du Moyen Age étaient d'ailleurs à base de mercure, matière de prédilection des alchimistes. Le nom de « serpent de Pharaon » est passé ultérieurement à un jouet d'enfant dans la fabrication duquel ce sel était utilisé.

22. — Philippe le Bel peut être considéré comme le premier roi gallican. Boniface VIII, par la bulle *Unam Sanctam*, avait déclaré : « ... que toute créature humaine est soumise au Pontife romain, et que cette soumission est une nécessité de son salut. » Philippe le Bel lutta constamment pour l'indépendance du pouvoir civil en matière temporelle. Au contraire, son frère Charles de Valois était résolument ultra-montain.

23. — Les Archives, au temps de Philippe le Bel,

étaient une institution relativement récente. La fondation n'en remontait qu'à saint Louis qui avait voulu qu'on groupât et classât toutes les pièces intéressant les droits et coutumes du royaume. Jusquelà les pièces étaient gardées, quand elles l'étaient, par les seigneurs ou par les communes ; le roi ne conservait par devers lui que les traités, ou les documents concernant les propriétés de la couronne. Sous les premiers Capétiens, ces pièces étaient placées dans un fourgon qui suivait tous les déplacements du roi.

24. — Institués vers le milieu du XIIIe siècle, les *bourgeois du roi* constituaient une catégorie particulière de sujets qui, en réclamant la justice du roi, se détachaient, soit de leurs liens de sujétion envers un seigneur, soit de leurs obligations de résidence dans une ville, et dès lors ne relevaient plus que du pouvoir central.

Cette institution prit un grand développement sous Philippe le Bel. On peut dire que les bourgeois du roi furent les premiers Français à avoir un statut juridique comparable à celui du citoyen moderne.

25. — La première « maison commune » de Paris, appelée d'abord *Maison de la marchandise*, puis, à partir du XIe siècle, *Parloir aux Bourgeois*, était située aux parages du Châtelet. Ce fut Etienne Marcel, en 1357, qui transféra les services municipaux et le lieu d'assemblée des bourgeois dans une maison de la place de Grève, à l'emplacement actuel de l'Hôtel de Ville de Paris.

26. — Ce cri de *taille-hors* est l'origine du mot *taïaut*, toujours employé en vénerie, pour signaler qu'on voit l'animal, qu'il est « hors taille » ou « hors taillis ».

27. — D'après les documents et rapports d'ambassadeurs que l'on possède, on peut conclure que Philippe le Bel fut frappé d'un ictus qui s'était produit dans une zone non motrice du cerveau. Il fit une rechute mortelle le 26 ou le 27 novembre.

RÉPERTOIRE BIOGRAPHIQUE

Les souverains apparaissent dans ce répertoire au nom sous lequel ils ont régné ; les autres personnages à leur nom de famille ou de fief principal. Nous n'avons pas fait mention de certains personnages épisodiques, lorsque les documents historiques ne conservent de leur existence d'autre trace que l'action précise pour laquelle ils figurent dans notre récit.

ANDRONIC II Paléologue (1258-1332).
Empereur de Constantinople. Couronné en 1282. Détrôné par son petit-fils Andronic III en 1328.

ANJOU-SICILE (Marguerite d'), comtesse de Valois (vers 1270-31 décembre 1299).
Fille de Charles II d'Anjou, dit le Boiteux, et de Marie de Hongrie. Première épouse de Charles de Valois. Mère du futur Philippe VI, roi de France.

ARTOIS (Mahaut, comtesse de Bourgogne puis d') (?-27 novembre 1329).
Fille de Robert II d'Artois. Epousa (1291) le comte palatin de Bourgogne, Othon IV (mort en 1303). Comtesse-pair d'Artois par jugement royal (1309). Mère de Jeanne de Bourgogne, épouse de Philippe de Poitiers, futur Philippe V, et de Blanche de Bourgogne, épouse de Charles de France, futur Charles IV.

Artois (Robert III d') (1287-1342).
Fils de Philippe d'Artois et petit-fils de Robert II d'Artois.
Comte de Beaumont-le-Roger et seigneur de Conches (1309).
Epousa (1318) Jeanne de Valois, fille de Charles de Valois
et de Catherine de Courtenay. Pair du royaume par son
comté de Beaumont-le-Roger (1328). Banni du royaume (1332),
se réfugia à la cour d'Edouard III d'Angleterre. Blessé
mortellement à Vannes. Enterré à Saint-Paul de Londres.

Auch (Arnaud d') (?-1320).
Evêque de Poitiers (1306). Créé cardinal évêque d'Albano
par Clément V en 1312. Légat du pape à Paris en 1314. Camé-
rier du pape jusqu'en 1319. Mort en Avignon.

Aunay (Gautier d') (?-1314).
Fils aîné de Gautier d'Aunay, seigneur de Moucy-le-Neuf,
du Mesnil et de Grand Moulin. Bachelier du comte de Poitiers,
second fils de Philippe le Bel. Convaincu d'adultère (affaire
de la tour de Nesle) avec Blanche de Bourgogne, il fut
exécuté à Pontoise. Il avait épousé Agnès de Montmorency.

Aunay (Philippe d') (?-1314).
Frère cadet du précédent. Amant de Marguerite de Bourgogne,
épouse de Louis de Navarre, dit le Hutin. Exécuté en
même temps que son frère à Pontoise.

Baglioni (Guccio) (vers 1295-1340).
Banquier siennois apparenté à la famille des Tolomei. Tenait,
en 1315, comptoir de banque à Neauphle-le-Vieux. Epousa
secrètement Marie de Cressay. Eut un fils, Giannino (1316),
échangé au berceau avec Jean Ier le posthume. Mort en
Campanie.

Barbette (Etienne) (vers 1250-19 décembre 1321).
Bourgeois de Paris, appartenant à une des plus vieilles familles de notables. Voyer de Paris (1275), échevin (1296),
prévôt des marchands (1296 et 1314), maître de la Monnaie
de Paris et argentier du roi. Sa demeure, la courtille Barbette,
fut pillée lors des émeutes de 1306.

Boccacio da Chellino, ou Boccace.
Banquier florentin, voyageur de la compagnie des Bardi.
Eut d'une maîtresse française un fils adultérin (1313) qui
fut l'illustre poète Boccace, auteur du *Décaméron*.

BONIFACE VIII (Benoît Caëtani), pape (vers 1215-11 octobre 1303). D'abord chanoine de Todi, avocat consistorial et notaire apostolique. Cardinal en 1281. Fut élu pape le 24 décembre 1294, après l'abdication de Célestin V. Victime de l' « attentat » d'Anagni, il mourut à Rome un mois plus tard.

BOURDENAI (Michel de).
Légiste et conseiller de Philippe le Bel. Fut emprisonné et eut ses biens confisqués sous le règne de Louis X, mais retrouva biens et dignités sous Philippe V.

BOURGOGNE (Agnès de France, duchesse de) (vers 1268-vers 1325). Dernière des onze enfants de saint Louis. Mariée en 1273 à Robert II de Bourgogne. Mère de Hugues V et d'Eudes IV, ducs de Bourgogne ; de Marguerite, épouse de Louis X Hutin, roi de Navarre puis de France et de Jeanne, dite la Boiteuse, épouse de Philippe VI de Valois.

BOURGOGNE (Blanche de) (vers 1296-1326).
Fille cadette d'Othon IV, comte palatin de Bourgogne, et de Mahaut d'Artois. Mariée en 1307 à Charles de France, troisième fils de Philippe le Bel. Convaincue d'adultère (1314), en même temps que Marguerite de Bourgogne, fut enfermée à Château-Gaillard, puis au château de Gournay, près de Coutances. Après l'annulation de son mariage (1322), elle prit le voile à l'abbaye de Maubuisson.

BOUVILLE (Hugues III, comte de) (?-1331).
Fils de Hugues II de Bouville et de Marie de Chambly. Chambellan de Philippe le Bel. Epousa (1293) Marguerite des Barres dont il eut un fils, Charles, qui fut chambellan de Charles V et gouverneur du Dauphiné.

CAETANI (Francesco) (?-mars 1317).
Neveu de Boniface VIII et créé cardinal par lui en 1295. Impliqué dans une tentative d'envoûtement du roi de France (1316). Mort en Avignon.

CHARLES DE FRANCE, puis CHARLES IV, roi de France (1294-1er février 1328).
Troisième fils de Philippe IV le Bel et de Jeanne de Champagne. Comte apanagiste de la Marche (1315). Succéda sous le nom de Charles IV à son frère Philippe V (1322). Marié successivement à Blanche de Bourgogne (1307), Marie de

Luxembourg (1322) et Jeanne d'Evreux (1325). Mourut à Vincennes, sans héritier mâle, dernier roi de la lignée des Capétiens directs.

CHARNAY (Geoffroy de) (?-18 mars 1314).
Précepteur de Normandie dans l'Ordre des chevaliers du Temple. Arrêté le 13 octobre 1307, fut condamné et brûlé à Paris.

CHÂTILLON-SAINT-POL (Mahaut de), comtesse de Valois (vers 1293-1358).
Fille de Guy de Châtillon, grand bouteiller de France, et de Marie de Bretagne. Troisième épouse de Charles de Valois, frère de Philippe le Bel.

CLÉMENT V (Bertrand de Got ou Goth), pape (?-20 avril 1314).
Né à Villandraut (Gironde). Fils du chevalier Arnaud-Garsias de Got. Archevêque de Bordeaux (1300). Elu pape (1305) pour succéder à Benoît XI. Couronné à Lyon. Il fut le premier des papes d'Avignon.

COLONNA (Jacques) (?-1318).
Membre de la célèbre famille romaine des Colonna. Créé cardinal en 1278 par Nicolas III. Principal conseiller de la cour romaine sous Nicolas IV. Excommunié par Boniface VIII en 1297 et rétabli dans sa dignité de cardinal en 1306.

COLONNA (Sciarra).
Frère du précédent. Homme de guerre. Un des chefs du parti gibelin. Ennemi du pape Boniface VIII, gifla celui-ci au cours de l'attentat d'Anagni.

COLONNA (Pierre) (?-1326).
Neveu du cardinal Jacques Colonna. Créé cardinal par Nicolas IV en 1288. Excommunié par Boniface VIII en 1297 et rétabli dans sa dignité de cardinal en 1306. Mort en Avignon.

COURTENAY (Catherine de), comtesse de Valois, impératrice titulaire de Constantinople (?-1307).
Seconde épouse de Charles de Valois, frère de Philippe le Bel. Petite-fille et héritière de Baudouin, dernier empereur latin de Constantinople (1261). A sa mort, ses droits passèrent à sa fille aînée, Catherine de Valois, épouse de Philippe d'Anjou, prince d'Achaïe et de Tarente.

CRESSAY (dame Eliabel de).

Châtelaine de Cressay, près Neauphle-le-Vieux, dans la prévôté de Montfort-l'Amaury. Veuve du sire Jean de Cressay. Mère de Jean, Pierre et Marie de Cressay.

CRESSAY (Marie de) (vers 1298-1345).

Fille de dame Eliabel et du sire de Cressay, chevalier. Secrètement mariée à Guccio Baglioni et mère (1316) d'un enfant échangé au berceau avec Jean Ier le Posthume, dont elle était la nourrice. Fut enterrée au couvent des Augustins près de Cressay.

CRESSAY (Jean de) et CRESSAY (Pierre de).

Frères de la précédente. Furent tous deux armés chevaliers par Philippe VI de Valois lors de la bataille de Crécy (1346).

DESPENSER (Hugh LE) (1262-27 octobre 1326).

Fils de Hugh Le Despenser, Grand Justicier d'Angleterre. Baron, membre du Parlement (1295). Principal conseiller d'Edouard II à partir de 1312. Comte de Winchester (1322). Chassé du pouvoir par la révolte baronniale de 1326, mourut pendu à Bristol.

DESPENSER (Hugh LE) dit le Jeune (vers 1290-24 novembre 1326).

Fils du précédent. Chambellan et favori d'Edouard II à partir de 1312. Marié à Eleanor de Clare (vers 1306). Ses abus de pouvoir causèrent la révolte baronniale de 1326. Fut pendu à Hereford.

DESPENSER (lady Eleanor LE), née de Clare (?-1337).

Fille du comte de Gloucester et nièce d'Edouard II. Epouse de Hugh Le Despenser le Jeune, dont elle eut deux fils.

DUBOIS (Guillaume).

Légiste et trésorier de Philippe le Bel. Emprisonné sous le règne de Louis X, mais rétabli dans ses biens et dignités par Philippe V.

EDOUARD II Plantagenet, roi d'Angleterre (1284-21 septembre 1327).

Né à Carnarvon. Fils d'Edouard Ier et d'Eléonore de Castille. Premier prince de Galles. Duc d'Aquitaine et comte de Ponthieu (1303). Armé chevalier à Westminster (1306). Roi en 1307. Epousa à Boulogne-sur-mer, le 22 janvier 1308, Isa-

belle de France, fille de Philippe le Bel. Couronné à Westminster le 25 février 1308. Détrôné (1326) par une révolte
barronniale conduite par sa femme, fut emprisonné et mourut
assassiné au château de Berkeley.

EDOUARD, prince héritier d'Angleterre, puis Edouard III Planta-
genet, roi d'Angleterre (13 novembre 1312-1377).
Fils du précédent. Duc d'Aquitaine et comte de Ponthieu.
Proclamé roi (janvier 1327) après la déposition de son père.
Epousa (1328) Philippa de Hainaut, fille de Guillaume de Hai-
naut et de Jeanne de Valois. Ses prétentions au trône de
France furent cause de la guerre de Cent Ans.

EVRARD.
Ancien Templier. Clerc de Bar-sur-Aube. Impliqué en 1316
dans une affaire de sorcellerie ; complice du cardinal Caëtani
dans une tentative d'envoûtement du roi de France.

EVREUX (Louis de France, comte d') (1276-1319).
Fils de Philippe III le Hardi et de Marie de Brabant. Demi-
frère de Philippe le Bel et de Charles de Valois. Comte
d'Evreux (1298). Epousa Marguerite d'Artois, sœur de Robert III d'Artois, dont il eut : Jeanne, troisième épouse de
Charles IV le Bel, et Philippe, époux de Jeanne, reine de
Navarre.

FIENNES (Jean, baron de).
Baron de Ringry, seigneur de Ruminghen, châtelain de Bour-
bourg. Elu chef de la noblesse rebelle d'Artois, et l'un des
derniers à se soumettre. Il avait épousé Isabelle, sixième fille
de Guy de Dampierre, comte de Flandre.

GAVESTON OU GABASTON (Pierre de) (vers 1284-juin 1312).
Chevalier béarnais, favori d'Edouard II. Fait comte de Cor-
nouailles à l'avènement d'Edouard II (1307) et marié la même
année à Marguerite de Clare, fille du comte de Gloucester.
Régent du royaume, vice-roi d'Irlande (1308). Excommunié
(1312). Assassiné par une coalition baronniale. En 1315,
Edouard II fit transférer ses restes d'Oxford au château de
Langley (Hertfordshire).

GOT OU GOTH (Bertrand de).
Vicomte de Lomagne et d'Auvillars. Marquis d'Ancône.
Neveu et homonyme du pape Clément V. Intervint à diverses
reprises dans le conclave de 1314-1316.

HIRSON OU HIREÇON (Thierry LARCHIER d') (vers 1270-17 novembre 1328).
D'abord petit clerc de Robert II d'Artois, il accompagna Nogaret à Anagni et fut utilisé par Philippe le Bel pour plusieurs missions. Chanoine d'Arras (1299). Chancelier de Mahaut d'Artois (1303). Evêque d'Arras (avril 1328).

HIRSON OU HIREÇON (Béatrice d').
Nièce du précédent. Demoiselle de parage de la comtesse Mahaut.

ISABELLE de France, reine d'Angleterre (1292-23 août 1358).
Fille de Philippe IV le Bel et de Jeanne de Champagne. Sœur des rois Louis X, Philippe V et Charles IV. Epousa Edouard II d'Angleterre (1308). Prit la tête (1325), avec Roger Mortimer, de la révolte des barons anglais qui amena la déposition de son mari. Surnommée « la louve de France », gouverna de 1326 à 1328 au nom de son fils Edouard III. Exilée de la cour (1330). Morte au château de Hertford.

JEANNE de Bourgogne, comtesse de Poitiers, puis reine de France (vers 1293-21 janvier 1330).
Fille aînée d'Othon IV, comte palatin de Bourgogne, et de Mahaut d'Artois. Sœur de Blanche, épouse de Charles de France, futur Charles IV. Mariée en 1307 à Philippe de Poitiers, second fils de Philippe le Bel. Convaincue de complicité dans les adultères de sa sœur et de sa belle-sœur (1314), elle fut enfermée à Dourdan, puis libérée en 1315. Mère de trois filles : Jeanne, Marguerite et Isabelle, qui épousèrent respectivement le duc de Bourgogne, le comte de Flandre et le dauphin de Viennois.

JEANNE de Champagne, reine de France et de Navarre (vers 1270-avril 1305).
Fille unique et héritière d'Henri Ier de Navarre, comte de Champagne et de Brie (mort en 1274), et de Blanche d'Artois. Mariée en 1284 au futur Philippe IV le Bel. Mère des rois Louis X, Philippe V et Charles IV, et d'Isabelle, reine d'Angleterre.

JEANNE de France, reine de Navarre (vers 1311-8 octobre 1349).
Fille de Louis de Navarre, futur Louis X Hutin, et de Marguerite de Bourgogne. Présumée bâtarde. Ecartée de la succession au trône de France, elle hérita de la Navarre.

Mariée à Philippe, comte d'Evreux. Mère de Charles le Mauvais, roi de Navarre, et de Blanche, seconde épouse de Philippe VI de Valois, roi de France.

JOINVILLE (Jean, sire de) (1224-24 décembre 1317).
Sénéchal héréditaire de Champagne. Accompagna Louis IX à la 7ᵉ croisade et partagea sa captivité. Rédigea à quatre-vingts ans son « *Histoire de saint Louis* » pour laquelle il demeure parmi les grands chroniqueurs.

JOINVILLE (Jeanne de) (voir à MORTIMER).

LATILLE (Pierre de) (?-15 mars 1328).
Evêque de Châlons (1313). Membre de la Chambre aux Comptes. Garde du sceau royal à la mort de Nogaret. Incarcéré par Louis X (1315) et libéré par Philippe V (1317), il revint à l'évêché de Châlons.

LE LOQUETIER (Nicole).
Légiste et conseiller de Philippe le Bel ; emprisonné par Louis X, rétabli dans ses biens et dignités par Philippe V.

LONGWY (Jean de).
Parent du grand-maître Jacques de Molay. Membre de la ligue féodale de Bourgogne constituée en 1314.

LOUIS IX, ou SAINT LOUIS, roi de France (1215-25 août 1270).
Né à Poissy. Fils de Louis VIII et de Blanche de Castille. Roi en 1226, il ne régna effectivement qu'à partir de 1236. Epousa (1234) Marguerite de Provence dont il eut six fils et cinq filles. Conduisit la 7ᵉ croisade (1248-1254). Mourut à Tunis au cours de la 8ᵉ croisade. Canonisé en 1296 sous le pontificat de Boniface VIII.

LOUIS, dit Hutin, roi de Navarre, puis LOUIS X, roi de France (octobre 1289-5 juin 1316).
Fils de Philippe IV le Bel et de Jeanne de Champagne. Frère des rois Philippe V et Charles IV, et d'Isabelle, reine d'Angleterre. Roi de Navarre (1307). Roi de France (1314). Epousa (1305) Marguerite de Bourgogne dont il eut une fille, Jeanne, née vers 1311. Après le scandale de la tour de Nesle et la mort de Marguerite, se remaria (août 1315) à Clémence de Hongrie. Couronné à Reims (août 1315). Mort à Vincennes. Son fils, Jean Iᵉʳ le Posthume, naquit cinq mois plus tard (novembre 1316).

MARGUERITE de Bourgogne, reine de Navarre (vers 1293-1315).
Fille de Robert II, duc de Bourgogne, et d'Agnès de France.
Mariée (1305) à Louis, roi de Navarre, fils aîné de Philippe
le Bel, futur Louis X, dont elle eut une fille, Jeanne. Convaincue d'adultère (affaire de la tour de Nesle, 1314), elle fut enfermée à Château-Gaillard où elle mourut assassinée.

MARIGNY (Enguerrand LE PORTIER de) (vers 1265-30 avril 1315).
Né à Lyons-la-Forêt. Marié en premières noces à Jeanne de
Saint-Martin, en secondes noces à Alips de Mons. D'abord
écuyer du comte de Bouville, puis attaché à la maison de la
reine Jeanne, épouse de Philippe le Bel, et successivement
garde au château d'Issoudun (1298). chambellan (1304) ; fait
chevalier et comte de Longueville, intendant des finances
et des bâtiments, capitaine du Louvre, coadjuteur au gouvernement et recteur du royaume pendant la dernière partie
du règne de Philippe le Bel. Après la mort de ce dernier,
il fut accusé de détournements, condamné, et pendu à Montfaucon. Réhabilité en 1317 par Philippe V et enterré dans
l'église des Chartreux, puis transféré à la collégiale d'Ecouis
qu'il avait fondée.

MARIGNY (Jean, ou Philippe, ou Guillaume de) (?-1325).
Frère cadet du précédent. Secrétaire du roi (1301). Archevêque
de Sens (1309). Fit partie du tribunal qui condamna à mort
son frère Enguerrand. Un troisième frère Marigny, également
prénommé Jean, et comte-évêque de Beauvais depuis 1312,
siégea dans les mêmes commissions judiciaires, et poursuivit
sa carrière jusqu'en 1350.

MOLAY (Jacques de) (vers 1244-18 mars 1314).
Né à Molay (Haute-Saône). Entra dans l'Ordre des Templiers
à Beaune (1265). Parti pour la Terre-Sainte. Elu grand-maître
de l'Ordre (1295). Arrêté en octobre 1307, fut condamné
et brûlé à Paris.

MORTIMER (Lady Jeanne), née Joinville (1286-1356).
Fille de Pierre de Joinville, petite-nièce du sénéchal compagnon
de saint Louis. Epousa sir Roger Mortimer, baron de Wigmore,
vers 1305, et eut de lui onze enfants.

MORTIMER (Roger) (1287-29 novembre 1330).
Fils aîné d'Edmond Mortimer, baron de Wigmore, et de
Marguerite de Fiennes. Huitième baron de Wigmore. Chef
de la révolte qui amena la déposition d'Edouard II. Gouverna

de fait l'Angleterre, comme Lord protecteur, avec la reine Isabelle, pendant la minorité d'Edouard III. Premier comte de March (1328). Arrêté par Edouard III et condamné par le Parlement, il fut pendu au gibet de Tyburn, à Londres.

NEVERS (Louis de) (?-1322).
Fils de Robert de Béthune, comte de Flandre, et de Yolande de Bourgogne. Comte de Nevers (1280). Comte de Rethel par son mariage avec Jeanne de Rethel.

NOGARET (Guillaume de) (vers 1265-mai 1314).
Né à Saint-Félix de Caraman, dans le diocèse de Toulouse. Elève de Pierre Flotte et de Gilles Aycelin. Enseigna le droit à Montpellier (1291) ; juge-royal de la sénéchaussée de Beaucaire (1295) ; chevalier (1299). Se rendit célèbre par son action dans les différends entre la couronne de France et le Saint-Siège. Conduisit l'expédition d'Anagni contre Boniface VIII (1303). Garde des Sceaux de septembre 1307 à sa mort, il introduisit le procès des Templiers.

PAREILLES (Alain de).
Capitaine des archers sous Philippe le Bel.

PAYRAUD (Hugues de).
Visiteur de France dans l'Ordre des chevaliers du Temple. Arrêté le 13 octobre 1307, condamné à l'emprisonnement à vie en mars 1314.

PHILIPPE III, dit le Hardi, roi de France (3 avril 1245-5 octobre 1285).
Fils de saint Louis et de Marguerite de Provence. Epousa Isabelle d'Aragon (1262). Père de Philippe IV le Bel et de Charles, comte de Valois. Accompagna son père à la 8ᵉ croisade et fut reconnu roi à Tunis (1270). Veuf en 1271, il se remaria à Marie de Brabant dont il eut Louis, comte d'Evreux. Il mourut à Perpignan au retour d'une expédition faite pour soutenir les droits de son second fils au trône d'Aragon.

PHILIPPE IV, dit le Bel, roi de France (1268-29 novembre 1314).
Né à Fontainebleau. Fils de Philippe III le Hardi et d'Isabelle d'Aragon. Epousa (1284) Jeanne de Champagne, reine de Navarre. Père des rois Louis X, Philippe V et Charles IV, et d'Isabelle de France, reine d'Angleterre. Reconnu roi à Perpignan (1285) et couronné à Reims (6 février 1286). Mort à Fontainebleau et enterré à Saint-Denis.

PHILIPPE, comte de Poitiers, puis **PHILIPPE V**, dit le Long, roi de France (1291-3 janvier 1322).

Fils de Philippe IV le Bel et de Jeanne de Champagne. Frère des rois Louis X, Charles IV, et d'Isabelle d'Angleterre. Comte palatin de Bourgogne, sire de Salins, par son mariage (1307) avec Jeanne de Bourgogne. Comte apanagiste de Poitiers (1311). Pair de France (1315). Régent à la mort de Louis X, puis roi à la mort du fils posthume de celui-ci (novembre 1316). Mort à Longchamp, sans héritier mâle. Enterré à Saint-Denis.

PLOYEBOUCHE (Jean).

Prévôt de Paris de 1309 à fin mars 1316.

PHILIPPE LE CONVERS.

Chanoine de Notre-Dame de Paris. Membre du Conseil de Philippe V pendant toute la durée de son règne.

PRESLES (Raoul Ier de) ou de **PRAYERES** (?-1331).

Seigneur de Lisy-sur-Ourcq. Avocat. Secrétaire de Philippe le Bel (1311). Emprisonné à la mort de ce dernier, mais rentré en grâce dès la fin du règne de Louis X. Gardien du conclave de Lyon en 1316. Anobli par Philippe V, chevalier poursuivant de ce roi et membre de son Conseil. Fonda le collège de Presles.

PRÉ (Jehan du).

Ancien Templier ; s'employait comme domestique à Valence en 1316. Fut impliqué avec le clerc et ancien Templier Evrard dans la tentative d'envoûtement du roi Louis X par le cardinal Caëtani.

SAISSET (Bernard de).

Abbé de Saint-Antoine de Pamiers. Boniface VIII créa pour lui l'évêché de Pamiers (1295). En conflit avec la couronne, il fut arrêté et comparut à Senlis, en octobre 1301. Son procès amena la rupture entre Philippe IV et le pape Boniface VIII.

TOLOMEI (Spinello).

Chef en France de la compagnie siennoise des Tolomei, fondée au XIIe siècle par Tolomeo Tolomei et rapidement enrichie par le commerce international et le contrôle de mines d'argent de Toscane. Il existe toujours à Sienne un palais Tolomei.

VALOIS (Charles de) (12 mars 1270-décembre 1325).
Fils de Philippe III le Hardi et de sa première épouse, Isabelle
d'Aragon. Frère de Philippe IV le Bel. Armé chevalier à quatorze ans. Investi du royaume d'Aragon par le légat du pape,
la même année, il n'en put jamais occuper le trône et renonça
au titre en 1295. Comte apanagiste de Valois et d'Alençon
(1285). Comte apanagiste d'Anjou, du Maine et du Perche
(mars 1290), par son premier mariage avec Marguerite d'Anjou-Sicile ; empereur titulaire de Constantinople par son second
mariage (janvier 1301) avec Catherine de Courtenay ; fut créé
comte de Romagne par le pape Boniface VIII. Epousa en
troisièmes noces Mahaut de Châtillon Saint Pol. De ses trois
mariages, il eut de très nombreux enfants ; son fils aîné fut
Philippe VI, premier roi de la lignée Valois. Il mena campagne en Italie pour le compte du pape en 1301, commanda
deux expéditions en Aquitaine (1297 et 1324) et fut candidat
à l'empire d'Allemagne. Mort à Nogent-le-Roi, et enterré à
l'église des Jacobins à Paris.

ŒUVRES DE MAURICE DRUON

IMPRIMÉ EN FRANCE PAR BRODARD ET TAUPIN
Usine de La Flèche (Sarthe).
LIBRAIRIE GÉNÉRALE FRANÇAISE - 6, rue Pierre-Sarrazin - 75006 Paris.

ISBN : 2 - 253 - 01101 - 0   ◈ 30/2886/7